Y STORÏWR

Jon Gower

Y STORÏWR

Gomer

Cyhoeddwyd yn 2011 gan
Wasg Gomer, Llandysul, Ceredigion SA44 4JL

ISBN 978 1 84851 241 2

Dymuna'r cyhoeddwyr gydnabod cymorth
Cyngor Llyfrau Cymru.

Argraffwyd a rhwymwyd yng Nghymru gan
Wasg Gomer, Llandysul, Ceredigion

I Ems a Diane

DIOLCH o galon i Dafydd Saer am olygu'n ddeallus a charedig ac i Elinor Wyn Reynolds am ei chyfraniadau sylwgar a chefnogol. Diolch hefyd i'r merched yn y tŷ, Elena ac Onwy, sy'n gwneud i mi chwilio am unrhyw esgus i adael y ddesg.

'Ambell waith, y storïwr *yw*'r stori.'

Jeremy Kruger, *McGideon's Bible*

Am enedigaeth

*U*N FEDWEN ARIAN, ei dail ar dân. Un dderwen gref, yn goelcerth wenfflam reit yng nghanol Cae y Rhaca. Un llarwydden dal, fel llusern o olau wrth i'r boncyff a'r brigau a'r dail bytholwyrdd losgi'n gyflym, er gwaetha'r ffaith eu bod yn wlyb ar ôl haf hir, glawog.

Ymdebygai'r nen i labordy gwallgo, yn gyfres o ffrwydradau Van der Graaf uwchben bryniau Dyfed. Byddai rhai'n tyngu eu bod nhw wedi gweld yr *aurora borealis* uwchben Alltwalis, ac un ffermwr meddw'n credu bod Dydd y Farn wedi cyrraedd wrth iddo groesi hewl Penpella. Yr holl fellt 'na! Iesu mowr! Dim mwy o Drambuie iddo fe. Byth 'to!

Ganwyd plentyn rhyfedd i gyd-fynd â'r sbectacl naturiol, unwaith-mewn-mileniwm hwn. Gallech ddweud hynny oherwydd pŵer digamsyniol a syfrdanol y mellt lliw oren, lemwn a leim a dasgai drwy haen o gymylau inc, i gyd-fynd â sgrechiadau ei fam. Mellt i losgi cysgodion. Mellt i godi braw ar y brain nes eu bod yn colli'u plu ac yn edrych fel ffowls ar y ffordd i'r ffwrn. Mellt i danio coed mor sydyn â matsien yn cynnau pentwr o bapur sidan.

Dyma fi'n dod, Mam. Dyma fi'n dod i newid popeth. Rwy'n teimlo'n hyderus abwytu'r antur sydd i ddod. O boi, ydw.

Y crwtyn yn cyrraedd wrth i bum degau'r ganrif, gyda'u dathlu ar ôl y rhyfel, droi'n chwe degau seicedelig. Pum awr i fynd cyn y ddegawd newydd, a fyddai'n fwy lliwgar, cymhleth a gwaedlyd.

Syllai'r fam yn hurt wrth i'w mab arllwys i'r byd – neu'n hytrach dorri'n rhydd fel lindys, gan rwygo'i ffordd allan o'i gocŵn porffor a'i stribedi o waed. Roedd ganddo ben da o wallt, a llygaid ei dad – roedd tro bach ynddynt; edrychai ar ei fam ac ar y fydwraig ar yr un pryd.

'Mae digon o wallt 'da fe,' ebychodd y fydwraig, Mrs Lazarus, cyn iddi gario'r brych, fel twlp o afu, mewn bwced i'r twlc. Roedd y brych yn ddélicasi gan y moch, a oedd yn gwerthfawrogi pob genedigaeth yn y pentref, eu gwefusau'n goch 'da lipstic gwaed ffres. Un tro ganwyd gefeilliaid i Lizzie Penuwch, ac roedd yr wyth o foch yn meddwl bod y Nadolig wedi cyrraedd yn gynnar pan welson nhw faint y brych, cymaint â morlo bach.

'Fe, ife?'

''Sdim dwywaith. Mae ganddo fe daclau pert. Dwy blymsen, a mwydyn yn y cenol.'

Chwarddodd mam Gwydion, er gwaetha'i blinder llethol ar ôl genedigaeth lafurus ddeuddeg awr. Edrychodd ar y babi'n estyn ei freichiau bach tua'r bylb golau. Gwallt yn glynu at y benglog ac yn sgleinio fel tase'r bychan yn defnyddio Brylcreem. Tamed bach o sbif. Tamed bach o ddandi. Ond yn reit gyfforddus, ar ôl cyrraedd byd y golau o du fewn y peirianwaith hydrolig, system blymio swnllyd y groth, yr holl hylifau 'na'n pwmpo o gwmpas, y synau'n dod o bell, fel ergydion gynnau mawrion yn taro'u targedi draw tua'r gorwel. Beth ddiawl oedd y rheini? Y ffrwydradau tanddwr 'na? Dyna beth oedd e'n ei ofyn iddo'i hun wrth ddrifftio yn acwariwm bola'i fam. Cyn slipo mas fel torpîdo. I weld beth oedd beth.

Roedd y rhieni, Martha a Macs, wedi penderfynu ar yr enw eisoes. Os merch, Gwenllïan. Os bachgen, Gwydion.

Roedd Macs yn ddarllenwr obsesiynol ac yn gredwr mawr mewn addysgu ei hun, yn enwedig gan nad oedd wedi aros yn hir yn yr ysgol pan gawsai'r cyfle. Gadawodd y Pinkerton Academy for Boys ym Mhorth Tywyn yn un ar ddeg oed, felly roedd gwaith dala lan. Llyncai lyfr bob nos. Dau, os oedden nhw'n llyfrau bach tenau, jiwsi o farddoniaeth. Roedd e'n lico pethau syml. I. D. Hooson yn Gymraeg, Longfellow yn Saesneg.

Credai Macs y byddai rhoi enw arbennig i'r crwt yn creu dyn arbennig ohono. Os am arweinydd, yna Abraham amdani, megis yn y Beibl, neu'r un a orchfygodd gaethwasiaeth yn America. Os am gerddor, yna Wolfgang – neu'n well fyth, Johann Sebastian; er, oherwydd cyfenw Macs – McGideon – byddai hynny'n ormod o lond pen efallai. Os am beiriannydd, yna Isambard amdani. Neu gallech gael bob un o'r rhinweddau hyn drwy fedyddio'r crwt yn Leonardo. Ond roedd Macs am gael bachgen sbesial, a storïwr heb ei ail.

Felly Gwydion oedd yr enw. A McGideon oedd y cyfenw. Ac yn rhannol oherwydd yr enw *sing-song* yma, byddai Macs yn gwneud yn siŵr bod ei fab yn medru ymladd. *Karate*, mwy na thebyg. Neu o leiaf *tai chi*: dysgodd Macs y grefft honno gan weithwyr o Tseina a fu'n llafurio ar y morglawdd rhwng Llanelli a Phen-bre, ac roedd wedi ei dysgu nes ei fod yn agos at fod yn feistr – adlewyrchai hyn oriau o ymarfer yn y gwds iard. Ie, dysgu rhywbeth fel 'na i'r crwt. Fyddai neb wedyn yn ei wawdio am ei enw rhyfedd. Chi'n cofio'r gân yna gan Johnny Cash, 'A Boy Named Sue'? Gorfod ymladd 'da'i ddyrnau oherwydd ei enw. Wel, yr un syniad yn gwmws. Ond mae hynny'n bell yn y dyfodol, ac mae gan Gwydion lot o bethau eraill i'w gwneud yn gyntaf. Oherwydd mae e'n sbesial, mor anghyffredin â bilidowcar coch.

Dathlodd Macs yr enedigaeth gyda'i ffrindiau yn nhafarn y Colliers, lle arferai'r perchnogion, Dic a'i wraig Beryl, gymysgu dau fath o gwrw lleol, Buckleys a Felinfoel, a'u gosod ar y bwrdd mewn stên enfawr wedi'i haddurno â blodau'r haul.

'Gwydion, ife?' gofynnodd Len Tŷ Isha. "Na ti enw ag arwyddocâd iddo. Ti bownd o fod wedi whilo mewn i bethe'n itha dwfwn i ffindo'r enw 'na. Mas o'r Mabinogion, ontefe? Enw clasurol, felly. Blydi gwd enw, wedwn i. Storïwr, ontefe? Y storïwr gorau dan fwa'r nen.'

'Dew, ti'n ddyn hyddysg,' meddai Macs, gan dderbyn peint arall, yr hylif lliw rhedyn crin yn blasu o nytmeg a chnau mwnci rhost, a diferyn bach o haul diwedd-dydd – os oedd gan hwnnw flas. Chi'n gwybod y math o flas.

'Pryd allwn ni 'i weld e?' gofynnodd Jac y Pant, ffermwr bochgoch, boliog, a oedd wedi bod yn torri'r bol hwnnw eisiau gweld y ddraig fondigrybwll y bu pawb yn siarad amdani ar groen y bachgen – hynny yw, nes i Macs ddod i mewn. Bryd hynny, newidiodd y sgwrs i drafod y posibilrwydd o storom arall, gyda nifer yn dweud bod y storom ar noson geni'r bychan yn waeth nag unrhyw storom arall mewn hanes. Yn sicr yn fwy lliwgar. Pwy welodd fellt amryliw o'r blaen?

'Un bach arall i ddathlu,' awgrymodd Len, gan estyn peint i Macs. Ond roedd Macs yn dechrau gweld pethau'n toddi o'i flaen, a dau Len yn gwenu arno fe, gan ei fod heb arfer yfed cwrw – neu o leiaf dim mwy na thri pheint, a heno roedd wedi cael ddwywaith hynny.

Ar ôl nodi cyflwr chwil ei ffrind, gwirfoddolodd Jac i'w

gario'n ôl adre mewn whilber. Roedd y syniad yn apelio'n fawr at Macs, ond doedd e ddim am i neb ei weld yn teithio adre yn y fath gerbyd. Whilber! Fel tacsi! Mae'r diawl yn y gasgen gwrw, ody wir.

Gofynnodd Macs am fwy o'r hylif hurt. 'Hannerbach-aralliddathlurmabaanedifi,' meddai, ei ben yn troi, a'r geiriau'n toddi i'w gilydd fel sŵn rhywun yn hanner tagu ar daffi.

Lwcus bod rhai o'i ffrindiau yn llai chwil. Lwcus bod dynion meddw yn medru deall dynion meddw eraill, siaradwyr Esperanto'r botel. Mynnodd Jac ei bod yn amser troi sha thre, a thywysodd Macs at ddrws cefn y dafarn, ac ar hyd yr ale tu ôl i'r hen le, y ddau'n ffindo cysur mewn clywed y lleisiau'n chwerthin abwytu rhywbeth neu'i gilydd drwy ffenest y snỳg.

Oedodd Macs i gael pishad sylweddol tu ôl i berth ger capel Rehoboth cyn edrych lan a gweld y Llwybr Llaethog yn fwa crisial-olau uwch ei ben, gwyrth o sêr, neu lusernau tylwyth teg, i oleuo'i ffordd lafurus adre. Y ffordd hir iawn, oherwydd bod coesau Macs wedi troi'n jeli, a'i ben yn teimlo'n rhydd ar ei wddf, yn rhyw lolian yn llipa fel erfinen drom o benglog ar ysgwyddau bwgan brain.

Mewn ambell dŷ roedd lamp yn dal ynghynn. Yn ffenest lan lofft Melin Byr-rhedyn, roedd yr hen Miss Daniels yn siŵr o fod yn edrych ar lun o'i chariad, a fu farw'n bell, bell i ffwrdd ar faes y gad, a hithau'n dal eisiau cysgu 'da fe, er mwyn cael ei blentyn. Ar ôl yr holl flynyddoedd. Horace oedd ei enw, y plentyn na anwyd iddynt. Horace bach, gyda'i gwrls a'i lygaid duon. Lladdwyd y tad, Wmffre, mewn sioc o artileri ar gaeau gwaed Passchendaele yn 1917. Dros ddeugain mlynedd yn ôl. Ac roedd yr hen fenyw'n dal i lefain bob nos.

Yn Llys Mwyar Bach, hefyd, roedd 'na gannwyll olau yn y ffenest. Dychmygai Macs y teulu i gyd yn adrodd pader cyn mynd lan: yr efeilliaid, Tom a Iago, a'r tad, Bill Bifan, a oedd yn arfer curo'i wraig Lisbeth yn wythnosol, nes i'r bois dyfu lan a dechrau rhoi crasfa i'w tad yn eu tro, a hynny nes ei fod yn gwingo, er gwaetha'i brotestiadau.

Eto, fel sawl dioddefwraig, roedd Lisbeth ei hun yn maddau i'w gŵr bob tro. Doedd dim yn well ganddi na gwrando ar y tri'n chwyrnu yn y nos, ei dynion hi – yn meddwl am sŵn anadlu ei dynion yn symffoni – a breuddwydio am y crempogau y byddai'n eu gwneud iddyn nhw cyn y wawr. Codai Lisbeth cyn bod yr un aelod o gôr y wig yn dechrau trydar, achos roedd ganddi waith i'w wneud, wastad. Aberth, dioddefaint a gwaith caled – nodweddion ei rhyw a'i chenhedlaeth.

Ac ar Mynydd Bach, yn y fferm leiaf yn y fro, roedd pob golau ynghynn, achos roedd 'na ddyn ar ei wely angau, ac roedd angen llewyrch i'w lwybr wrth iddo fyned sha thre at yr Arglwydd. Neu dyna sut roedd gwraig Mathew Price yn ei gweld hi o leiaf, ac roedd hi'n credu'n gryf yn yr Hollalluog Iôr, yn wahanol i'w gŵr, a oedd â naw anadl ar ôl yn ei fywyd. Roedd e'n credu taw bwydo'r mwydod oedd ei unig bwrpas ar ôl marw, ac edrychai ymlaen at eu gwaith da, diwyd yn ei droi'n fylsh. Pump. Pedwar. Tri. Dau. Un. Amen.

Gwenai Macs o wybod bod ei fab bellach yn rhan o'r gymdogaeth glòs hon, yn enwedig wrth deimlo cryfder ei ffrind Jac a'i freichiau-codi-bêls yn ei helpu drwy lidiart a thros nant. Cymuned glòs gefn gwlad, lle roedd pobl yn busnesan dim ond er mwyn helpu, yn holi hanes hwn-a-hwn neu hon-a-hon er mwyn gweld a oedd unrhyw beth y gallen nhw wneud i fod o help.

Dim ond unwaith y cwympodd Macs wrth gerdded yr hanner milltir olaf, a chwarddodd yn braf wrtho'i hun wrth godi drachefn. Mab! Roedd ganddo fab! Llygaid du fel cols a llond pen o wallt! Dyna sut roedd ei fab yn edrych!

Cyrhaeddodd y gwely, a gweld y crwt yn cysgu nesa at ei fam, ac am eiliad ni fedrai ei glywed yn anadlu. Ond yna, gydag ochenaid fel porchell, symudodd y bychan ei ben. Wrth edrych ar y peth bach yn cysgu, teimlai ei dad ei fod wedi'i drywanu gan gariad. Y gwallt du. Y llygaid 'na'n agor am eiliad, cyn mynd yn syth 'nôl i drymgwsg eto. Cariad fel ergyd. Fel un o'r sêr tu fas yn cwympo ar ei ben, gan foddi'r byd mewn gorfoledd o oleuni. Ie. Y math hwnnw o gariad.

Os oedd Macs dros ei ben a'i glustiau mewn cariad, nofiai mam Gwydion mewn pwll diwaelod o gariad: doedd ganddi mo'r geiriau i ddisgrifio'i holl deimladau tuag at y babi bach a sugnai'n bwerus ar ei bron, yn brecwasta'n ddygn ar ei theth chwith, a honno eisoes yn cracio ac yn waedlyd. Gallai'r hen beth bach, ei phlentyn tyner, ffitio'n hawdd i mewn i un o socs gwaith Macs, fel sach gysgu iddo. Bob hyn a hyn, codai ei ben ac edrych o gwmpas, er bod cwmpas ei fyd yn gyfyng tu hwnt ac yntau ond yn ddiwrnod oed. Bron na allai weld ymhellach na'i drwyn. Ei gynefin oedd gwres ei fam. Cuddiai yng ngwlad danddaearol ei chesail. Canolbwynt ei fydysawd oedd y deth rhwng ei wefusau. Wrth iddo gysgu drachefn, edrychai ei fam arno a thynerwch dynol diddiwedd, ar goll yn ei berffeithrwydd.

Tu allan i'r tŷ, roedd y mellt yn dal i oleuo'r tirlun fel hen deledu du a gwyn ar y blinc. Y tip glo a godai tu ôl i'r stribed o dai fel rhyw fath o gofgolofn i lafur caled, y rhubanau o dai teras â'u toeau'n sgleinio'n wlyb oherwydd y glaw mân. Y glaw oedd yn gwlychu Siop Nicinacers. Yn dampno Clwb y Gweithwyr. Yn disgyn yn ddagrau mân ar yr hewl newydd a igam-ogamai drwy'r fforest er mwyn agor y mynydd i'r gwaith glo brig. Y mynydd yn sops jibidêrs dan ei gwrlid o goed Sitka newydd, y coed garw wedi'u plannu fel pyst mynwent rhyfel.

Ar ôl shifft hir ar y rheilffordd, dychwelodd Macs i'r tŷ, gan ysgwyd ei got law British Rail wrth y drws ffrynt, a gosod sbectol ar ei drwyn er mwyn craffu ar ei fab cyntafanedig. Roedd y gwallt yn anhygoel. Reiat o wallt, a hwnnw'n dal yn stici ar ôl yr enedigaeth, er i Mrs Lazarus ei olchi. Gwallt dyn du. Gwallt fel plu'r gigfran. Ac roedd ei dad yn medru rhoi enw i'r lliw, oherwydd y nosweithiau di-ri pan fu'n aros ar ddi-hun tan ddau a thri o'r gloch y bore'n whilmentan gwybodaeth yn ei lyfrau. Pori'r erwau o dudalennau. Morel oedd lliw gwallt ei fab, o'r Lladin *morellus* neu *morum*, mwyaren Fair. Ie, dyna'r union air. Gwallt morel oedd gan y crwt.

'Mae'n goblyn o seis,' meddai Macs gan droi'r plentyn at y golau er mwyn chwilio am y man geni. Roedd un yn rhedeg yn y teulu, fflŵr-dy-lis coch gan amlaf, ar y goes chwith yn rhywle, ond y tro hwn roedd y marc yn amlwg, amlwg. Y marc y clywsai bois y dafarn amdano eisoes gan Mrs Lazarus, a oedd fel papur dyddiol, neu uchelseinydd ar hyd y lle.

Anadlodd Macs yn drwm wrth weld y siâp rhyfedd. Draig. Neu o leiaf, siâp oedd yn debycach i ddraig nag i unrhyw siâp arall. Adenydd fel madfall, cynffon fel tyranosawrws.

'Mae ganddo ddraig ar ei fraich,' meddai Macs gyda chryndod yn ei lais.

'Wrth gwrs,' meddai Martha'n mater-o-ffact, gan estyn ei breichiau allan i anwesu'r plentyn a'i roi ar ei bron. Sugnai'r babi nes fod ei wyneb yn goch, ac yna sugnodd fwy. Poenai Martha nad oedd hi'n medru bwyta digon cyflym i gynhyrchu'r math o faeth roedd y bolgi bach ei angen.

'Roedd hi'n naturiol y byddai'n Gwydion ni'n cael marc fel 'na. Mae'n sbesial.'

Nid draig berffaith mohoni: roedd y siâp yn debycach i ôl a adawsai aderyn bach, titw tomos efallai, wedi hedfan mewn i wydr ffenest, a gadael ei berfeddion ar y gwydr. Ond roedd yn ddigon i weld taw siâp aderyn oedd yno, fel gadael marc sgleiniog ei enaid titŵaidd ar y glàs. Rhywbeth tebyg oedd siâp sblatiog y ddraig, fel hen datŵ tsiep, a'r inc wedi rhedeg.

Gwenodd y ddau riant yn dyner ar ei gilydd, a phan ddaeth Mrs Lazarus yn ôl i ddymuno nos da, roedd y tri ohonynt yn cysgu, y mab yng nghawell breichiau ei fam, y fam wedi blino'n llwyr, a'r tad yn sefyll ar ei draed yn pwyso'n lletchwith yn erbyn y wal, ei lygaid ar gau.

Os yw hi'n boddi,
mae'n profi taw gwrach yw hi

MAE HEN FENYW sy'n byw ar ei phen ei hun mewn bwthyn yn fagned i blant drwg y pentref, y pedwar neu bump ohonynt sy'n mwynhau dim byd yn well na rhoi darnau o bapur ar dân a'u hala nhw lan y pibau glaw, i wneud sŵn fel banshi.

Yn eu creulondeb di-ben-draw, byddai plant y pentref yn poenydio'r hen Mrs Lazarus yn ddidrugaredd; nid jest chwarae'r tric papur-ar-dân, ond ei galw hi'n hen wrach, ac ambell un o'r rhai hynaf yn gweiddi 'yr hen hwren ddiawl!' tu ôl i'w chefn wrth iddi frasgamu'n bwrpasol i'w bwthyn, er nad oedd y plant o reidrwydd yn gwybod beth oedd ystyr y gair hwren. Prin y gallai Mrs Lazarus ymddangos ar y lôn fach garegog o'i chartre, Llwyn yr Eos, ar lan yr afon Shagog, heb bod rhywun yn gwawdio, yn gweiddi neu'n taflu cerrig tuag ati. Pam y mileindra? Efallai oherwydd bod ganddi ddefaid mawr gwrachaidd yr olwg ar gefn ei dwylo, neu oherwydd y pothelli mawrion ar ei thrwyn, neu oherwydd y sôn ei bod yn medru melltithio pobl nad oedd hi erioed wedi cwrdd â nhw – a hynny am arian, fel y byddai bugail yn derbyn sofren am weithio tymor yng nghaledi'r mynydd.

Neu efallai mai ei dannedd anhygoel hi oedd ar fai.

Yn y dyddiau hynny, arferai rhieni drefnu anrheg arbennig ar gyfer dathlu pen-blwydd mab neu ferch yn un ar hugain: gofynnid i'r deintydd lleol, Mr Jacob, dynnu pob un o ddannedd yr anffodusyn mas – 'pen-blwydd hapus i chi, pen-blwydd hapus i chi' – ie, mas â'r dannedd 'da phâr o bleiars soled – ac yna byddai'r dathlwr druan yn cael set o ddannedd gosod yn eu lle. Blas gwaed ar y darn cacen. Atgof ofnadwy o sefyll ar drothwy troi'n oedolyn.

Y rhesymeg oedd y byddai hyn yn arbed problemau'n ddiweddarach, a byddai cegau'n addasu yn y pen draw nes bod y dannedd gosod yn ffitio'n dwt. Ond gan taw gof oedd tad Mrs Lazarus, fe gafodd hi ddannedd gosod gwahanol iawn.

Llafuriodd ei thad am nosweithiau hir yn toddi pentyrrau o hen hoelion yn y tân, gan weithio'r megin ffwl-pelt, a phan oedd y metel wedi toddi'n hylif gwynboeth, dyma arllwys y metel tawdd yn ofalus i'r tyllau yn y cast – a baratowyd ganddo gan ddefnyddio gên oen bach y daeth o hyd iddo ar lawr y cwm – i greu'r siâp iawn. Wel, bron yn iawn. Erbyn iddo orffen, roedd ganddo set lawn o ddannedd haearn i Mr Jacob eu defnyddio yn lle rhai dodi cyffredin. Byddai angen eu rhwbio'n gyson â gwlân dur i arbed rhwd, ond gallai weld ei ferch nawr, yn gwenu'n brydferth, a byddai'n amlwg gyda phob gwên taw hi oedd merch y gof – Cadi, y ferch â'r dannedd cryfaf yn y gorllewin. Medrai dynnu tractor 'da nhw, wir Dduw.

Bu'n rhaid i Mr Jacob eu taro i'r tyllau gwaedlyd yn ei cheg â morthwyl bach arbennig, y math a ddefnyddid gan fragwyr i ddodi'r peg mewn casgenni cwrw. Er bod Cadi'n diodde'r boen ryfedda, ni lefodd na cholli deigryn, er bod dagrau'n cronni yn ei llygaid. Roedd sŵn y morthwyl pren yn taro'r pegiau haearn i'w lle yn hunllefus ynddo'i hun.

Roedd y dannedd cefn, y cilddannedd, yn fwy o seis. O leiaf gwnaed rhyw ymgais i gadw at siâp a phatrwm dannedd dynol, ond gan bod y dannedd wedi'u cynllunio ar gyfer naddu gwair, roedd siâp ceg Cadi'n rhyfedd, heb sôn am y ffaith ei bod yn defnyddio metel i gnoi ar fetel. Yn lle brws dannedd, prynodd ei thad rolyn mawr o wlân dur iddi, ond roedd y dannedd yn dal i rydu bob nos wrth iddi gysgu, a'r wên ofnadwy'n colli ei sglein cyn y bore.

'Sdim rhyfedd yn y byd ei bod hi'n destun gwawd, a'u gwefusau'n cael eu gludio ar gau yn raddol oherwydd yr embaras. Fe ymbiliodd sawl gwaith ar ei thad i dynnu'r dannedd dieflig, ond ystyriai ef hynny'n wawd ar ei ddoniau, a theimlai friw ei geiriau fel y teimlodd chwip y sgweier ar ei gefn phan gafodd ei ddal yn dwyn brithyll o'r Shagog ddeugain mlynedd yn ôl. Yn ei lygaid ef, gwelai gampwaith.

"Sneb arall â dannedd cystal. Byddan nhw'n para oes, a mwy."

Ceisiodd Cadi wenu'n ddewr.

Yn anffodus, ac yn sydyn iawn, dechreuodd Cadi rag-weld ei marwolaeth ei hunan: sut y byddai'n cael ei chladdu, a phopeth abwytu hi'n pydru ac yn bwydo'r mwydod – ar wahân i'w dannedd, fyddai'n parhau i wenu (os taw dyna'r gair) am filoedd o flynyddoedd, wrth rydu'n araf, araf iawn.

'Sdim rhyfedd, felly, bod trigolion y fro yn credu bod Cadi Lazarus yn wrach. Hi a'i gwên hoelion. Ond petai un ohonynt wedi edrych drwy ffenestri bychain ei bwthyn unrhyw noson, byddent wedi cael sioc o weld bod yr holl ensyniadau hyn yn agos at y gwirionedd.

Gyda'r hwyr, eisteddai Mrs Lazarus wrth y bwrdd yn cyfri esgyrn Jac Lazarus, a oedd wedi'i gladdu ers tro byd.

'Saith deg un, saith deg dau, saith deg tri . . .'

Marwodd Jac mewn cwymp dan ddaear, ac ar ôl iddo gael ei gladdu teimlai Mrs Lazarus yn unig iawn, iawn, iawn. Buont yn briod am bron i ddeugain mlynedd, ac felly roedd eu perthynas yn debycach i un rhwng efeilliaid na gŵr a gwraig: deallent ei gilydd yn dda. Cofiwch chi, gallech hefyd ddisgrifio eu perthynas fel un ymfflamychol: un noson, taflodd Mrs Lazarus ei gŵr dros y banister, a glaniodd â chlec debyg i lwy yn bwrw wy wedi'i ferwi. Torrwyd ei benglog. Dywedodd y doctor y gallai fod wedi hollti'i ben yn ddau fel melon dŵr, a bod Jac wedi bod yn lwcus tu hwnt i lanio ar y mat croeso.

Ar ôl i Jac farw yn y cwymp dan ddaear, un noson aeth ei wraig – allai hi ddim ystyried ei hunan yn weddw, byth bythoedd – â rhaw a lamp i ganol y fynwent a chodi corff ei gŵr yn ofalus mas o'r pridd, cyn arllwys y pridd yn ôl i'r twll. Yna, ailosododd y garreg fedd – a hyd yn oed y fâs flodau oedd yn llawn hen rosod a dŵr gwyrdd – yn ôl yn ei lle'n destlus. Gwnaeth hyn er gwaetha'r ffaith fod y garreg yn pwyso'n drwm, gan ei bod wedi'i gwneud o ddarn soled o lithfaen y talodd Mrs Lazarus grocbris i Defi Death amdano. Ond fel hyn y rhesymai Mrs Lazarus â'i hun: gan fod y dyn wedi'i ladd o dan y ddaear gan bwysau'r ddaear a gwympodd ar ei ben, onid oedd hi'n deg nad oedd e'n gorfod gorwedd dan y ddaear am byth?

O hynny ymlaen, cadwai weddillion Jac Lazarus mewn hen gist fahogani a gariwyd yr holl ffordd i Sebastapol yn y Crimea gan ei hen dad-cu; daeth â hi'n ôl wedi'i rhidyllu â bwledi. Hwn oedd y darn gorau o ddodrefn yn y bwthyn, a byddai Cadi'n rhoi polishad dda iddo bob wythnos.

Bob nos cyfrai'r esgyrn – y *talus*, yr asennau, y *calcaneus* a thrybedd yr ysgwydd – gan siarad yn frwd â'i gŵr marw, a sôn am bopeth oedd wedi digwydd iddi'r diwrnod hwnnw, ac am y tywydd, a beth oedd yn digwydd yn yr ardd.

Byddai'n gosod yr esgyrn – yr holl ddarnau mawr a bach – yn drefnus ar y bwrdd, mor sicr ag anatomydd profiadol, pob asgwrn yn ei briod le. Ar ôl iddi drefnu'r sgerbwd cystal ag unrhyw gwsmer i Burke a Hare, byddai'n siarad â'r esgyrn am awr neu ddwy cyn datgymalu'i gŵr drachefn, ond nid cyn teimlo'r llefydd lle roedd yr esgyrn wedi malu, ac mewn ambell fan wedi troi'n bowdwr sialciog pan gwympodd y glo ar ei ben a'i wasgu'n jam mefus.

Bu farw Jac yn y cwymp gwaetha yn ne Cymru ers cwymp Senghennydd: un ar hugain o arwyr glew erwau'r glo wedi'u claddu'n fyw.

Tra oedd yn pendwmpian yn ei chadair wrth y tân, dychmygai Mrs Lazarus y sgerbwd yn lapio'i hunan â chroen, fel petai'n gwisgo dillad-mynd-mas, neu fel y byddai ffermwr yn lapio croen oen bach wedi marw o gwmpas oen amddifad, i berswadio'r ddafad i'w fwydo. Ie, byddai sgerbwd Jac yn gorchuddio'i hun â chroen, ac wedyn yn tynnu drafers am ei goesau cyn gwisgo crys o frethyn cartre a siaced wyrdd-tywyll a mwffler – ie, byddai'n gwisgo amdano fel yn yr hen ddyddiau ac yna byddai'n clirio'i lwnc a dechrau canu'r hen ffefrynnau: 'Pwy Fydd Yma 'Mhen Can Mlynedd?', 'Yr Hen Gi Defaid Ffyddlon' a 'Bugeilio'r Gwenith Gwyn' – gydag arddeliad ac fel tase ganddo fe ysgyfaint.

Cyn i drigain mil o dunnelli o garreg ddod lawr ar *occipitus* ei benglog, roedd gan Mr Lazarus lais uffernol o dda: medrai godi'n ddigon uchel i hedfan 'da'r colomennod, a'r nodau pêr yn mynd ar ras ar draws y cwm. Nodau arian; dyna'r math o nodau oedd yn arfer dod o wddf ei gŵr, y math o nodau pur mae'r tylwyth teg yn eu cynhyrchu ar eu pibau bach.

Bu farw Jac sbel fawr yn ôl bellach, ei ysbryd yn gadael y byd hwn gan hedfan fry uwchben y dorf nid ansylweddol ym mynwent capel Carmel, i gymysgu â chwmwl o golomennod. Teimlai'r haid o adar rywbeth yn symud yn eu plith ac yna'n troi tua'r arfordir. Ond nid aderyn mohono – yn hytrach, rhyw deimlad yn eu plu bod rhywbeth arall yn hedfan gyda nhw. Bu gyda nhw am funud cyn gadael ar ei siwrne faith. Yna setlodd nerfau'r adar, ac aethant yn ôl i'w patrwm o gylchu'r cwm drosodd a throsodd gan gymryd pleser yn eu hadenydd, yn anrheg y gwynt ac yng nghwmni'i gilydd. Un aderyn yn troi ar amrant gyda'r lleill, y tri deg wyth aderyn yn bihafio fel un, yn haid hyderus yn yr awyr, yn cadw llygad barcud – neu o leiaf lygad colomen – mas am hebog tramor neu walch glas newynog. Tra bod Mr Lazarus yn hedfan yn uwch. Uwchben y cwmwlws, y cymylau trwchus hynny. Lot, lot uwch na'r rheini. Chwifiodd Mrs Lazarus ei hances sbotiog wrth iddi weld pelen fach o oleuni'n teithio i fyny ac i fyny, gan wybod yn iawn nad oedd Mr Lazarus yn mynd i unrhyw nefoedd. Twt lol! Ond i'r sêr, efallai; roedd hynny'n bosib.

Dim ond un asgwrn oedd ar goll, sef bys bach ei law chwith, a oedd wedi'i daflu i mewn i ganol y crochan i ychwanegu ychydig o flas pan oedd Mrs Lazarus yn gwneud cawl suran y coed un bore o Ebrill. Penderfynodd nad oedd y blas ychwanegol yn werth aberthu darnau pellach o Mr Lazarus ar ei gyfer, er bod ei droed chwith bron â mynd i fwydo'r ci pan fu'r eira ar lawr am dair wythnos yng nghanol y gaeaf, a dim modd i'r mwngrel adael y lle gyda'r gwynder yn gorwedd ar lawr bron hyd at ffenestri'r stafell wely. Dyna beth oedd cwymp o eira!

'Dau gant a phedwar, dau gant a phump, dau gant a chwech . . .'

Cyfri'r esgyrn a siarad â Jac oedd ei hunig bleser y dyddiau 'ma – ar wahân i ymgomio â'r ysbrydion, ond doedd hynny ddim yn digwydd mor aml, nawr bod golau trydan wedi cyrraedd y pentref. Roedd y drychiolaethau fel ffrindiau iddi! Encilient rhag y lampau, teithient ar hyd y cysgodion, a doedd dim cysgod o gwbl mewn ambell fan lle roedd mwy nag un lamp newydd yn llosgi yn y tywyllwch. Ond byddai un ysbryd o'r enw Hettie – menyw wenwynodd ei hunan ar ôl colli'i thri mab mewn cwymp glo arall lawr ym mhwll yr Empire – yn dal i ddod i gwrdd â Mrs Lazarus yn bur aml, ac yn setlo i eistedd yn y gadair gan fwmian a chanu emynau'r Diafol – rhai tebyg i emynau'r capel, ond eu bod yn clodfori casineb a thrais, a wastad mewn cywair lleddf.

Pegi – neu'r fam-gu waethaf yr ochr yma i fynyddoedd yr Wral

ROEDD MISOEDD CYNTAF Gwydion yn y byd hwn yn rhai eithaf confensiynol. Bwydo bedair gwaith y dydd. Dal ei drem ar y byd a fodolai chwe modfedd o flaen ei lygaid. Ceisio gweld ymhellach. Adnabod lleisiau, gan ddwlu ar islais ei dad, a ddeuai o rywle ym mherfeddion dwfn ei fola sylweddol.

Dotiai ei dad ar glywed y synau bach y byddai Gwydion yn eu cynhyrchu. Chwythu cnecs 'da'i wefusau tyner. Dysgu chwerthin, a'r sŵn yn debycach i rywun yn tagu'n sydyn. Yn adeiladu *repertoire* yn feunyddiol. Gweryru ceffyl. Rhochian mochyn. Cyfarth ci. Mewian cath. Hwtian tylluan. O fewn pedwar mis, medrai'r un bach wneud sŵn fel pterodactyl. *Cwwwwwaaaaaaarc! Cwwwwaaaaarc!*

Galwai Mrs Lazarus bob yn ail ddydd i dendio'r baban bach, gan olchi cewynnau a rhwto eli yn ei gorff nes ei fod yn sgleinio fel slywen, yn bennaf, byddai'n gwneud yn siŵr nad oedd y llu o ymwelwyr yn aros yn rhy hir ac yn blino'r fam. Tybiai fod y pentref cyfan wedi galw heibio eisoes, a nifer o'r plant yn rhyfeddu at y ddraig fechan ar groen y babi. Ond prin y byddai'r bychan yn ymwybodol o'r sylw, gan ei fod yn yfed llaeth fel petai newyn ar y ffordd, ei fochau bach yn sugno aer, ei wefusau'n glynu fel anemoni i graig, a thethau ei fam yn gwaedu'n boenus wrth iddo sugno, sugno, sugno.

Buwch oedd ei hangen arno fe, nid ei fam! Ble oedd yr holl laeth 'ma'n mynd? Ai ei unig bwrpas mewn bywyd oedd tyfu i fod yn gawr?

'Mae'n folgi bach, 'sdim dowt am 'nny,' meddai Mrs Lazarus, wrth weld y babi'n godro am y pumed tro y bore hwnnw, a'i fola'n ddigon llawn i'w hala'n syth i gysgu ar ôl bob ffîd.

Mynnai Mrs Lazarus fod Mrs McGideon yn yfed powlenaid fawr o gawl, wedi iddi ychwanegu tri pheth at yr hylif yn y stên fach cyn gadael ei chegin – petalau'r glydlys gwyn, gwreiddiau dagrau Job, a dail y tagaradr – ar ôl edrych yn fanwl ar lyfr perlysiau ei hen fam-gu, a oedd yn gwybod pethau, o oedd. Sut i dawelu anifeiliaid – ceffyl gwyllt neu gi byr ei dymer. Atal cenhedlu. Delio 'da'r clwy dŵr. Cael gwared ar ben tost unwaith ac am byth. Roedd yr atebion ganddi, y modd i wella rhychwant eang iawn o afiechydon am geiniog neu ddwy.

Gwell sôn ychydig am gartre Gwydion, efallai. Tŷ itha cyffredin, ar un olwg. Oakdene oedd ei enw, ac roedd 'na addurn gwydr uwchben y drws ffrynt yn arddangos dail derw ynghyd â thair mesen oedd yn debyg i symbol Ynys Manaw, y *tre cassyn*. Tair stafell lawr llawr a thair lan stâr, a chonserfatori reit llwm yn ychwanegu peth lle rownd y bac. Yma roedd Gwydion a'i fam a'i dad yn byw, mewn un stafell yn arwain i'r conserfatori, tra bod gweddill y tŷ yn eiddo i fam-gu a thad-cu Gwydion, rhieni Macs.

Diafol pentan oedd Pegi'r fam-gu: menyw galed, a chyn-dafarnwraig; byddai'n gwarchod ei heiddo a'i rhan hi o'r tŷ mewn ffordd baranoig, nes bod y lle'n un cwbwl diriogaethol, Somme o le. Byddai mam a thad Gwydion yn gorfod aros mewn un ystafell lawr llawr, un ochr i dir neb, lle doedd prin digon o le i bawb eistedd i lawr yr un pryd, a'r ddau oedolyn yn gorfod bwyta'u bwyd oddi ar hambyrddau, nes bod pob pryd yn rhyw fath o ginio TV, boed y teledu newydd sbon ymlaen neu beidio. Doedd dim hawl ganddynt fentro i'r stafelloedd eraill lawr llawr: er bod Pegi wedi codi ystafell 'molchi drws nesa i'r gegin, doedd Martha a Macs ddim yn cael ei defnyddio, oherwydd i'w chyrraedd, byddai'n rhaid tresmasu ar dir Pegi. A byddai'r sawl a gofiai sut y taflai Pegi forwyr allan o'i thafarn, y Ship, yn gwybod beth oedd nerth y breichiau 'na, a bod dim gwerth dadlau 'da hi oni bai eich bod yn licio loes a phoen. Byddai'n rhoi cernod i'w gŵr yn aml, ac yntau'n jwbo'n ôl.

Byddai Pegi'n wmladd am arian hefyd – hi oedd yr unig focswraig i ennill pob bowt, pob ffeit, ac roedd ganddi enw da, neu ddrwg, reit ar draws de Cymru. Hi oedd 'Y Frenhines'. Yn wir, byddai ambell berson yn dod o'r Iwerddon i ymladd â hi, ond doedd dim gwerth iddynt deithio o Ddonegal neu Gorc, achos waeth pa mor glou o'n nhw'n symud, roedd Pegi'n gyflymach, hyd yn oed pan oedd hi yn ei deugeiniau, a'i chorff yn fwy stiff. Byddai rhyw Stan neu Liam neu Dai yn sefyll o'i blaen wedi stripo'i grys, mewn cylch o ddynion yng nghanol cae lawr sha'r afon Shagog, a Pegi'n gwneud dim byd mwy na thynnu rhubanau'i ffedog yn fwy tyn a phinio'i gwallt yn ôl, i'w godi o'i llygaid rhag ofn iddi ddechrau chwysu – oedd ddim yn digwydd yn aml – a wedyn byddai'n mynd ati ffwl-pelt, ei dyrnau'n hedfan i bob cyfeiriad.

Clatshai bant, gyda'i dwylo gwynion yn troi'n ddarnau dur. Dawnsiai fel wenci. Llwyddai i osgoi ymdrechion y pŵr dab i'w phwno i'r llawr. Dros y blynyddoedd deliodd â sawl gwrthwynebydd da, rhai'n gyn-focswyr proffesiynol:

Wil Bach Pontypridd – mas ar ei gefn yn y drydedd rownd a nifer o bobl yn grac uffernol ar ôl betio'n hael a'i gefnogi. Patrick Donovan o Limerick – dyn a chanddo enw gwael am gnoi clustiau pobl i ffwrdd – lawr mewn llai na dwy funud, yn pisho gwaed drwy'i ffroenau. A hyd yn oed Americanwr, Benny Leonard, gollodd ffeit ynghyd â thri dant mewn gornest anghyfreithlon arall yn erbyn Pegi.

A hon oedd y fenyw oedd yn teyrnasu yng nghartref Gwydion. Pegi'r baffwraig. 'Y Frenhines.' Menyw i'w hofni, os oedd unrhyw sens 'da chi.

Beth oedd yn digwydd petai un ohonynt yn tramgwyddo yn y tŷ? Wel, byddai Pegi'n gweiddi nerth ei hysgyfaint, ac os oedd hi'n ddigon cyflym – ac roedd y fenyw yma'n medru shiffto – byddai'n gafael yng ngwallt y tresmaswr a cheisio tynnu cudynnau ohono allan o ben yr anffodusyn. Gwell, felly, oedd osgoi stafelloedd Pegi yn llwyr. Neu brynu llond sied o wigs.

Safai'r tŷ ar y brif hewl a redai o'r gorllewin i'r dwyrain gan roi siâp i'r pentref; gwahanai'r hewl y ffermdir i'r gogledd oddi wrth y diwydiant trwm i'r sowth, ar lan yr aber. Yma safai'r ffatrïoedd a'r ffowndris, y gweithfeydd alcam a sinc gyda'u harogl swllffwr Beelsebwbaidd a'u simneiau'n arllwys mwg i droi'r glaw'n llygredd. Roedd cymaint ohonynt yn britho'r tirlun nes eu bod yn edrych fel llwyn o goed bedw arian yn ymestyn yn dalsyth i'r nen. Byddai'r rheini'n arllwys mwg glaswyrdd a phorffor i'w gyrchu, oherwydd cyfeiriad y prifwynt yn yr ardal, tua'r dwyrain; yn ei gario, felly, bant oddi wrth gychod a chei pert Burry Port i'r gorllewin, lle roedd y rheolwyr i gyd yn byw. Yr hen drefn. Awyr glân i'r nobs, llwch a gwenwyn i'r gweithwyr.

Ar draws y ffordd i gartre Gwydion safai capel Pisgah, sef prif ddiléit Pegi; nid ei bod yn fynychwraig selog na dim byd felly. Roedd hi wrth ei bodd yn gwylio'r angladdau, a byddai'n gwisgo lan mewn het a chot ddu drwchus i eistedd wrth y ffenestri ffrynt i wylio beth oedd yn digwydd.

Cadwai lyfr poced du trwchus i nodi'r enwau, dyddiadau'r claddu, beth oedd achos y farwolaeth, pwy oedd yno, pwy oedd yn trefnu'r angladd, a phwy oedd yn gwasanaethu petai'r Parchedig Gwylfa Roberts, Pisgah, yn absennol oherwydd salwch: roedd yn ddyn gwael iawn, wedi dal malaria tra oedd yn cenhadu yn Madagasgar. Yn amlach na pheidio byddai'n swp o chwys, hyd yn oed yng nghanol gaeaf. Ond yn waeth na hynny, un o sgil-effeithiau'r salwch oedd bod y Parchedig yn rhegi, ac er bod ei braidd goddefgar yn medru maddau iddo yn yr oedfa hwyr, doedd wiw iddo ofalu am yr Ysgol Sul, rhag ofn i lif o fudreddi arllwys mas o'i wefusau crin i glustiau'r plant. Rhywbeth tebyg i hyn: D*amo'rffwcincontIesuddiawl mynyffarniablydihelamdani.* Gwell oedd cadw'r plant yn ddigon pell oddi wrth ei gomedi annisgwyl o eiriau anfeiblaidd. Dyna oedd barn y diaconiaid, er bod ambell un bron â bosto mas i chwerthin pan glywai'r gweinidog yn parablu'n ffiaidd.

Un diwrnod, galwodd ef Mrs Mathias – y gyn-brif-athrawes oedd yn byw yn nhŷ mwyaf posh y pentref, a'r fenyw oedd yn gyfrifol am drefnu blodau yn y capel bob dydd Sul – yn 'gnecastddiawl'. Cochodd hithau fel un o'r blodau *fuschia* roedd hi newydd eu trefnu mewn powlen yn y sêt fawr, cyn bod ei gwep yn troi'n wyn fel blawd ac yna'n troi'n fasg di-hid wrth iddi hi lewygu.

Boi! Byddai Pegi wrth ei bodd ar ddiwrnodau claddu! Ie, byddai'r hen fenyw sur ar ben ei digon, a mwy, wrth weld yr hers yn dod i stop tu allan i gatiau crand y capel, a'r cymwynaswyr yn dod i helpu i gario'r coffin mas. Un tro, sylwodd ar un o'r trefnwyr yn cymryd y dolenni oddi ar y coffin cyn ei gladdu.

Mewn cyfnod da, yng nghanol gaeaf – yn enwedig os oedd y ffliw ar grwydr i ddwyn eneidiau – byddai angladd bob wythnos, a Pegi'n setlo wrth y ffenest i wylio ac astudio. Am flynyddoedd, Wilff Rees a'i ddau frawd, David – 'Defi Death' – a Glyn – Glyn 'Cysgod Angau' – oedd yn trefnu pob angladd, ond lladdwyd Glyn gan fwg pan aeth rhan o'r tŷ ar dân, a bu tipyn o helynt. Roedd Glyn wedi nodi'n blwmp ac yn blaen yn ei ewyllys ei fod am i 'Messrs Fox and Wilberts, Funeral Directors of Distinction, Station Road, Llanelli' drefnu ei angladd; nid oherwydd bod ganddo unrhyw beth yn erbyn ei frawd, ond teimlai nad Wilff ddylai fod yn paratoi ei gorff am fod hynny'n ddefod rhy bersonol i frawd. Yn ogystal, gwyddai am y ffordd *slap-dash* roedd ei frawd yn balmeiddio, gan dorri corneli – megis y ffordd yr iwsiai sebon tsiêp o'r Co-op yn lle perarogl go iawn, megis Entwistle's Embalming Lotion, stwff lyfli oedd yn arogleuo o fioledau ac orenau. Dyma beth oedd Pegi'n ei ddefnyddio bob dydd, dou ddab dan bob cesail. Byddai'n teimlo fel duges wrth ei ddodi fe 'mlaen, ei hunig foethusrwydd mewn bywyd.

Ond thalodd Wilff 'run sylw i ddymuniad Glyn – pam ddylai'r teulu dalu rhywun arall i wneud y gwaith, pan allai Wilff ei wneud ei hunan? Ond roedd ei chwaer Flora'n *mynnu* y dylid parchu dymuniad Glyn. Felly gyda help ei brawd David, torrodd i mewn i'r Chapel of Rest tu ôl i garej Wilff, dwyn corff ei brawd, a mynd ag e'n syth i fynwent eglwys y plwyf, a'i gladdu yno heb seremoni yng nghanol y nos.

Yn y fynwent honno mae pob bedd yn wynebu'r de, tuag at y môr, ar wahân i un Glyn 'Cysgod Angau', a gladdwyd ar ganol y llwybr sy'n arwain at neuadd yr eglwys, ei draed yn wynebu'r machlud. Yn yr hen ffordd Geltaidd. Megis pagan.

Roedd Pegi wedi gweld yr angladdau rhyfedda. Marwodd un dyn ar ôl cwympo mewn i ingot yn y gwaith dur. Roedd yn amhosib gwahanu'i gorff wrth y metel fflamgoch, felly penderfynwyd claddu'r ingot cyfan. Bu'n rhaid torri twll anferthol yn wal y capel, a chariwyd yr anffodusyn ar gefn lorri fawr o'r gwaith dur, fel fflôt mewn carnifal ar thema 'marwolaeth'.

''Na chi foi trwm,' dywedodd un hen wàg wrth weld y cynhebrwng yn mynd heibio, ond tynnodd ei hat fel pob un o'r dynion eraill oedd yn leinio'r stryd, er bod rhai o'r dynion heb glywed am y ddamwain ac yn pwslo beth ddiawl allai'r boi fod wedi'i fwyta yn ystod ei oes i'w wneud mor fawr â'r Hindenburg.

Dro arall claddwyd Mari Pyrs, hen wreigan wargrwm, a'r coffin yn edrych fel cwch gwenyn enfawr. Byddai llyfr Pegi yn dangos taw hon oedd yr angladd gyda'r nifer fwyaf o bobl yn y fynwent – cant un deg a saith – ar wahân i angladd plentyn, pan fyddai'r pentref i gyd yn mynychu. A llawr y capel yn llifo 'da dagrau.

Ond ffefryn Pegi o'r holl angladdau oedd angladd cyngaethwas a longddrylliwyd ar draeth Cefn Sidan mewn storom fowr un mis Tachwedd. Llwyddodd rhywun, rywsut, i gysylltu â'i dad, oedd yn frenin ar lwyth yng nghrombil jyngl yn y Congo, ac felly gohiriwyd y claddu am dri mis.

Bu raid storio'r corff yn y Dafen Ice Company, er mwyn i'r brenin gael amser i deithio o ganol Affrica i ffarwelio â'i fab, y tywysog. Y diwrnod hwnnw, gwelwyd defodau lliwgar, grymus, annhebyg iawn i unrhyw beth yn Llyfr Trefn yr Annibynwyr, a Pegi wrth ei bodd yn nodi embaras y Parchedig Roberts, a oedd fel pistyll o chwys hyd yn oed cyn i'r dynion hanner noeth ddechrau shiglo yn eu sgertiau brwyn lliwgar. Hwn oedd y tro cyntaf i rai weld dyn du, a neb yn disgwyl gweld un hanner noeth. Jest cyn yr emyn olaf.

Byddai Pegi wedi lladd er mwyn gweld y drymiau'n cael eu taro yn y sêt fowr, a chlywodd fod 'na dduwiau estron wedi'u henwi. Beth, felly, am y gwaharddiad yn erbyn eilunod, neu ta beth o'ch chi'n eu galw nhw? Ond mae'n debyg i'r ddau ŵr, y gweinidog a'r brenin o Affrica, ddod yn ffrindiau mawr. O hynny ymlaen, byddai llythyr yn cyrraedd bob mis o Ganoldir Affrica, a llythyr hir yn adrodd hanes y pentref yn gadael Cymru ar ei ffordd i'r Kraal. A byddai casgliad yn y capel unwaith y mis i dalu am waith cenhadol yn Affrica, i hala testamentau a lledaenu'r newyddion da am Iesu ar draws y Calahari, lan y Niger, i Timbuctoo.

Oherwydd cyfyngiadau'r tŷ, yn enwedig y ffaith syml bod Gwydion a'i rieni'n gorfod byw ar ben ei gilydd mewn un stafell, roedd yr ardd yn ddihangfa bwysig. Byddai ei fam yn aml yn cerdded mas yno, ar ôl golchi'r llestri neu ryw waith arall oedd eisiau'i wneud, jest er mwyn sefyll yng nghanol y rhosod i hel meddyliau. Parchai Gwydion ei hangen i fod yno ar ei phen ei hunan, er y byddai'n ei gwylio'n dawel drwy ffenest y conserfatori: ei fam dyner yn sefyll yno fel cerflun, ei chroen fel cwyr yn nhyner lif y lleuad-olau. Ambell waith byddai'n gwahodd Gwydion i ddod i sefyll gyda hi, a byddai'r ddau'n ymgolli yn y tawelwch, heb ddim i darfu arnynt heblaw piod y môr yn canu eu pibau Pan ar y creigiau, lan ar hyd ymyl y foryd, neu hwteri pell ffowndris Machynys yn datgan, gyda'u seiniau baritôn llawn, ei bod yn amser newid shifft.

Ei fam oedd yr un a gyflwynodd ryfeddodau'r nos iddo, gan ddysgu iddo ble i edrych am y sêr yn eu tymhorau, ac i geisio dal seren wib yng nghledr ei law a'i dodi yn ei boced, a dysgu straeon am lusernau'r nos. Ei ffefryn oedd Orion, yr Heliwr, gyda thair seren ddisglair ei wregys. Tra oedd yn arsyllu ar y düwch di-ben-draw o gwmpas yr heliwr enfawr, byddai ei fam yn rhestru rhigwm sydyn yn cynnwys enwau'r sêr – 'Alnitak, Alnilam a Mintaca bell' – yna byddai'n dangos pedair seren yn amlinellu corff Orion, ac un seren unig i awgrymu pefriad ei gleddyf. A byddai ei fam yn nodi bob seren allai hi, gan gyflwyno map melfed y nos i'w mab addfwyn. Adroddai farddoniaeth iddo, cerddi pert i destunau'r nen; cerdd am y lleuad, neu am y gogledd i gyd-fynd â seren y gogledd, yn fflachio'n wyneb diemwnt. A'i ffefryn oedd â digon o ystyr ynddi i gael ei serio ar y cof, a chael ei dwyn i gof flynyddoedd yn ddiweddarach, er mwyn pendroni drachefn a rhyfeddu'r un pryd:

Dyma nhw yn dŵad, y coliars gyda'u lampau
Eu lampau Davy egwan yn torri glo y düwch
Hen dad-cu Blaen Partridge yn cerdded mas
O Andromeda ac yn gwenu'n braf.

Watsia! 'Na olau egwan Morgan Rees
Reit drws nesa i Polaris: mae'n hapus i fod 'na,
Ie, yng nghanol yr holl hen fois,
A'u goleuadau dirifedi'n cadw cwmni.

Hyd yn oed pan oedd wedi tyfu'n ddyn, gallai Gwydion
gofio'r gerdd ac, yn bwysicach o lawer, gallai gofio'i fam yn ei
hadrodd: arogl petalau'r rhosod yn debyg iawn i gandi fflòs,
y llais yn tawelu tua diwedd y llinellau oherwydd yr eironi,
ac oherwydd bod y cariad wedi cymryd amser mor, mor hir
i gyrraedd. Adroddwraig oedd hi, un sbesial hefyd.

Roedd 'na ddefodau llai pleserus yn eu bywydau, megis
batho o flaen y tân. Dyma atgof arall a gariai Gwydion ar
hyd ei fywyd. Yn oedolyn, esboniai Gwydion wrth bobl
am ddigwyddiadau nos Sadwrn i bwysleisio llymder ei
fagwraeth – er y pwysleisiai'r cyfoeth o gariad ar yr aelwyd
hefyd. Byddai sôn am fatho o flaen tân megis gwisgo
bathodyn yn datgan ei fod yn aelod llawn o'r dosbarth
gweithiol.

Llenwai ei rieni y bath sinc o flaen y tân gyda dŵr o ddau
degell ar y stôf, ynghyd â dŵr o'r giser yn y conserfatori,
ond oerai'r dŵr wrth iddynt lenwi'r bath, felly doedd e
byth yn fwy na llugoer. Y peth gwaetha allai ddigwydd, yn
enwedig yn y gaeaf, oedd bod rhywun yn galw rownd ar nos
Sadwrn ar amser bath; bryd hynny byddai ei fam a'i dad yn
cario Gwydion a'r bath i'r pasej tra oedden nhw'n siarad â'r
ymwelydd: gweddïai Gwydion nad rhywun hirwyntog oedd
yno, wrth i'r dŵr oeri o gwmpas crothau ei goesau.

Blas ar eiriau

'YMBIL' OEDD GAIR cyntaf annisgwyl y crwt. 'Sdim rhyfedd yn y byd bod ei dad a'i fam wedi rhyfeddu. Ychwanegodd, er mwyn creu cymal, 'yn daer'. Ac yna'r gair 'arnoch'. O fewn awr roedd Gwydion yn symud geiriau o gwmpas yn ei geg fel petai'n eu blasu nhw. 'Ychen' fel castanwydden wedi'i rhostio. 'Sarff' fel afal bach sur; 'melysach' fel taeniad o fenyn yn toddi ar dafell trwchus o dost. Chwibanogl. Disymwth. Haerllug. Wenfflam. Gwrandawodd ei rieni'n fud ar eiriogrwydd eu mab teirblwydd oed, tra oedd yntau'n gwledda ar yr ansoddeiriau a'r priod-ddulliau, y rhai melys, y rhai maethlon, y berfau bach cigog, ac enwau pobl yn y pentref, a'r cyfan yn llifo fel hufen dros ei wefus isaf.

O wythnos i wythnos, o fis i fis, o flwyddyn i flwyddyn, ehangodd ei eirfa, ei feddwl ar ras i amsugno mwy a mwy o eiriau a chael hyd i wahanol ffyrdd o'u defnyddio.

Siaradai'n ddi-stop, fel nentig ar ôl tawdd eira – ond am chwech o'r gloch ar y diwrnod hwnnw pan ddefnyddiodd eiriau go iawn am y tro cyntaf, rhedodd Gwydion allan o eiriau, neu efallai mai wedi blino'n lân oedd e. Cwympodd i gysgu'n dawel o flaen y grât, nes i'w dad ei gario'n saff i'r gwely. Cario'i eiriadur bach lan stâr.

Ar ôl iddo ddod i lawr drachefn, gofynnodd ei wraig, 'Beth sy'n digwydd i'n mab? Mae e fel gwyrth.'

'Mae e wedi clywed yr holl eiriau 'na o'r blaen, o'i gwmpas. Fan hyn ac yn y capel. Mae'r gweinidog gwadd 'na o Bontarddulais wastad yn dweud "haerllug." Ti 'di'i glywed e, ond wyt ti? Yr un sy'n siarad fel pwll y môr.'

'Ond 'symo hynny'n esbonio shwd mae crwt mor ifanc yn medru dweud y fath bethau rhyfedd.'

'Grinda. Fe wedon ni o'r cychwyn cyntaf ei fod e'n fachgen sbesial. Ac mae enw sbesial 'dag e. Beth wyt ti'n ddishgwl ar ôl 'i fedyddio fe'n Gwydion? Roedd yn rhaid i rywbeth ddigwydd.'

'Ein job ni yw edrych ar ei ôl e, 'na i gyd. A 'symo i'n siŵr sut y gallwn ni wneud 'nny, a ninne'n dou heb gael digon o addysg.'

Oerodd yr awyr yn yr ystafell. Doedd yr un ohonynt yn fodlon wynebu'r fath beth. Bod eu mab mor, mor wahanol.

☙

Un bore, ar ôl wythnosau pan ddefnyddiodd Gwydion o leiaf ddeg gair mawr newydd bob dydd, gan ddrysu'i rieni, aeth y tri ohonynt i weld Miss Williams, prifathrawes ysgol y pentref. Cynigiodd groeso digamsyniol, ynghyd â phaneidiau o de rhyfedd, i'r rhieni.

'*Lapsang souchong* yw e. Mae'n flas anarferol braidd. Ac arogl rhyfedd hefyd, fel ffagal yn llosgi yng nghanol niwl mis Tachwedd. Blas mwg. Ond mae'n well 'da fi fe na the cyffredin, sy'n llawer rhy gryf.'

Blasodd y bachgen y geiriau rhyfedd heb ddweud gair. Roedd cwrteisi'n bwysig.

'Nawr 'te, Mr a Mrs McGideon, sut alla i'ch helpu chi?'

'Mae Gwydion ni wedi dechrau siarad yn dda.'

'Campus! Da clywed hynny. Mae angen i bawb gyfathrebu.'

36

'Ond mae e'n siarad yn wahanol – yn rhy ddeallus, os licwch chi.'

Edrychodd y tri oedolyn ar y bachgen oedd yn dal i flasu enw'r te ar flaen ei dafod. *Lap-sang. Mmmmm.*

'Dere 'mlaen, Gwydion. Oes rhywbeth 'da ti i ddweud wrth Miss Williams?'

Am funud roedd yn fud. Yna dywedodd, 'Y geiriau. Maen nhw fel ffair. Maen nhw'n dawnsio ac yn gwibio ac yn dal i wneud hynny hyd yn oed pan dwi'n cysgu. Maen nhw'n hedfan yn fy mhen i, fel gwenoliaid. Fel cornicyllod yn callwibio.'

'Callwibio?' gofynnodd Miss Williams. 'Beth yw ystyr callwibio?'

Dangosodd y crwtyn yr ateb iddi drwy ystumio: creu siâp llythyren 's' yn sydyn â'i ddwylo, a symud ei fysedd drwy'r awyr.

'Da iawn, 'machgen i – deall i'r dim!' Edrychodd y rhieni'n hurt ar eu mab dawnus, oedd fel petai'n eu gadael nhw'n barod, yn paco'i fags i fynd i'r brifysgol. Ac yntau heb hyd yn oed ddechrau yn yr ysgol eto!

Gallech ddisgrifio'r hyn oedd yn dod o enau Gwydion nawr fel echdoriad, geiriau'n dod o rywle'n ddwfn yn y crombil i dorri'r gramen. Lafa-lif o eiriau i gyd-fynd â'r ffrwydrad.

'Maen nhw fel rhaeadrau yn fy mhen, y berfau 'ma, y priodeiriau ar garlam, ras dŵr sy'n rhedeg yn wyllt, cyn cwympo'n bendramwnwgl.'

'A phryd ddechreuodd hyn? Dim ddoe, yn ôl dy rieni . . . Ydy'r geiriau wedi bod yno'n hir?'

'Mae e fel tysen nhw wedi bod 'na erioed. Fel 'sen i wedi bod yn breuddwydio amdanyn nhw ymhell cyn i fi gael 'y ngeni.'

Oedodd Miss Williams am eiliad. Yna pwyntiodd â'i bys. 'Beth yw hon?' gofynnodd.

'Cansen.'

'A hwn?'

'Bwrdd du.'

'A beth yw ystyr pendramwnwgl?'

'Dros y lle i gyd.'

Oedodd Miss Williams, yn chwilio am eiriau, ac yn cymryd tipyn mwy o amser na Gwydion, gyda'i feddwl chwim-fel-milgi.

''Sdim amheuaeth gen i fod gan Gwydion ddoniau arbennig iawn, y math sy'n dod i'r amlwg unwaith mewn canrif. Gall e ddechrau'i addysg flwyddyn yn gynnar,' meddai'r brifathrawes.

Syllodd i fyw llygaid Gwydion. 'Wyt ti'n medru'r wyddor?'

'Abcchdddefffgnghilllmnopphrrhstthuwy.'

Cyn iddynt adael, cyflwynodd mam a thad Gwydion ei stori gyntaf i'r brifathrawes, gan gynnig rhagor o dystiolaeth – os oedd angen hynny – bod ganddo dalent megis seren ddisglair. Roedd e nid yn unig yn siaradwr brwd, ond hefyd wedi dysgu darllen a sgrifennu ar ei ben ei hun, heb help nac oedolyn na geiriadur. Darllenodd y brifathrawes y stori'n gyflym, gan nodi pa mor daclus oedd ysgrifen Gwydion, pob llythyren yn eistedd yn y lle iawn ar linellau'r llyfr sgrifennu.

Lot Gwell Na Chi Defaid
gan Gwydion McGideon

Mae ffermwr o'r enw Tom Davies yn cadw cŵn i weithio'r defaid, ac i gadw'r cadno bant o'i anifeiliaid, achos mae'r cadno yn hoff iawn o fwyta ieir ac ambell oen bach os yw'r fam yn esgeulus. Ar ôl colli naw o ŵyn mewn wythnos mae Tom yn penderfynu prynu blaidd i weithio'r defaid ac i roi llond bola o ofn i unrhyw un sy'n ddigon twp i ddod ar gyfyl y lle. Ond un nos mae babi'r ffermwr yn diflannu ac mae'n gweld bod staen enfawr o waed ar draws ceg y blaidd. Felly mae'n lladd y blaidd ond yn difaru'r diwrnod wedyn pan mae e'n darganfod bod y bachgen yn cysgu'n sownd o'r golwg dan y gwely. Ac mae'n gweld eisiau'r blaidd bob dydd ar ôl hynny, achos roedd y blaidd yn gwneud iddo fe deimlo'n saff. Ond fe laddodd e fe, a dyna ddiwedd arni. Dyna'r diwrnod daeth ofn i fyw ar y fferm.

Dododd Miss Williams ei sbectol ar y ddesg. Dawnsiai gwên foddhaus ar ei gwefus waelod oherwydd y ffordd syml ond hynod effeithiol roedd y stori'n gorffen. 'Daeth ofn i fyw ar y fferm.' Er bod gormod o adlais stori Gelert, y ci ffyddlon, yn chwedl newydd Gwydion, rhaid iddi gofio nad oedd e ond pedair mlwydd oed. Roedd ganddo dalent ddigamsyniol. Roedd hynny'n amlwg o'r ffordd sicr y defnyddiai eiriau megis 'esgeulus' a 'darganfod'.

'Gall e ddechrau yn yr ysgol tymor nesa. 'Sdim rhaid aros nes ei fod e'n bump. Mae'n amlwg o'r hyn y'ch chi'n ei ddweud ei fod yn awchu am wybodaeth. Fe wnawn ni'n gorau drosto, credwch chi fi, Mr a Mrs McGideon. Nid damwain oedd i'ch mab gael ei eni â marc siâp draig ar ei fraich. Mae ganddo ddyfodol, un disglair iawn. Yn bwysicach fyth, mae ganddo *bwrpas* yn y byd hwn, fel Cymro, Cymro i'r carn. Draig fydd yn hedfan yn uchel iawn, dipyn uwch nag Eryri. Dewch â fe i'r iard ar fore cynta'r tymor nesa, ac mi roddaf groeso personal iddo fe. Fe rown ni gyfle i'r ddraig ymestyn ei hadenydd cennog.'

Nid oedd tad a mam Gwydion yn deall ystyr y gair olaf, ond nodiodd y ddau mewn ffug ddeallusrwydd, rhag ofn i Miss Williams feddwl taw dou hambon oedd yn sefyll ger ei bron. Er taw dou hambon *oedd* yn sefyll yno, o'u cymharu 'da Gwydion, y gŵr bach doeth.

Oedodd Macs er mwyn gwneud un sylw. Teimlai gyfrifoldeb i leisio barn. 'Ond mae'r plant eraill dipyn hŷn yn dechrau'r ysgol,' dywedodd. Doedd e ddim am golli'i fab i fwrlwm yr ysgol cweit 'to. 'Bydd e o leiaf flwyddyn yn iau na nhw.'

Roedd yn colli amser 'da fe'n barod, a'r crwt yn hoffi treulio oriau gyda Wil drws nesa'. Nid bod unrhyw beth yn bod ar Wil. Roedd e'n ddyn da, a chanddo galon fawr yn curo fel drwm. Y brif broblem i Macs, a dweud y gwir, oedd y ffaith ei fod yn ddyn heb gael fawr o addysg, a'i fod yn teimlo y byddai Gwydion yn ymbellhau oddi wrtho gyda phob llyfr a ddarllenai. Er ei fod wedi gadael yr ysgol yn un ar bymtheg, doedd Macs ddim mor dwp na allai weld sut y gallai addysg wanhau'r cysylltiad rhwng y boi bach a'i deulu. Gresynai nad oedd wedi talu mwy o sylw yn yr ysgol fach, ond roedd Macs â'i fryd ar fod allan yn y caeau, yn lampo gyda'r nos er mwyn dal cwningod, neu ddal brithyll â'i ddwylo chwim yn nentydd cyflym yr ardal. Un diwrnod, roedd wedi llwyddo i ddal un pysgodyn ar hugain, a'i ffrindiau'n ei addoli bron oherwydd ei sgìl a'i allu.

'Dy'n ni ddim yn sôn am blant eraill. Mae Gwydion yn unigryw. Alla i ddim dweud wrthoch chi beth fydd ei ddyfodol, ond fe fydd yn un arwyddocaol. Gwyddonydd.

Cyfansoddwr. Llenor, 'sdim dwywaith. Nid ar hap a damwain mae bachgen yn byrlymu 'da geiriau yn y fath fodd. Ry'ch chi'n ffodus iawn. Mae *e'n* ffodus iawn.'

Syllodd y ddau riant ar eu harwres newydd am eiliad, yna ffurfiodd cwestiwn ar wefusau Macs.

'Beth y'ch chi'n feddwl yw ystyr y marc siâp draig, Miss Williams?' gofynnodd yn eofn.

Ni allai'r brifathrawes ateb y cwestiwn. Nid allai neb fyth esbonio'n foddhaol pam roedd y fath farc ar y crwt. Ar wahân i Gwydion ei hun, mewn stori, yn y dyfodol.

Diolchodd y rhieni i Miss Williams am ei hamser, a mynd yn ôl adre i baratoi te. Gyda the cyffredin.

Hen ŵr lyfli

*B*YDDAI TAD-CU GWYDION, Thomas John McGideon, yn mwynhau treulio oriau hir yn yr ardd.Byddai nid yn unig yn tendio blodau – roedd yn hen law ar gael *dahlias* i ffrwydro'n betalau llachar fel ffaglau, ac yn gwybod yn union sut i drosi tail ceffyl yn rhosynnau hynod-binc – ond hefyd yn edrych ar ôl y caneris. Yn hyn o beth, roedd yn debyg i nifer fawr o hen goliers, fel diolch, efallai, am y ffordd roedd cynifer o'r adar bach nerfus hynny wedi aberthu eu bywydau o dan y ddaear wrth rybuddio bod nwy'n bresennol. Cadwai Thomas John y caets yr arferai ei gario o dan y ddaear yn llawn derots ar ben y dreser yn y gegin, i'w atgoffa am yr aberthau bychain, a'r ffordd y byddai eu calonnau'n curo ffwl-pelt gyda'r drafft lleiaf o nwy methan. Cyn marw.

Byddai cerdded mewn i'r sied adar fel crwydro i ganol corwynt bach o blu, neu glustog llawn plu bach melyn wedi'i chwythu i fyny. Byddai meddwl Gwydion yn ddryswch o drosiadau fel 'seren blu yn troi'n supernofa', nes iddo ddechrau tisian wrth i'r plu bach fynd lan ei ffroenau – tra bod yr adar yn ecseited reit ac yn nerfus, yn hapus o wybod bod cyflenwad newydd o fwyd ar y ffordd i'r dysglau. Ond gyda Thomas John, sefyll yn stond y byddai nifer o'r adar, yn enwedig y rhai hŷn, a dod i lanio ar ei ysgwyddau, ac eraill yn ddigon ewn a bodlon i lanio ar gledr ei law i bigo miled, y peledau bychain yn diflannu'n robotig i mewn i'r pigau bach.

'Wnco manco yw'r trysor,' meddai'r hen ddyn, yn tagu 'da balchder.

Yn y caets – caets ar gyfer yr un aderyn unigol hwn, cofiwch, oedd yn dangos pa mor sbesial oedd e – safai Spanish Timbrado, ac wrth i'w dad-cu esbonio sut roedd y math yma o ganeri'n medru canu'n dda, dyma'r ceiliog balch yn dechrau nyddu cân fach ddisglair a sydyn. Gallai Gwydion dyngu bod rhai o'r adar eraill wedi tawelu i wrando arno. Yn sicr, roedd plu ei frest wedi fflyffio'n bêl o falchder, a safai'n browd ar y polyn bach yn y caets, gan edrych yn slei yn y drych bach plastig cyn bwrw'r gloch â'i big. Gallai Gwydion dyngu bod y caneri gyda'r enw egsotig yn gwybod ei fod yn harddach a mwy golygus na'r lleill, a theimlai'n flin dros y derot yn y caets drws nesa, oedd yn colli'i blu oherwydd salwch, a'r corff pinc fel bys bawd dan fflwch o blu lliw eira.

'Drycha pa mor ddwfwn yw'r lliwiau 'na. Bydd hwn yn ennill yn y sioe, galla i ddweud 'nna 'tho ti nawr. 'Sdim ots beth sy gan y dynion eraill, ma hwn yn *champion* go iawn – y deryn gorau i'w fagu yn y pentref erioed, falle. Bydd gan ddynion eraill dderots da, canwyr glew, ond fydd gan Jac y Ffagal na Harry Watkiss yr un aderyn i fatsio siâp na lliw na llais un fel hwn. Dyna pam taw dyma'r unig aderyn sy gen i a'i enw'i hunan 'da fe. Hwn yw'r Troubadour, sy'n canu'n well na David Lloyd na David Brazzell. Ody wir, cystal â 'nny. Mae'n medru hudo'r ledis 'da'i ganeuon pert, ac efallai bod nhw'n lico'r ffaith ei fod e'n canu yn Sbaeneg . . .'

Chwarddodd y ddau at y fath dwpdra. Dyna un o'r pethau roedd Gwydion yn ei garu ynglŷn â'i dad-cu: ei fod fel bachgen bach, ar brydiau, yn enwedig o ran ei frwdfrydedd. Gallai fwydo'i adar gyda hwnnw.

Dysgodd Gwydion am y gwahanol fathau o ganeris – y Belgiums, y Glosters a'r adar llai cyffredin fel yr Onyx – gan nodi'r gwahanol ffyrdd y gallent gymysgu a chroesffrwythloni. Rhestrai ei dad-cu y lliwiau posib, o felyn swlffwr i felyn banana, i aderyn lliw gwallt Hettie drws nesa, a oedd fel haul yn disgleirio ar gae ŷd. Hi oedd y ferch gyntaf i ddenu sylw Gwydion, a gwyddai fod ei frest yntau'n chwyddo wrth ei gweld, wrth iddo geisio denu cymar dros y ffens gefen. Gwyddai hefyd fod ganddi sboner saith mlwydd oed o'r enw Tomi. Drato!

Synnai Gwydion wrth nodi'r gwrthgyferbyniad rhwng gwythiennau gleision cefn llaw ei dad-cu a lliwiau melyn y caneris. Nid bod pob aderyn yn felyn, chwaith. Croeswyd ambell aderyn gydag adar gwyllt megis y nico, y llinos, y llinos bengoch a'r pila gwyrdd.

Un diwrnod, dysgodd Gwydion sut roedd ei dad-cu'n dal yr holl adar gwyllt, a chafodd ei siomi'n ddwfn iawn, a dweud y lleia.

Swniai'r trapio'n arferiad barbaraidd.

Nid oedd Gwydion erioed wedi clywed am yr arfer o ddefnyddio leim i ddal adar, sef dodi haen o leim ar frigau nes bod yr adar yn glynu yno, i'w cynaeafu fel doliau clwt. Nid oedd Thomas John yn gweld hyn yn greulon, oherwydd perthynai i genhedlaeth rỳff-a-tỳff oedd yn dueddol o fod yn ddi-hid ynglŷn â chreulondeb. Ond syfrdanwyd Gwydion gan ddisgrifiadau Thomas John o sut roedd y trapio'n gweithio, a sut roedd ambell ddyn llai profiadol yn tynnu traed yr aderyn i ffwrdd wrth ei dynnu oddi ar y leim.

Nid bod ei dad-cu'n gwybod ei fod yn rhoi poen dychrynllyd i'r crwtyn – fe'i siomwyd oherwydd ei fod am i'w dad-cu fod yn arwrol a glew, a doedd trapio'r adar bach yn y modd barbaraidd, llwfr yma ddim yn gwneud i ŵyr deimlo'n browd. I'r gwrthwyneb, yn gyfan gwbl i'r gwrthwyneb. Byddai wedi gwadu taw Thomas John oedd ei dad-cu: dyna sut roedd e'n teimlo.

Ond wedi cysgu ar y mater, ddaeth Gwydion i sylweddoli taw dyna oedd ffordd cenhedlaeth ei dad-cu o wneud pethau, bod y cariad a deimlai at ei dad-cu'n dew fel gwaed, a'i fod yn llawn o'r cariad hwnnw tuag ato, fel stumog llo.

Roedd ei dad-cu'n athro da. Dysgodd Gwydion sut i adnabod afiechydon, sut i gadw lefel y dŵr yn gyson yn y jariau bychain, a pha aderyn fyddai'n croesi'n dda o'i fridio gydag un arall. Ond y peth gorau un oedd gweld yr wyau bach yn deor, y plisgyn yn torri a'r bwystfil bach sgryffi'n mentro allan i'r golau. Rhyfeddod diddiwedd oedd hyn i Gwydion, a oedd yn bigitan yn gyson wrth ei dad-cu i fynd i weld a oedd y cywion wedi dod mas 'to.

'Pryd? Pryd? Pryd? O pryd, Dad-cu?'

A phan fyddai 'na enedigaeth yn y sied, byddai ei dad-cu'n chwibanu tiwn arbennig, un i gyflwyno'r holl nodau posib i'r adar bach, tiwn gymhleth y byddai Gwydion yn ei chymharu'n nes ymlaen yn ei fywyd ag un o diwniau Stockhausen, neu Varèse. Y tiwniau hudolus a chymhleth roedd yr hen ddyn yn eu dysgu i'w adar hoff.

Drws yw pob llyfr

*T*RA OEDD YN AROS i fynd i'r ysgol, penderfynodd
Gwydion ymweld â llyfrgell y pentref – stafell fechan
yng nghefn y ganolfan gymdeithasol, sef hen 'stiwt y glowyr.
Miss Evans oedd y llyfrgellwraig, a 'na falch oedd hi o weld
Gwydion. Braf oedd cael rhywun oedd mor hoff o ddarllen.
Byddai hi'n helpu'r crwtyn bach a'i ddeallusrwydd anhygoel.

Nid oedd darllen nofelau'n waith hawdd i grwt chwilfrydig
a chwilmentus, a oedd yn hoffi edrych ar dudalen olaf llyfr i
ddarganfod beth oedd yn digwydd ar ddiwedd stori. Rhaid
oedd iddo ddysgu sut i ddala'n ôl, i gadw'r dirgelwch yn saff
tan y dudalen olaf oll. Oedd, roedd yn darllen yn rhy gyflym
ambell waith, ei fys bawd a'i fys blaen yn troi'r tudalennau'n
beirianyddol. Ymlaen! Ymlaen! Beth sy'n digwydd nesa? Y
cwestiwn pwysicaf wrth ystyried unrhyw stori. Beth nesa?
Beth nesa?

Tra bod y plant dan ofal Miss Williams a Miss Tomos yn
rhigymu'r e-bi-si ac yn dysgu darllen am y gath a'r afal a'r
het werdd, darllenodd Gwydion bob un o lyfrau Dickens,
gan gynnwys y rhai llai cyfarwydd megis *Hard Times*, gyda
chreaduriaid rhyfedd megis Gradgrind a Bounderby yn
llamu o'r tudalennau i diroedd mawr ac eang ei ddychymyg.
Rhyfeddai Miss Evans, yn methu coelio'r ffordd yr amsugnai
ramadeg, y ffordd y dysgai'r geiriau i gyd.

Bob hyn a hyn, byddai Gwydion yn nodi geiriau estron yn

ei Lyfr Mawr, er bod ei eirfa bellach ymhell dros y trigain mil. Ac o ystyried bod un o feddylwyr craffaf yr oes yn tybio taw dim ond naw cant o eiriau oedd eu hangen i fynegi'ch hunan mewn unrhyw iaith, mae'n bosib bod lecsicon Gwydion yn fwy nag y byddai fyth ei angen arno mewn gwirionedd.

Trysorai ei Lyfr Mawr. Y geiriau Cymraeg ar ochr chwith y dudalen, a'r geiriau Saesneg ar y dde. *Epiphanic.* Nodweddol. *Autism.* Gorfoledd. A'i ffefryn – hen, hen ffefryn. Pendramwnwgl, oedd yn llenwi'r geg fel bwyta darn anferth o daffi, y llythrennau'n stici, yn fawr ac yn flasus.

Ar ddiwedd bob sesiwn ddarllen, byddai'n gweithio'n chwim gan ddefnyddio'r *Geiriadur Mawr* a'r hen gopïau trwchus o eiriaduron Nuttalls a Chambers i ddadorchuddio ystyron y geiriau. Unwaith y byddai'n gwybod beth oedd beth, byddai'n eu cofio am byth.

Adeiladodd Gwydion fydoedd o ystyr, a byddai'n mwynhau gwybod o ble daeth yr holl eiriau, yn enwedig yn yr iaith fain, a oedd wedi benthyca a choloneiddio a phriodoli cynifer o enwau. 'Bungalow' o'r Hindi. 'Iogwrt' o hufenfeydd Twrci. 'Anorak' i gadw'r Inuit yn gynnes rhag chwip o wynt yr Arctig. Parhaodd Gwydion i wneud hyn drwy gydol ei fywyd, ac roedd ganddo lyfr nodiadau wrth law bob tro y byddai'n darllen. Tyfodd y Llyfr Mawr i fod yn fath o eiriadur personol, yn rhywbeth i'w ddarllen fel nofel o'r dechrau i'r diwedd gan flasu'r geiriau ar flaen ei dafod, gwledd o ferfau a phriodeiriau, ac yn y blaen.

Yn ei arddegau, cafodd Gwydion ei hunan yn ôl yn y llyfrgell rhyw ddiwrnod (rhyfeddod nad oedd y lle wedi cael ei ddymchwel, fel bron popeth arall o'i blentyndod, y ffatrïoedd a'r ffowndris) gan deimlo fel Gulliver yn

47

Liliput, yr holl gelfi'n ymddangos yn rhy fach, fel rhywle y byddai corachod yn ymgasglu i ddarllen llawlyfrau am fwyngloddio – un o driciau cof plentyn, lle byddai atgofion am y dyddiau a fu yn fwy byw, yn fwy disglair, ac yn rhyfeddach na'r dydd heddiw.

Wrth gwrs, roedd yr hen lyfrgellwraig wedi'i chladdu ers blynyddoedd, ond roedd rhai o'r llyfrau yno yn dal yn yr un cloriau, er bod effaith golau'r haul wedi pylu rhywfaint ar y lliw a bysedd estron wedi troi ymylon y tudalennau'n ddu.

Cofiai sut y buasai'n bihafio, fel tase hi, Miss Evans, mewn cariad 'da fe, ei hunigrwydd yn boenus o amlwg: ei dymuniad syml bod rhywun yn ei chusanu unwaith, jest unwaith, yn rhywbeth y dylai Gwydion fod nid yn unig wedi ei nodi, ond hefyd wedi ei ateb, gyda dwy wefus a thynerwch annisgwyl.

Yn ystod yr ymweliad hwnnw fel oedolyn, glynai diferion glaw fel perlau bach ar wydr y ffenestr wrth i Gwydion droi tudalennau'r *Oxford English Dictionary* gan fwynhau darllen geiriau'r llythyren 'T' fel byddai rhai pobl yn mwynhau darllen *Don Quixote*. Daeth ar draws gair a barodd iddo chwerthin – cofiodd sut y cynhaliwyd cystadleuaeth unwaith i fathu gair am *television* yn Gymraeg, a chylchgrawn *Y Faner* yn rhoi copi o'r *Bywgraffiadur Cymreig* neu rywbeth yr un mor werthfawr fel *star prize* i'r sawl a fathodd yr enw 'teledu' – rhywun o ochrau Tregaron yn rhywle. Yma, o'i flaen, roedd tystiolaeth bod y gair yn bodoli yn Saesneg ymhell cyn hynny, a'r diffiniad oedd 'a stinking badger from Java and Sumatra'. Llwyth o foch daear, y drewdod ar y cyd fel gyrru tryc dros sgync. O Jafa. Neu Swmatra.

Arferai Gwydion ddarllen â'i law dde, y bysedd yn dweud wrtho nad oedd diwedd y stori'n bell i ffwrdd, a'i feddwl yn cyflymu; yntau ar ras, ar garlam i geisio cyrraedd yr epilog cyn yr awdur. Wrth ddarllen nofel dditectif, er enghraifft, byddai Gwydion yn ceisio dyfalu pwy oedd wedi lladd y bytler yn y llyfrgell cyn i'r ditectif ddyfalu, a hyd yn oed cyn i Sherlock Holmes ei hun ddyfalu pwy oedd y llofrudd. Wrth iddo ddarllen, byddai'n aml yn niweidio'r llyfr. Rhwygai'r papur fel cymryd cyllell at groen. Tynnai'r meingefn oddi ar gorff y gyfrol am ei fod yn darllen mor gyflym.

Ond gyda help Miss Evans, dysgodd Gwydion sut i ddal llyfr yn dyner, fel cyffwrdd boch anwylyd, i anwesu cornel y dudalen, ei ddal rhwng ei fysedd fel rhywbeth délicet megis un o hoff blu pysgota ei dad. *Halham Webber's Button Spinner, The Drake Mallard* neu *The Rising Duchess*. Dal y gornel yn ofalus, heb rwygo'r papur. Yna, wrth brosesu'r geiriau, hedfanai'r syniadau fel pryfed yn codi'n ddawns gymharu ar lan afon, y blaenhaid fel paill, yn ymddangos ar goll fel gronynnau mewn moleciwl.

Ac ambell waith, wrth iddo ymarfer sut i oedi ychydig, i arafu'r weithred gorfforol o ddarllen, byddai'n clywed llais cyfarwydd Miss Evans yn cynnig cyngor mewn llais crynedig, sych, fel rhywbeth wedi chwythu i mewn o anialwch y Gobi.

'A chofia di hyn, paid â mynd yn syth i'r cefn i weld sawl tudalen sydd mewn llyfr, na gwneud hynny chwaith wrth bo ti'n darllen y gyfrol. Neu mi fyddi'n gwastraffu amser yn gweithio mas faint mae'n mynd i gymryd i orffen y gyfrol, ac nid dyna'r pwynt. Dyw amser ddim yn bodoli pan wyt ti'n darllen llyfr. Na daeareg. Nac unrhyw beth arall. Ry'n ni'n gadael y byd hwn pan fyddwn ni'n darllen, Gwydion. Dyna'r wyrth. Dyna pam mae'r llyfr wedi goroesi hyd yma. Mae pob llyfr yn agor drws, yn union fel allwedd.'

Roedd hi'n dweud y gwir. Ar ôl iddo droi tudalen deitl unrhyw lyfr, byddai Gwydion yn gweithio mas faint o amser a gymerai i ddarllen y llyfr. Petai llyfr yn dri chan tudalen o hyd, byddai'n rhannu wrth chwe deg, sef y raddfa fesul awr roedd rhywun yn ei ddarllen ar gyfartaledd, yn ôl Miss Evans. Roedd hynny'n wir os nad oedd rhywbeth yn tynnu'ch sylw, neu flinder yn achosi i'r geiriau doddi fel inc mewn dŵr. Pam oedd hi'n ei feio fe am weithio'r pethau 'ma mas, a hithau wedi rhoi'r modd iddo wneud hynny?

O dro i dro, byddai Miss Evans yn gafael yn dynn yn ei law, a'i gwasgu fel petai hi'n ceisio troi pêl griced yn bast coch, a chroen memrwn ei llaw yn crychu'n dynn o gwmpas ei law yntau. Gwasgai ei law yn galed, ond â thynerwch, a dyhead i beidio byth â'i gollwng. Nid yn y bywyd hwn. Bryd hynny tywyswraig oedd hi, yn awyddus i ddangos pethau newydd iddo.

'Mr McGideon, beth wyt ti am ei weld heddiw? I ba ran o'r byd wyt ti eisiau dianc?'

Ac os digwyddai iddo deimlo braidd yn ddiog, yn ystrydebol efallai, byddai'n awgrymu yr hoffai weld 'rhyfeddodau'r byd'. Bryd hynny byddai Miss Evans yn estyn lan at un o'r silffoedd dan y label *Non Fiction* a rhoi cyfrol iddo, y gronynnau dwst yn siffrwd i lawr wrth iddi wneud.

Byddai ei llygaid yn edrych arno'n eiddgar, wrth ei bodd ei bod yn cael cyfeirio'i deithiau. A'i fod e'n mwynhau bod yma, yn ei chwmni hi.

'Cymer hwn a dysga sut y gwnaeth H. M. Stanley gipio'r Congo ar gyfer y Brenin Leopold yr Ail o Wlad Belg. Neu beth am hwn . . . anturiaethau'r Albanwr Mungo Park yn dod â goleuni peryglus i gorneli'r Cyfandir Tywyll ac yn canfod afon anhygoel y Niger. Deng mil, ugain mil gwaith yn fwy na'r Teifi . . . am afon! Fyddai cwrwgl yn dda i ddim wrth fynd i lawr honno.'

Mwynhaodd Gwydion bob un o'r llyfrau y cymhellwyd e i'w darllen gan Miss Evans, ond y llyfr oedd mwyaf at ei ddant oedd un lle roedd y rhyfeddodau confensiynol yn absennol. Ei deitl oedd *The Last Place on Earth*, a diflannodd y crwtyn o wres gwresogydd olew y llyfrgell i'r Antarctig, i sefyll dan lif o olau llachar, Amazon o oleuni yn adlewyrchu oddi ar yr erwau diddiwedd o iâ, gan daflu ysgyrion o olau i'r llygaid. Bron y teimlai Gwydion y golau'n ei ddallu wrth iddo ddarllen am arwyr yr oerfel. Ac roedd hynny *yn* digwydd, dynion yn colli eu golwg, a phethau gwaeth, hyd yn oed. Tynnodd un arloeswr ei hosan un bore, a thynnu pedwar o fysedd ei draed yn rhydd yr un pryd. Pobl tŷff oedd fforwyr y Mannau Oer. Crynai Gwydion wrth feddwl am eu dewrder a'r styfnigrwydd yn eu cymeriad. Am le! Iâ, a chwipwynt yn chwythu drosto! Pengwiniaid yn sefyll mewn rhesi anniben. Oerfel anhygoel, a'r gwacter gwyn yma, fel tudalen wag, oedd diléit Gwydion. Byddai'n dwlu darllen am arwyr y llefydd hyn.

Byddai'n darllen *The Last Place* drosodd a throsodd. Dotiai ar yr enwau a roddwyd ar fap gwyn yr eithafoedd daear yma, ar y Terra Incognita dros y blynyddoedd. Fearful Tor. The Sea of Endless Anxiety. Abandonment Gulf. Despondency Bay. The Terror March.

Yn y ffotograffau, gwelai arwyr yr erwau iâ yn syllu allan o bortyllau o ffwr: Robert Falcon Scott gyda'i gyflenwadau anhygoel – y bocseidiau o siampên, er enghraifft.

Anodd oedd derbyn rhai o'r manylion. Un o'r swperau

olaf, er enghraifft, pan ymgasglodd y dynion i fwyta, ymhlith pethau eraill, Buzzard Cake. Beth yn y byd oedd Buzzard Cake? Nododd Gwydion y cwestiwn yn ei Lyfr Mawr.

Dyna lle roedden nhw, ym Mehefin 1911, ganol gaeaf, yn y lle oeraf ar y ddaear ac yn dal i gynnal eu defodau. Hongian Jac yr Undeb dros y bwrdd, a baneri'r slediau'n hongian tu mewn dan gysgod, a'r dynion yn dathlu'r ffaith bod y tywydd ar fin newid, nes bod 'na deimlad Nadoligaidd, dathliadol i'r digwyddiad. Eistedd yn brydlon am saith o'r gloch, dim munud yn gynharach, dim munud yn hwyrach. Cawl morlo i gychwyn, fel y digwyddai ar sawl noson, a phawb yn llongyfarch y cogydd ar wneud cawl morlo cystal, er nad oedd neb yn dweud cystal â beth. Yfed o wydrau gwydr, rhai go iawn, a chrisial hefyd yn lle'r mygiau enamel arferol. Yna cig eidion rhost – ie, yn yr Antarctig – gyda thato ac ysgewyll. Plwm pwdin, ac yna mins peis, ac i ddilyn, danteithion eraill – cnau almwnd wedi'u crasu, ffrwythau candi, siocledi, heb sôn am lif cyson o siampên – cyn cwpla'r wledd 'da gwirodydd i iro'r llwncdestunau.

'Ti'n crynu,' meddai Miss Evans wrtho, gan estyn siol i'w lapio am ei ysgwyddau.

Roedd hynny'n ddigon i ddod â'r bachgen 'nôl o'i grwydro meddyliol, a'r profiad o ddihuno yng nghanol breuddwyd-ddarllen yn debyg i hedfan yn chwim ac yn ddi-ffws o ochrau'r Ice Noose, lle gallai dyn bara am chwe mis wrth fwyta cig un walrws, a'r cig hwnnw byth yn pydru oherwydd bod y cyfandir cyfan fel rhewgell. Wrth glywed ei enw'n cael ei yngan yn llais crin Miss Evans, dyma Gwydion yn hedfan fel albatros dros y culforoedd o ddŵr glasoer, uwchben ambell beirat o sgiwen ar batrôl dros yr unigeddau, a chyn cyrraedd ei sêt yn y llyfrgell fach dwt drachefn, edrychodd i lawr a gweld pererindod o bengwiniaid yn croesi'r iâ. Ac roedd Miss Evans yn deall y wyrth, y weithred honno o ryddhau'r corff a ddigwyddai oherwydd rhyddiaith a barddoniaeth. Byddai'n hedfan ar ei ben ei hunan, yn esgyn ar gerddi syml Emily Dickinson, a greodd fydysawd o gariad a diléit o'i byd bach cyfyng.

> Because I could not stop for Death –
> He kindly stopped for me . . .

Yn yr un modd ag y byddai geiriau'r fenyw ryfeddol yma o Massachusetts yn fflachio ym mhen Miss Evans, byddai delweddau o'r llyfrau a ddarllenai yn aros ym mhen Gwydion. Ond yr eira a'r iâ oedd ei hoff ddelweddau, a 'sdim rhyfedd iddo sgrifennu straeon am y fath lefydd yn ddiweddarach yn ei fywyd.

Dros y gwyliau haf darllenodd Gwydion lwyth o lyfrau, ac ar ôl darllen y rhai amlwg i gyd, rhaid oedd mentro i dir testunau amherthnasol iddo, llyfrau oedd prin o ddiddordeb iddo, megis *The Stately Homes of Surrey* neu *How to Keep Marmosets*. Doedd Miss Evans nac yntau'n medru esbonio sut roedd y rhain wedi cyrraedd llyfrgell y pentref, ac yn fwy na hynny, sut bod mwy na deg person wedi benthyg y llyfrau yn ystod y naw mlynedd ers i'r llyfrgell agor ei drysau.

Pan ddechreuodd y tymor ysgol newydd, teimlodd Miss Evans wacter fel Pegwn y De yn tyfu y tu mewn iddi, y stafell-llawn-llyfrau yn wag a'i chalon, yn rhyfedd ddigon, wedi dechrau dadmer ar ôl blynyddoedd o galedi – hynny yw, ers i Gwydion ddechrau ymweld â hi, i ddarllen pob llyfr yn y llyfrgell.

Flynyddoedd ynghynt, roedd bachgen o'r enw Stanley Morris wedi dyweddïo â Miss Evans, ond rhedodd hwnnw i ffwrdd 'da clegen o'r enw Esther Williams. Ddywedodd e 'run gair wrth Miss Evans, gan adael iddi hi ffindo mas drwy sibrydion ac ensyniad. Ond un diwnod cyrhaeddodd carden gyda llun o Ddinbych-y-pysgod arno, a bwyell o eiriau, i hollti'i chalon yn ddwy.

Annwyl Priscilla,

Flin gen i, ond gwnes i gamsyniad. Wedi priodi Esther nawr. Sori am unrhyw anghlyfleustra a achoswyd.

Yr eiddoch yn gywir iawn,

Stanley X

Y gusan olaf.

Y wers gyntaf ar ofn

*G*YDA HAF HIR o ddarllen yn dirwyn i ben, a Gwydion bellach yn teimlo ei fod wedi darllen digon, bron, daeth yr amser iddo fynd i'r ysgol.

Roedd mynychu'r ysgol yn debyg i fynd i ryfel. Dylai Gwydion fod wedi'i arfogi ei hun yn well. Byddai gwisgo tiwnig caci a sgidiau mawr gyda'r pethau 'na chi'n gwisgo drostyn nhw, *puttees*, i gadw mwd bant yng nghanol y ffosydd – ie, coesrhwymau, felly – a chario reiffl a bidog ar ei blaen o leia'n dangos rhyw baratoad ar gyfer yr ymladd oedd i ddod. Byddai gwisgo lifrai tebyg i'r milwyr Cymreig aeth i gyflafan Mametz ar ordors y cadfridogion o leia'n arwydd bod Gwydion yn gwybod beth oedd o'i flaen. Nid bod nhw, y pwr dabs – y miloedd ar filoedd o inffantri ffyddlon a chwythwyd lan yn shafins croen gan dân-ddrylliau'r gelyn – yn gwybod beth oedd o'u blaenau hwythau, sef dim. Y dim sy'n ymestyn am byth. Byddai cario bidog neu unrhyw arf o gwbl wedi bod yn ryw baratoad ar gyfer dyddiau cyntaf Gwydion yn Ysgol Maes y Caws, oherwydd doedd 'na ddim gwahaniaeth yn y byd rhwng mynychu'r dosbarth derbyn a mynd i Mametz. Yr un teimlad oer, sur yn y stumog wrth godi yn y bore i wynebu gelyniaeth yr haul.

Safai'r ysgol wrth lan yr afon Mwstwr, yr ail afon a lifai drwy'r pentref, gyda'r Shagog i'r gorllewin a'r Mwstwr i'r dwyrain. Newidiwyd cwrs y Mwstwr dros y blynyddoedd fel bod y dŵr brwnt yn llifo drwy gylfat goncrit a redai'n dynn wrth ymyl yr iard. Llifai'r darn llwyd hwn o ddŵr drwy hunllefau rhai o'r disgyblion ar ôl i un ohonynt, bachgen bach o'r enw Walter Lloyd, y crwtyn perta yn y sir, gyda llond pen o wallt golau yn union fel un o angylion Botticelli, foddi yno y gwanwyn diwetha, ei gorff wedi chwyddo fel balŵn. Treuliwyd dyddiau'n chwilio cyn ffindio'i gorff, er nad oedd ond ychydig lathenni bant o stafell y brifathrawes, am fod ei siwmper wedi ei snagio ar ddarn o haearn rhydlyd, ac yntau fel petai'n hongian yno ar fachyn. Yn aros yn boléit nes bod yr heddlu yn gwahodd ffermwr a chanddo gi defaid â thrwyn da i ddod i helpu eu cŵn hwythau, a oedd wedi methu'n llwyr â chael hyd i'w sawr.

Mynychai cant dau ddeg o blant yr ysgol, a adeiladwyd ar safle un o'r hen weithfeydd copor. Roedd yno bedwar adeilad twt ar gyfer y gwahanol ddosbarthiadau, ac ar ei ddiwrnod cyntaf byddai jest gweld yr holl blant ar yr iard yn ddigon i godi ofn ar ddisgybl newydd. Ond roedd Gwydion yn fwy ofnus na'r lleill oherwydd bod ei dad wedi bod yn tynnu'i goes y noson cynt ac yn rhaffu enghreifftiau o'r pethau gwael allai ddigwydd iddo – ac roedd cael sticio'i ben i lawr y tŷ bach yn un o'r rhai mwy derbyniol. Felly sleifiodd y bachgen drwy'r dorf, a oedd yn byrlymu ag awch dechrau tymor ac egni diwedd-gwyliau-haf, eu trydar fel drudwns ar eu ffordd i glwydo. Bob hyn a hyn diflannai meddwl Gwydion i ramant yr erwau iâ, gan godi gwydraid o siampên i gynnig llwncdestun iddo'i hunan, gan obeithio ar yr un pryd y byddai meddwl am ddynion dewr y pegynnau'n ei wneud yntau yr un mor ddewr.

Canodd y gloch ac aeth pawb i'w llinellau dosbarth. Wrth

i'r brifathrawes gerdded tuag at bob llinell, gwaeddodd y plant 'Bore da Miss Williams!' wrthi, ac oherwydd bod 'na blant newydd yn ymuno 'da'r rhengoedd twt, aeth hithau'n groes i'r drefn y bore hwnnw trwy gyfarch y plant hyna yn gynta, ac yna cyfarch y dosbarthiadau iau yn eu tro. Newidiai'r lleisiau o fariton i fariton-mor-ddwfn-â'r-môr, i glychau arian wrth iddynt ddisgyn drwy'r oedrannau.

'Bore da, Miss Williams,' llafarganodd dosbarthiadau Mabon, Culhwch, Branwen a Llŷr yn eu tro, a gwên y brifathrawes yn lleddfu nerfau a gwneud iddyn nhw i gyd deimlo'n dda – ar wahân i ambell gnaf oedd yn benderfynol o danseilio pob ymdrech i'w addysgu. Gallech adnabod cnaf o'r fath o'r smotiau mawr o inc ar ei fysedd, y broga'n llechu a thagu yn ei boced, y direidi gwyllt yn llygaid dŵr croyw y bachgen.

Mewn llinellau ffurfiol iawn, martsiodd y plant i mewn i'w stafelloedd, a chafodd Gwydion ddesg yn yr ail reng yn Mabon.

Dechreuodd y wers gynta drwy gynnig cyfle i bob plentyn ddweud rhywbeth amdano'i hun. Dywedodd Mrs Black, menyw tua hanner can mlwydd oed gyda gwallt mewn bỳn, wyneb rownd fel torth a bochau coch fel carneshyn, nad oedd raid i unrhyw un ohonynt ddweud fawr mwy na'u henwau, beth oedd gwaith eu mam a'u tad, a ble oedden nhw'n byw. Ac yn wir, roedd hyd yn oed cofio'u henwau eu hunain yn drech na rhai ohonynt. Bu rhai'n stryffaglu a mwmblan, fel tasen nhw'n siarad trwy lond ceg o farblis, tra bod eraill yn datblygu pob math o atal-dweud ar amrantiad. Methai'r athrawes yn deg â chlywed beth oedd un ferch yn ceisio'i ddweud, am ei bod yn sibrwd mor ddistaw fel na allai neb glywed bw na ba, dim hyd yn oed y bachgen oedd yn eistedd nesa ati.

Diolch byth am Gwydion, felly – achubodd ef y dydd gan fod ganddo rywbeth gwerth chweil i'w ddweud am ei hanes teuluol, ac am yr enw McGideon. Ond er iddo blesio Mrs Black, cynddeiriogwyd ei gyd-ddisgyblion, a oedd yn teimlo hyd yn oed yn waeth am eu hanallu i gyfathrebu ar ôl gwrando ar y Lloyd George bach lleol 'ma yn dweud ei ddweud. Safai fel goleudy o wybodaeth o'u blaen, yn soled, ac yn ddisglair ac yn llawn hyder. Hyder ffug.

Ymhell bell yn ôl, reit lan ymhell yn yr Alban, yng nghanol y mynyddoedd ucha sy 'da nhw lan fan'na, roedd gŵr o'r enw Hamish McGideon yn enwog am gadw arth – yr arth olaf yn yr Alban yn ôl bob sôn – ac fe lwyddodd i'w ddal heb ddim byd mwy na'i ddwylo, am ei fod yn un o'r dynion cryfa rhwng Moray Firth ac Inverary. Pan ddaliodd e'r arth, wnaeth e ddim gwneud hynny drwy reslo'r anifail na dim byd felly, ond trwy ddefnyddio un o'i sgiliau eraill. Achos ro'dd Hamish yn bencampwr ar daflu'r caber, sef boncyff coeden – pinwydden dal, syth, gan amlaf. Byddai Hamish yn medru taflu'r darn enfawr 'ma o bren hyd cae neu fwy yn weddol ddidrafferth, heb dorri chwys. A phan welodd e'r arth yn sleifio ar hyd ymyl cae, roedd Hamish wrthi'n ymarfer gyda'r caber. Gallai Hamish daflu'r caber i'r union fan y dymunai; felly, heb eiliad o amheuaeth, dyma Hamish yn lluchio'r caber nes ei fod yn bwrw'r arth ar ei ben, ond nid yn ddigon caled i'w ladd. Ac yn wir, erbyn i Hamish frasgamu draw at yr arth, gwelodd fod ymyl y caber wedi taro'i benglog, ond roedd yr anifail mawr brown yn edrych fel petai'n gaeafgysgu'n gynnar. Clymodd goesau'r arth at ei gilydd gyda darn o raff, a rhedodd lawr i'r pentref i ofyn am help i symud yr anifail 'nôl i'w ardd, lle roedd cwt perffaith i'w gadw, dros dro o leiaf.

Rhyfeddodd pawb pan glywson nhw'r stori amdano, ond rhyfeddon nhw hyd yn oed yn fwy pan welson nhw'r anifail, oherwydd roedd Bruno – cafodd ei fedyddio 'da'r enw 'na yn go sydyn gan un o hynafgwyr Invergordon – dros wyth troedfedd o daldra, ac roedd ganddo grafangau fel draig, a dannedd oedd yn edrych fel tasen nhw'n medru crensian llithfaen mor hawdd ag esgyrn oen bach. Ond doedd gan yr un o'r pentrefwyr y syniad leiaf beth oedd Hamish yn bwriadu'i wneud 'da'r arth. Gwyddai Hamish fod pobl yn Ewrop yn llwyddo i ddysgu eirth i ddawnsio, ond roedd e hefyd yn gwybod bod hyn yn digwydd oherwydd creulondeb a phoenydio, a doedd e ddim am wneud unrhyw beth felly.

Bob nos, wythnos ar ôl wythnos, byddai Hamish yn treulio oriau bwygilydd yn siarad, siarad, siarad â Bruno – mewn murmur afonaidd o lais – yn adrodd straeon i mewn i'w glustiau twt a edrychai fel cregyn conc mewn gorchudd o ffwr. A byddai Hamish yn chwarae'r bib iddo, yn dawel i ddechrau; alawon tyner megis hwiangerddi syml, ac yna caneuon traddodiadol, gan gynnwys dwy neu dair oedd yn sôn yn benodol am eirth. Ac yn raddol dyma'r caneuon yn cyflymu ac yn cymhlethu a Hamish yn chwarae ambell jig neu rîl, gan gynnwys nifer o hen ffefrynnau fel 'The Auld Rants' a

'Strip the Willow'. Byddai'n gwneud y symudiadau i gyd o flaen yr arth, ond allan o gyrraedd y pawennau mawr a'u crafangau pwerus a allai rwygo braich yn rhydd o ysgwydd dyn heb ffws.

Dan ddylanwad y melodïau heintus, yn raddol bach, bach dechreuodd corff yr arth symud i rythm yr offeryn, ei goesau anhygoel o soled yn curo'r ddaear megis taranau pell, a'i freichiau'n chwyrlïo fel melinau gwynt. Byddai rhywun yn dweud bod yr arth yn hapus yn dawnsio, ac yn ymhyfrydu yn yr hyn roedd ei gorff yn medru ei wneud. Dysgodd yr arth driciau coreograffi ac amseru.

Ond mae'n rhaid i bob arth aeafgysgu. Daeth y gwersi i ben am sbel, a Hamish yn gobeithio na fyddai'n anghofio'r melodïau a'r symudiadau yn ei gwsg. Ambell waith, byddai'n mynd i wrando ar sŵn yr arth yn cysgu, ei rochian yn ddigon i wneud i'r ddaear grynu.

Gwrandawai'r plant yn y dosbarth yn fwy astud nawr, eu pennau bach wedi setlo'n gysurus yng nghewyll eu dwylo. Er eu bod yn casáu'r syniad o wrando ar Gwydion yn adrodd y stori yma am ddyn ac arth, roedd y ffordd roedd yn ei hadrodd – gwneud sŵn yr arth yn rhochian, er enghraifft – yn eu hudo. Prin bod yr un ohonyn nhw wedi clywed stori o'r fath. Beth nesa, Gwydion? Beth ddigwyddodd nesa, ar ôl i'r arth ddihuno?

Un dydd, o gwmpas y Pasg, ar ôl i'r arth gael pum mis o gysgu'n dawel – neu ddim cweit mor dawel â hynny – mewn ysgubor ar fferm gyfagos, dyma'r anifail yn dihuno a dechrau ystumio ei fod yn dymuno dawnsio unwaith yn rhagor, a'r tro hwn dyma fe'n dawnsio gydag arddeliad, gan droi ei gorff mawr boliog, brown fel top. Gwyddai Hamish ei fod bellach yn barod ar gyfer ei berfformiad cyhoeddus cyntaf. Aeth ati ar unwaith i drefnu. Gadawodd i Bruno frecwasta ar naw llaw cyfan o fananas, sef pum deg pedwar banana, o siop y pentref. 'Na chi frecwast!

Ar ôl cysgu mor hir roedd gan Bruno egni'n sbâr, ac roedd y sioe a berfformiodd o flaen y tollborth yn un rhyfeddol. Wedi talu fflorin yr un am y fraint, nid oedd un copa walltog oedd yno wedi gweld unrhyw beth tebyg. Gan amlaf, ac yn reit gyson, byddent yn cael eu twyllo gan deithiwr dandi gyda thafod arian a nwyddau diwerth i'w gwerthu am grocbris, neu syrcas chwain deithiol, dlawd, lle roedd y chwain yn dianc ac yn gorfod ffoi rhag y rhai oedd yng ngwallt y gynulleidfa – a'r rheini'n ffyrnig ar y naw, ac yn casáu mewnfudwyr o bryfed.

Ond . . . roedd yr arth yn anhygoel! Roedd Bruno'n gwbl unigryw. Arth yn dawnsio cystal â William McNagle neu un o'r goreuon eraill. Dewch i weld! Dewch yn llu! Roedd yn werth mwy na fflorin jest i weld yr arth yn tapio'i goes wrth i frawd Hamish ymuno ar y ffidil. Hwn oedd yr arth dawnsio gorau yn y byd. Edrychwch ar ei bawennau'n arwain y band!

Dros y blynyddoedd, teithiodd y ddau yn bell gyda'i gilydd, cyn belled â St Petersburg i'r dwyrain a Dulyn i'r gorllewin. Dawnsiodd yr arth o flaen brenhinoedd a breninesau. Araf-ddawnsiai'r gafót, a mentrodd droi'r tango, er bod y symudiadau cymhleth a chwim bron yn drech na fe. Bu sôn am ymweliad â Rhufain i ddawnsio

ger bron y Pab ei hun yn y Fatican, ond byddai hynny
wedi bod yn ormod o broblem, mewn sawl ystyr. Nid
oedd teulu Hamish yn hoff o Gatholigion, a daeth dan
bwysau gan ei fodrybedd i ohirio'r ymweliad; llwyddodd
i wneud hynny yn y ffordd fwyaf cwrtais posib. Ond
fe deithiodd y ddau i bron bob man arall, drwy eira
carpedog Norwy i berfformio gerbron y teulu brenhinol
yn eu palas ysblennydd yn Oslo, a gweld ceirw dof ym
mhobman. Daethant i adnabod ei gilydd yn arbennig
o dda, a Hamish yn gwneud ei orau glas i gael bwyd da
i'w ffrind, felly roedd samwn a chig carw, ffrwythau yn
eu tymor, a danteithion i'w cael ym mhobman. Ond yna
digwyddodd rhywbeth ofnadwy . . .

Gallech glywed yr anadl drom yn y dosbarth wrth i bawb
lyncu aer yn gytûn.

'Ofnadwy!'

Byddai sŵn pìn yn cwympo mor fyddarol â ffrwydrad.
Ofnadwy. Gallech glywed yr ofn yn y gair yn setlo ar
stumogau'r plant eraill yn y dosbarth. Roedden nhw'n hoffi'r
arth, yn hoffi clywed sŵn padiau ei draed yn shyfflan drwy'r
dail, ac ambell waith yn gwneud sŵn canu, neu fersiwn ar
ganu – y math o beth mae arth yn ei wneud wedi iddo gael
ei hudo gan felodi, neu sain, neu gan lais ei ffrind Hamish, a
oedd fel mêl y grug, yn goeth ac yn rym cynhaliol yn ei fywyd.

'Ie. Ofnadwy.'

Un diwrnod roedd Hamish a Bruno yn cerdded ar hyd
glannau afon brydferth, y dŵr fel emrallt o wyrdd, a'r
llif mor araf o gwmpas troeon yr afon nes bod yr wyneb
yn wyn gan flodau – a phlanhigion megis crafanc y

dŵr yn tyfu'n drwchus fel celp o dan yr wyneb. Gallai Hamish weld llu o bysgod bach yn chwarae mig rhwng y rhubanau o dyfiant – heidiau cymysg, draenogiaid, rhuddgochiaid ac ysgretanod. Oedodd y ddau am ychydig i ddilyn patrymau tawel a gosgeiddig yr heidiau bach yn eu hacwariwm awyr agored, yr arth yn eu gweld nhw fel *hors d'oeuvres* bach disglair, ond doedd dim amser i bysgota.

Wrth iddynt ddilyn tro yn yr afon clywodd y ddau sŵn gweiddi, ac yno, yn sefyll ar y lan yn chwifio'i breichau'n wyllt, roedd menyw'n pwyntio at siâp yn y dŵr: merch fach – yn fyw, drwy wyrth, gan bod digon o awyr wedi'i ddal yn ei phantalŵns i'w chario bron ar wyneb y dŵr. Bobiai yno, yn chwifio'i breichau'n wallgo fel petai'n gwneud semaffor yn yr iaith Rwseg.

Chafodd Hamish ddim cyfle i ddweud gair cyn bod yr arth yn deifio i'r dŵr; er bod Hamish yn gwybod yn iawn bod ei ffrind yn nofiwr cryf, synnodd wrth weld sbîd anhygoel yr anifail wrth iddo dorri drwy'r dŵr. Edrychai fel walrws wrth iddo dorri drwy'r tyfiannau trwchus, ei fryd ar achub.

Erbyn hyn roedd y ferch yn dechrau symud yn gyflymach wrth iddi nesáu at y gored, lle tasgai'r dŵr yn wyllt, ond roedd breichiau'r arth yn hollti'r dŵr; edrychai fel y math o arth allai ennill gwobr yn y Gêmau Olympaidd, ei gyhyrau'n gweithio fel pistonau gan sefydlu rhythm pendant a phenderfynol. O fewn cwpwl o funudau roedd bron â chyrraedd y ferch ac yna, drwy estyn un crafanc yn ofalus, llwyddodd i afael yn ei choler a dechrau ei thynnu drwy'r dŵr tua'r lan.

Gallai Hamish gyfrif curiadau ei galon. Deg. Un ar ddeg. Deuddeg. Bron wrth y lan, y fam yn dal i sgrechian gydag ofn a gobaith yn gymysg. Un ar hugain. Dau ar hugain. Tri ar hugain. Safai'r fenyw a Hamish yn gwylio'r arth yn dal wrth gangen helygen gydag un braich ac yna'n sgwpio'r ferch fach gyda'r llall a'i gosod yn ddiogel ar y lan, yr aer yn gollwng o'r pantalŵns yn araf bach.

Daliai'r fenyw i sgrechian, gan wneud cymaint o sŵn nes bod ffermwr cyfagos, a oedd allan yn hela gyda'i deriars, wedi rhuthro draw i weld beth yffarn oedd yn digwydd. Gwelodd arth yn sefyll dros gorff merch fach, a'i mam yn gweiddi'n hysteraidd. Camodd ymlaen, codi'i wn, ac anelu at y creadur ffyrnig yr olwg a safai dros y corff.

Roedd y dosbarth yn hollol dawel. Doedd dim sŵn anadlu, hyd yn oed. Edrychai pawb ar Gwydion, wedi eu dal yn rhwyd ei eiriau, ym magl ei ddweud.

Taniodd y dryll a chwympodd yr arth yn glep i'r llawr. Nawr roedd 'na lais arall, uchel yn cario ar draws y tir, wrth i Hamish sgrechian . . .

'Brwwwwwwwwwno!'

Ffrwydrodd yr enw eto o wefusau Hamish:
'Brwwwwwwwwwno!'

Ond roedd yr arth wedi marw. Wrth i'r fam gymryd ei merch i'w chôl i'w chysuro dechreuodd y ferch fach lefain, a rhwng y tri ohonyn nhw roedd y sŵn fel corws mewn trasiedi Roegaidd. Undod o boen a galar. O'r diwrnod hwnnw ymlaen ni wenodd Hamish fyth eto. Llosgodd ei bibau, a thaflodd pob sgrapyn o gerddoriaeth oedd ganddo yn ei sachell i'r fflamau. Nid arth oedd wedi marw, ond ffrind iddo. Ei ffrind gorau, ei ffrind mawr. Ac roedd 'na alaru mewn sawl gwlad, a phobl yn aildwymo eu hatgofion am Bruno'n dawnsio, gydag urddas, gydag ysbryd, gyda thraed da. Yr arth dawnsio gorau yn hanes y byd. Ac arth ffeind hefyd. Allech chi ddim ffindo arth gwell. Gwelwyd lluniau ohono ar dudalennau blaen papurau megis *Le Monde a Das Zeit.*

Ac roedd un o'r tramorwyr hynny, arweinydd band mawr o'r enw Joe Moonblow, wedi cyfansoddi cân i goffáu'r arth, a datblygodd dawns unigryw i gyd-fynd â'r gerddoriaeth, rhywbeth tebyg i'r ffordd mae Baloo yn siglo'i ben-ôl yn *The Jungle Book.* Tyfodd 'The Bear' i fod yn un o glasuron y byd dawns, jeif syml y gallai pawb ei meistroli, o'r hen i'r ifanc; er nad oedd pawb oedd yn siglo'u penolau ac yn symud eu cluniau gydag arddeliad yn gwybod beth oedd tarddiad y ddawns, nac ychwaith am hanes trasiedïol Bruno, roedd ysbryd yr arth yn fyw yn ei symudiadau. Ond byddai un dyn, Hamish McGideon, yn cerdded yn unig bob dydd ar hyd llwybrau diarffordd, yn colli sŵn ei ffrind yn padio wrth ei ochr, ac yn llefain a llefain mewn hiraeth. Yn gweld eisiau'r arth hoffus yn fwy nag y byddai blodyn yn colli'r haul.

Erbyn hyn roedd holl ferched y dosbarth, a'r rhan fwyaf o'r bechgyn, yn llefain, a Mrs Black wedi'i syfrdanu gan y nifer o driciau dweud oedd gan y bachgen – rhethreg, amseru, eironi, defnydd gwych o bob oediad a thro yng nghynffon y stori. Symudai ei gorff i rythm adrodd y stori wrth bortreadu'r sesiynau dawnsio, yr asbri a'r hwyl corfforol.

Er bod y plant wedi eu swyno gan y stori ar y pryd, roedd y diweddglo trist wedi eu llorio a'u syfrdanu'n llwyr. Yn y storïau eraill roedden nhw wedi'u clywed yn eu bywydau byrion, roedd yr arwr wastad yn hapus, ac yn cyrraedd pen y daith yn ddiogel: y tywysog yn priodi'r dywysoges; Mr Pusskins yn dod yn ffrind i Little Whiskers; y wrach yn cael ei lladd, a'r ferch fach a garcharwyd ganddi yn torri'n rhydd o'i chawell fetel.

Doedd y plant ddim yn hoffi stori Gwydion. Ac felly doedden nhw ddim yn ei hoffi fe. Gwers iddo yntau bod sgìl adrodd storïau yn medru bod yn rhyw fath o felltith.

Defi Reiat

*P*ETAI'R PLANT ERAILL yn meddu ar sgiliau bwa a saeth, megis saethwyr Cymreig Agincourt (mae'n eironig taw dynion unllygeidiog oedd y saethwyr gorau, o ystyried beth ddigwyddodd i Wiliam Goncwerwr) byddai gan Gwydion darged ar ei gefn, a byddai pob saeth yn sgorio bŵl. Neu, os byddai ganddo afal ar ei ben, megis yn stori William Tell, byddent yn anelu am ei aeliau. Achos, fel ry'ch chi'n gwybod, mae plant yn medru bod yn greulon. Ond doedd Gwydion ddim yn gwybod pa mor greulon. Creulondeb Dr Mengele; creulondeb Herod; creulondeb Stalin. Roedd y cyfan yn bresennol yng nghalon oer Defi Davies, *aka* Defi Reiat, naw mlwydd oed ond yn bihafio fel pymtheg. Y bachgen mwyaf milain yn ne Cymru – os nad yn Mhrydain, Ewrop a'r byd mor bell â Chambodia. Dyna oedd plant dosbarth 1F yn ei credu, ta p'un.

Os oedd 'na frogaod yn byw mewn ofn rhag colli'u coesau pan fyddai cysgod rhyw fwystfil bach dwygoesog yn disgyn dros wyneb y pwll, yna gallech fod yn siŵr taw Defi oedd yn sefyll yno, gyda'i gyllell boced finiog – yr un roedd e'n ei hogi bob bore cyn iddo shafio. Oedd, roedd Defi'n shafio, ar ras i droi'n ddyn.

Ond dyw Gwydion heb gwrdd â Defi eto, gan fod Defi'n sâl ar ddiwrnod cyntaf Gwydion yn yr ysgol (mewn gwirionedd, mae'n helpu'i dad-cu i godi tatws – sydd hefyd yn esbonio sut bod ganddo gyhyrau mor fawr). Ond mae Gwydion yn darganfod yn sydyn iawn bod ganddo lu o elynion. Pam? Am fod ganddo ddawn dweud stori, ac oherwydd bod ganddo dro bach yn ei lygaid; mae plant yn hoffi unrhyw hagrwch, achos mae hynny'n wendid, yn rhywbeth i afael ynddo fel plethen o wallt, a pheidio â gadael iddo fynd.

Hyd yn oed yn yr awr ginio ar ei ddiwrnod cyntaf, mae dau fachgen – synnech chi ddim o glywed eu bod nhw'n ffrindiau penna i Defi Reiat – yn sefyll naill ochr i Gwydion ac yn gofyn yn ewn, 'Pam 'yt ti'n edrych arnon ni'n dou?'

'Hei! Paid edrych arna i pan ti'n edrych arno fe!'

Mae ganddyn nhw sgiliau gwawdio, 'sdim dwywaith am hynny. Oherwydd theatr syml eu pryfocio, mae cylch bach o blant eraill yn casglu i weld ymateb Gwydion; ond, fel y plant newydd i gyd, nid yw'n gwneud dim byd dewrach na gwrido'n bathetig o flaen y fath ormes. Yn wahanol i nifer o blant eraill, dyw e ddim yn edrych fel 'se fe'n mynd i lefain, sy'n wyrth o ystyried bod hanner yr ysgol yn fòb o'i gwmpas bellach, a nifer ohonynt yn chwerthin yn afreolus wrth i'r bechgyn symud un bys 'nôl ac ymlaen o flaen ei wep, a chario 'mlaen i wneud hyn gan awgrymu nad oedd angen i Gwydion symud ei ben er mwyn cadw lan 'da nhw.

Ond nid y llygaid yw'r unig destun gwawd, wrth gwrs. Mae ei enw, Gwydion McGideon, yn darged sofft, neis hefyd. A thrwy'r amser mae pobl yn ei rybuddio:

'Bydd Defi 'ma fory. Watsia mas am dy geilliau!'

'Mae Defi mas am dy waed di!'

'Mae Defi eisiau gwybod os oes angen pob bys arnat ti!'

'Paid poeni am Defi. Dim ond eisiau gwneud i ti bisho dy bants mae e. 'Sdim drwg ynddo fe!'

'Mae Defi'n dod i glatsio, glatsio!'

'Mae Defi'n reiat, mae Defi'n dod!'

Rhyfeddai Gwydion fod plant mor ifanc – er ei fod ef ei hun yn hynod ifanc – yn gwybod cymaint am boen ac yn medru poenydio cymaint. Flynyddoedd yn ddiweddarach, pan fyddai'n darllen adroddiadau Amnest Rhyngwladol am erchyll-dechnegau Sawdi Arabia, Tseina neu America, byddai ei feddwl yn mynd ar wib 'nôl i'r dyddiau yma, at greulondeb strategol ysgol fach gefn gwlad, pan oedd rhannu poen mor gyffredin â lledaenu annwyd.

Dyma rhai o'r plant yn dechrau adrodd ac ailadrodd ei enw drosodd a throsodd, gan bwysleisio'r elfen *sing-song* yn Gideon McGideon wrth i'w lleisiau fynd yn fwy cras a bygythiol. Gid-e-on McGi-de-on! Gid-e-on McGi-de-on! Gid-e-on McGid-e-on! Mae'r hyn sy'n apelio at nifer o bobl hŷn ynglŷn â'i enw yn troi'n gân o wawd yng ngenau plant bach, wrth iddynt gydadrodd. Yn lwcus, daw Mrs Black i'r golwg gan chwalu'r cylch dieflig wrth i'r plant ei heglu hi i bedwar cornel yr iard. Diflanna'r rhai mwyaf gwael fel gwlith y bore, ac er bod sŵn yr iard bellach yn llawn lleisiau plant yn chwarae ac yn dwrdio'n chwareus, ni all Gwydion gael gwared o'r sŵn yn ei ben. Lleisiau plant yn cas-grawcian fel haid o gigfrain newynog, yntau'n sefyll yn eu canol yng nghanol y cylch du, clawdd trwchus o blu o gwmpas corff dafad benmynydd, pob un am flasu'r darn cyntaf o jeli'r llygaid.

Gwawriodd y dydd pan fyddai Defi Reiat yn dychwelyd i'r ysgol. Byddai trac sain gan Ennio Morricone i un o ffilmiau Clint Eastwood wedi bod yn briodol, y llinynnau'n tanlinellu'r tensiwn yn yr awyr, a thrydan yr ofn ym mhobman. Dihunodd nifer o blant yr ysgol yn gynharach nag arfer oherwydd roedden nhw'n gwybod beth oedd yn mynd i ddigwydd. Ac er nad oedden nhw eisiau gweld rhywun yn cael loes, ac yn bendant ddim cymaint â hynny o loes, roedd 'na ryw gyfaredd hefyd mewn gweld a allai'r ddraig amddiffyn Gwydion rhag y dyrnau'n taro fel cenllysg. Roedd Defi'n troi'n of pan oedd yn ymladd, ei ddwylo'n forthwylion a phenglog ei wrthwynebydd fel einion, i'w daro, daro, daro'n ddigywilydd o galed.

Y noson cynt, roedd Macs wedi synhwyro bod Gwydion yn teimlo'n nerfus ynglŷn â rhywbeth, ac felly roedd wedi eistedd lawr 'da'i fab a gofyn iddo beth yn union oedd e'n becso abwytu. Dechreuodd Gwydion esbonio ei fod yn wynebu brwydr go iawn – fe wrtho'i hun yn erbyn byddin o foi, un a chanddo enw am ddosbarthu poen a dioddefaint. Yn ôl pob sôn roedd rhai o'r athrawon, hyd yn oed, yn ei ofni – a hynny achos nad oedd gan Defi ofn dim: roedd ei dad wedi diflannu flynyddoedd yn ôl, ei fam yn ffindo 'tad' newydd iddo bob hyn a hyn, a neb i osod terfyn ar ei ddiawlineb.

Fe, Defi, losgodd lawr y pafiliwn criced, pan oedd yn whech oed. Fe dorrodd ffenestri Eglwys y Pentref, gan adael y ffenestri gwydr lliw'n deilchion mân, yn gawod o ddiemwntau bychain coch, melyn a gwyrdd. Un noson dywyll, gadawodd Defi holl wartheg Martin Price yn rhydd o'r Cae Top, a bu nifer ohonynt yn gwledda ar gabejys godidog Gladys Mary Bebb, a oedd wedi ennill gwobrwyon am ei chabej coch dim ond bythefnos yn gynt. Defi sbwyliodd ddiwrnod priodas Fona Marnie oherwydd ei fod wedi dringo i lofft y capel yn ystod y gwasanaeth, gan styrbio'r ystlumod oedd yn byw

70

yn eu heidiau yno, a'r llygod-sy'n-hedfan yn disgyn drwy'r capel wrth chwilio am ddihangfa. Daliwyd un yng ngwallt mam-yng-nghyfraith Fona, a chlywsoch chi erioed y fath sgrechian, oni bai eich bod chi yno pan suddodd y Titanic, sy'n bur annhebygol, o ystyried. Os oedd unrhyw beth yn mynd ar goll, neu'n mynd ar dân, neu blentyn yn llefain yn y nos, neu ddifrod o unrhyw fath yn digwydd yn y pentref, yna Defi oedd ar fai, dyna ble i bwyntio bys. Doedd e ddim wedi cael ei fedyddio'n Defi Reiat am ddim rheswm.

Gwyddai Macs fod Defi'n ddanjerus oherwydd ei fod yn dwp, a bod angen iddo wneud rhywbeth mawr i wneud yn siŵr bod ei fab yn ddiogel. Felly dangosodd i Gwydion sut i'w amddiffyn ei hunan – un wers gonsertina i gyfuno'r holl wersi a gafodd gan ddyn tawedog o Tseina; gwersi a dderbyniodd yn lle arian am gyflenwi ieir byw a wyau i'r gweithwyr oedd yn llafurio'n galed dros ben yn trwsio'r rheilffordd ar ben y morglawdd, 'nol pan oedd Macs yn ei ugeiniau cynnar.

Mewn teirawr, dysgodd Macs i'w fab yr hyn roedd wedi bwriadu ei ddysgu iddo dros gyfnod o flynyddoedd. Nid rhywbeth i'w ddysgu dros nos oedd *tai chi,* ond doedd ganddyn nhw ddim mwy o amser na hynny. Un noson.

Esboniodd Macs yr athroniaeth i Gwydion, y syniad bod defnyddio trais yn erbyn trais yn siŵr o roi loes i bawb, a bod 'na ffordd o ddelio 'da ymosodiad trwy gwrdd ag ergyd â thynerwch; bod modd dilyn pob symudiad yn eich erbyn heb orfod brwydro, *yin* yn erbyn *yang.* Fel dywedodd Lao Tzu, 'bydd y meddal a'r ystwyth yn maeddu'r caled a'r cryf'. Gwyddai Macs y byddai angen mil o oriau o ymarfer i feistroli'r *yin* – y symudiadau araf, ailadroddus – a mil arall i ddysgu'r *yang*, y symudiadau chwim, y cicio yn erbyn y coesau gan amlaf – yr holl symudiadau, neu'r *chin* yna. Er bod popeth yn eu herbyn – amser yn bennaf – roedd modd i Gwydion ddysgu egwyddorion yr hen, hen ffurf yma o ymladd. Drwy weithio, gweithio, gweithio ac ailadrodd y *repertoire* o symudiadau hynafol drosodd a throsodd, *chin* wedyn *na*, *chin* wedyn *na*, *chin* wedyn *na*, deallodd Gwydion nad oedd angen iddo ofni Defi; yn wir, gallai ddefnyddio'i gryfder yn ei erbyn.

Pan edrychodd Macs ar y cloc, synnodd wrth weld ei bod yn tynnu am hanner awr wedi pump, ac mai dim ond dwy awr oedd i fynd cyn bod angen i Gwydion baratoi i fynd i'r ysgol. Teimlai fod gan Gwydion y *wu te* angenrheidiol, y gallai ddangos y math hwnnw o arwraeth.

Nid iard ysgol, ond yn hytrach arena Rufeinig oedd yn disgwyl am Gwydion pan gyrhaeddodd yr ysgol yn y bore, ar ôl awr a hanner o gwsg yn unig. Cuddiwyd yr arena gan glawdd oedd yn gwahanu'r ysgol rhag y stad grand drws nesa, gyda'i chastell o gyfnod Fictoria, ei lonydd coed a'i ffesantod. Nid oedd un o ffenestri'r ysgol yn edrych mas ar y llecyn hwn, a dyma lle roedd disgyblion yn dysgu smoco, ymladd, a chynnal arbrofion cynnar mewn rhyw ac, yn wir rhywioldeb.

Ar ôl i Macs dywys ei fab at giât yr ysgol, rhuthrodd i ben Bryn y Bigyn i wylio'r cyfan; roedd ei hen finociwlars o gyfnod yn y Llynges yn medru pigo manylion yr olygfa, y rhesi o wynebau mud, y ffordd y crewyd cylch yn ddiffwdan, a'r ffordd hyderus roedd Gwydion yn cerdded i ganol y cylch hwnnw. Clywai Macs gân Johnny Cash yn ei ben. 'A Boy Named Sue.' 'A Boy Named Gwydion.'

Er fod Macs wedi gweld Defi sawl gwaith yn loetran ar gornel stryd, synnodd wrth weld pa mor fawr oedd e o'i gymharu â Gwydion, bron fel tase'i dad yn un o gewri'r gorffennol – Gog, Magog, Bendigeidfran. Drwy ei finociwlars Barr & Stroud, gallai weld y ddraig ar fraich Gwydion yn sgleinio yn yr haul wrth iddo rolio'i lewys i fyny a rhoi ei sachell ysgol i un o'i 'ffrindiau' ei chadw'n saff tra oedd e'n ymladd.

Yna, fe ddechreuodd pethau danio, y frwydr wedi dechrau, a'r tad druan yn gorfod gwylio'r cyfan o bell, yn dyst mud. Anghofiodd faint o'r gloch oedd hi. Yn wir, diflannodd amser yn gyfan gwbl.

Y cwestiwn roedd yn rhaid i Gwydion ei ofyn iddo'i hun, oedd sut i ddelio 'da tanc, tunelli o ddur sy'n rymblo tuag atoch a chithau'n berchen ar ddim byd mwy na llwy bren fel arf, tra bod rhu'r peiriannau enfawr yn eich byddaru, a chrensian y traciau treigl yn fyddarol, y metel yn drwm, y gwn mawr ar y blaen yn chwilio amdanoch chi. Y bwystfil haearn yn rholio ymlaen ac ymlaen, nes ei fod yn blocio'r haul, yn rymblio, yn crynu, yn mynnu tir, troedfedd wrth droedfedd.

Dyma fe, Defi, tanc o lanc yn dod tuag ato, a'r llwy bren ddychmygol 'na yn teimlo'n ysgafn yn llaw Gwydion, fel pren balsa o ysgafn, ac yn dda i ddim byd o gwbl yn erbyn y bachgen o danc oedd yn rymblo tuag ato, hanner cam wrth hanner cam. Llyncodd Gwydion ei boer, nid bod llawer ohono oherwydd roedd ei geg yn sych fel y Sahara, a'r byd wedi shrincio'n ddim mwy na'r cylch o lygaid oedd yn ei amgylchynu, yn disgwyl yn eiddgar i'r clatsio ddechrau o ddifri. Yn awchu am waed.

Doedd Macs ddim yn grefyddol, ond dechreuodd gynnig gweddi fach dawel yn ei fan gwylio, gan ymbil ar Gwydion i gofio'r hyn a ddysgodd yn ystod y nos, bod ei *yin* byrfyfyr yn drech na phopeth y gallai Defi ei dowlu ato fe. Ond tra bod Defi yn closio ato'n theatrig o araf, doedd Gwydion yn gwneud dim byd ond pwyso a mesur, a dal ei dir. Pwyso a mesur, astudio'r tanc, gan whilo am wendidau yn yr arfogaeth.

Yna symudodd Defi i daro Gwydion yn fflat, y bachgen o gawr yn barod i'w ddyrnu'n fylsh, ond cysgododd Gwydion ei fraich, ei fraich yntau'n gysgod i fraich ei wrthwynebydd, ac roedd 'na rywbeth baletig am y ffordd roedd Gwydion yn symud nawr. Anodd fyddai ei lorio heb i un o'r dyrnau gyffwrdd ag e . . .

Drwy ei finociwlars pwerus a thrwm, gallai Macs weld bod aeliau Defi wedi codi mewn syndod a'i fod yn stryglo i ddeall sut i ddelio 'da'r boi 'ma, Gwydion ni, oedd yn dawnsio o'i gwmpas, a'r ddraig ar ei fraich megis yn gwawdio symudiadau pitw y cawr dryslyd.

Taflodd Defi *left hook* tuag at un o fochau Gwydion; ymatebodd yntau trwy symud ei wyneb i ffwrdd yn osgeiddig, yn ddigon pell nes bod y dwrn yn cwympo'n drwm, a bwâu'r symudiadau, y taflu ergydion, nawr yn cymryd mwy mas o Defi nag o Gwydion. A gallai'r bwli tew deimlo'r gwawd yn tyfu yn y dorf o blant ac yn cynyddu y tu mewn i'w gyd-ddisgyblion wrth iddo geisio'n aflwyddiannus i lanio jest un pwnsh. Ymladdai yn erbyn awyr yn unig, brwydrai yn erbyn gwacter, ymosodai ar y fan lle roedd Gwydion wedi bod yn sefyll – ond roedd ei ddyrnau wastad yn rhy hwyr, y llygoden fach yn drech na'r gath, a Gwydion fel y gwynt ar hyd y lle.

'Mae e wedi dysgu'n dda mewn cyn lleied o amser,'

meddyliodd Macs, ei sylw wedi'i hoelio ar y ffordd roedd Gwydion yn dechrau symud nawr – walts o beth, ffandango'n wir – gan beri i Defi ddrysu hyd yn oed yn fwy, ac yntau wedi drysu'n llwyr i ddechrau. Roedd y symudiadau nawr yn llai prydferth.

Yna, clywyd y gloch yn canu, a Miss Williams yn sefyll ar yr iard yn dyfalu ble roedd hanner y plant wedi mynd. Fflachiodd yr enw Defi drwy'i phen ond ceisiodd cael gwared ar y syniad fod a wnelo fe unrhyw beth â'r iard hanner gwag, oherwydd roedd yn ceisio meddwl am rywbeth da ynghylch y bachgen. Fel arall, gallai ei ddychmygu'n treulio rhan helaeth o'i fywyd yng ngharchar Abertawe.

Gallai glywed gweiddi o'r tu hwnt i'r clawdd, sŵn ymladd, a gwibiodd yr enw drwy'i phen unwaith yn rhagor. Defi! Camodd i gyfeiriad y sŵn – roedd yn debyg i leisiau ffermwyr yn ymladd ceiliogod, atgof o'i phlentyndod yng Nghynwyl Elfed. Y dorf yn udo am waed, y ffowls yn ffyrnig yn eu gorchudd o waed, eu plu megis ar dân, fel haid ffenics.

O bell, gwyliodd Macs y brifathrawes yn nesáu at y plant, wrth i freichiau Defi fflangellu'r awyr fel ceisio bwrw bwci bo. Roedd pob ymdrech nawr yn ymdrech fawr wrth i'r cawr flino, ac wrth i Gwydion wneud y tw-step o'i amgylch, yn dechrau mwynhau'r dawnsio, ac yn edrych ymlaen at weld y cawr yn cwympo, fel coeden yn dod lawr mewn pentwr o frigau.

Ac yna, pan nad oedd Miss Williams ond ryw ganllath i ffwrdd, dyma Defi'n cwympo ar un ben-glin, ei wynt yn ei ddwrn, llond hanner bag papur o wynt yn ei ddwrn; gostyngodd ei ben, fel milwr oedd ar fin cael ei ddienyddio, yn disgwyl swish y cleddyf ar noethni ei war.

'Blant! Beth ar y ddaear sy'n digwydd fan hyn?' llefodd Miss Williams. Safai'n gefnsyth, yn awdurdodol ac yn grac.

Ffrwydrodd y cylch o arsyllwyr, a'r braw ar eu hwynebau'n gymysg gyda'r sioc o weld enillydd annisgwyl yn y frwydr, ynghyd â'r sylweddoliad bod y rhyfel ar ben. Roedden nhw bellach yn rhydd, y gŵlag wedi chwalu, brenin creulondeb wedi'i ddiorseddu, Hitler wedi sleifio i gwato yn y byncyr. Ac oherwydd nad oedd marc ar yr un o'r ddau fachgen, roedd Miss Williams yn meddwl ei bod wedi dal yr ymladdwyr cyn eu bod nhw'n dechrau paffio – a doedd neb yn mynd i'w chywiro.

Yn ôl yn ei hystafell, gofynnodd Miss Williams i'r ddau fachgen beth oedd wedi digwydd. Doedd Defi ddim am ddweud gair oherwydd roedd hynny'n ffordd arall o herio'r hen ast, tra bod Gwydion yn cadw'n dawel am ei fod yn chwilio am ffordd i ddelio â'r sefyllfa yn yr un modd ag yr enillodd y ffeit. Yn urddasol.

'Pwy ddechreuodd hyn?' gofynnodd Miss Williams, ei llais yn annisgwyl o flin, o ystyried ei bod yn enwog am fod yn amyneddgar.

'Dechreuodd y ddau ohonon ni yr un pryd. Roedden ni'n dadlau ynglŷn â pha un ohonon ni fyddai'n fodlon aberthu fwyaf dros yr iaith, a Defi'n dweud y byddai'n fodlon aberthu'i fywyd . . .'

'Stopiwch fan'na, Gwydion McGideon! Y'ch chi'n dweud eich bod chi'n ymladd dros y Gymraeg, am eich hawl i'w hamddiffyn?'

'Achos ein bod ni'n ei charu hi, Miss Williams. Fel pob disgybl da . . . fel pob Cymro a Chymraes clodwiw.'

Gwyddai Gwydion ei fod wedi dweud celwydd golau,

76

ond doedd e ddim am i Defi ddiodde rhagor. Byddai pobl yn ei wawdio ddigon tu ôl i'w gefn yn y dosbarth. Byddai'r enw 'Reiat' yn diflannu'n reit sydyn oddi ar wefusau'r plant eraill. Ac wrth i Gwydion edrych ar ei wrthwynebydd, roedd yn ymddangos fel petai'n shrinco o'u blaenau, fesul modfedd. Byddai'n gorrach erbyn pump o'r gloch.

'Felly,' dywedodd Miss Williams. 'Felly'n wir. Wel dyna ddigon o hyn. 'Nôl i'ch dosbarth. Dwi ddim am glywed gair am y ddau ohonoch chi'n cwffio byth eto. Yn yr ysgol yma, ry'n ni'n cynhyrchu gwŷr bonheddig, rhai sy'n parchu pobl eraill.'

Wrth iddynt droi am y coridor, estynnodd Defi ei law, y gornestwr wedi cadw'i fywyd ond colli'i statws, y parch a'r bri. Siglodd Gwydion ei law yn ffurfiol.

Er nad oedden nhw'n ffrindiau, fyth oddi ar hynny roedd Defi'n edmygu'r boi bach. 'Fe fues i'n ymladd yn erbyn cysgod,' dywedai, gan greu esgus iddo'i hunan, ond hefyd yn derbyn cyflymder Gwydion a'i dalent digamsyniol am *tai chi*.

Y noson honno, ar ôl powlenni mawr o gawl a bara ffres o'r ffwrn, a phastai falau i bwdin, bu Macs yn holi Gwydion am ei ddiwrnod yn yr ysgol. Atebodd y mab ei fod wedi cael pnawn ddiddorol yn dysgu enwau prifddinasoedd y byd, gan restru'r rhai mwyaf anghyfarwydd: Ouagadougou, Paramaribo, Thimphu, Bishkek a Cockburn Town, enw nad oedd hyd yn oed yn swnio fel dinas, heb sôn am brifddinas. Roedd sŵn y geiriau wedi'u serio ar gof y crwt, ac erbyn iddo ddod i ddiwedd ei restr roedd 'na olwg feddw yn ei lygaid, fel tase'r geiriau'n gyffur o ryw fath.

Gwyddai Gwydion fod ei dad ar fin chwarae'r gêm nawr.

'Beth arall ddigwyddodd? Unrhyw beth?' Roedd gwên yn chwarae ar wefusau'r tad, wrth gofio'r ffordd y llwyddodd ei fab i sefyll lan i'r bwli, a'i fod wedi dysgu gymaint mewn amser mor fyr.

Oedodd Gwydion cyn ateb, oherwydd doedd e ddim am frolio; cofiai'n union beth oedd yn mynd trwy'i ben cyn bod y ffeit yn dechrau, wrth iddo geisio cau lleisiau aflafar y dorf o blant o'i feddwl.

Roedd am gynnig delwedd arwrol ohono'i hun gan ddefnyddio ieithwedd briodol. Dyma'r math o beth roedd eisiau ei ddweud: *Weda i 'tho chi beth oedd e fel. Fel ymladd blaidd a theigr ac arth lwyd yr un pryd. Doedd hi ddim yn bosib gweld yr haul oherwydd ei seis ac roedd e'n taflu cysgod oedd yn oer fel canol gaeaf, yn ddigon oer i rewi'r gwaed yn eich gwythiennau. Fe ddywedodd e rywbeth ofnadwy am Mam cyn i'r dwrn cyntaf hedfan at fy mhen i, er mwyn fy nrysu a 'nghythruddo i, dwi'n credu. Ond cofiais am ddewrder Dad-cu, yno yn ei bwll un-dyn, yn crafu ffordd dan y moryd, a meddwl, dwi am fod fel fe, yn ddewr, heb fecso dam am unrhyw un sy'n fy mygwth. Ac mae gen i tai chi, yn gwybod sut i fynd, sef y ffordd arall, y ffordd annisgwyl. Clatsha bant, gwd boi, clatsha di bant.*

Deallai ddigon am yr hyn roedd wedi'i ddysgu gan ei dad ynglŷn ag athroniaeth *tai chi* i wybod nad oedd unrhyw frolio i fod, a bod yn rhaid iddo gladdu'r teimlad o hunanfoddhad a lechai yn ei stumog, yn gynnes, yn gysur, y cof am ei wrhydri ei hun.

'Wnes i wmladd Defi,' meddai Gwydion, yn troi ei wyneb bant.

'Wnest ti'n dda,' dywedodd Macs, a chyffesodd ei fod wedi gweld yr holl beth o ben y Bigyn.

Ac wrth i Macs longyfarch Gwydion, ac esbonio pa mor falch yr oedd ohono, dyma'r ddau'n digwydd edrych ar y ddraig ar fraich Gwydion. Am eiliad gallai'r ddau ohonynt dyngu bod adenydd y creadur wedi ehangu tamed bach, a'i gynffon wedi siglo'r mymryn lleiaf. Rhith, efallai? Ond edrychodd y tad ar y mab gan wybod bod ysbryd y ddraig wedi cael ei fynegi drwy ddewrder crwtyn yn ymladd bwli; oherwydd y weithred hon, un diwrnod gallai'r creadur hedfan yn rhydd, a hedfan yn uchel iawn, iawn, iawn.

Heb yn wybod i Macs a Gwydion, roedd rhywun arall wedi bod yn gwylio'r ffeit ac wedi cael ei siomi'n arw. Tad go iawn Defi oedd hwnnw. Bu'n syllu ar ei fab yn cael crasfa. A'i fab yn gwybod dim amdano. Yn gwybod dim am ei fodolaeth, hyd yn oed.

Erbyn ei seithfed haf, roedd Gwydion yn un o'r bechgyn mwyaf dymunol yn y fro; roedd ganddo heulwen o wên oedd yn medru toddi calonnau hen ferched yr ardal, a'r rheini'n dotio at ei gwrteisi a'i chwilfrydedd ac, wrth gwrs, y wên radlon 'na. Heb sôn am ei wybodaeth ddi-ben-draw. Rhedai i bobman, gyda blas ar fyw megis rhywun newydd adael y carchar, aderyn yn rhydd o'i gaets. Ni charai ddim yn well nag eistedd gyda Bopa Lil yn siop Nicinacyrs yn clywed straeon am hwn-a-hwn a hon-a-hon. Roedd gan Bopa Lil gof Beibl-teulu am hel achau, ac ambell dro roedd rhyw awgrym o falais ar ei gwefusau pan awgrymai fod 'na gyfrinach yn perthyn i, dyweder, y teulu Martins, Rhiwdail; rhyw blentyn llwyn-a-pherth 'nôl yn yr 1920au.

A galwai Gwydion gyda Mrs Lazarus hefyd – er gwaetha'r ffaith bod pawb yn ei rybuddio i gadw draw o fwthyn y wrach – ac roedd hithau'n llawn gwybodaeth ddefnyddiol. Dangosai iddo sut i fesmereiddio rhywun; ambell dro byddai Gwydion yn ymarfer y grefft ar ei rieni, gan eu gadael yn sefyll yn y gegin fel delwau, eu llygaid fel marblis dan effaith yr hypnoteiddio. Ac roedd hanfod y dechneg yn handi wrth adrodd stori – sut i harneisio'r oslef, sut i fynnu sylw pob person mewn stafell drwy ddefnyddio'ch llygaid, sut i hala pobl i fyd breuddwydion.

Berwodd Mrs Lazarus ddŵr yn y tegell, a pharatoi te danadl poethion i'r ddau ohonynt. Gofynnodd Gwydion un o nifer o gwestiynau call.

'Beth yn union sy yn y 'ma?'

Penderfynodd Mrs Lazarus drosglwyddo'r hyn oedd hi'n ei wybod am lysiau meddyginiaethol i ofal y bachgen. Roedd yn benderfyniad mawr, ond wedi'r cwbl roedd hi wedi ymddiried lot mwy na hynny ynddo. Hwn, y bwthyn bach dinod yma, fyddai ei brifysgol am y tro, a dechreuodd Mrs Lazarus yn syth drwy ddangos iddo sut i adnabod yr hanner cant a mwy o blanhigion mwyaf effeithiol. Heb yn wybod i Gwydion roedd yn paratoi ar gyfer ceisio achub bywyd ei dad, ond rhywbeth ar gyfer y dyfodol oedd hynny. Dim ond Mrs Lazarus oedd yn gwybod am y salwch mawr oedd ar y gorwel i Macs, a hynny oherwydd ei bod yn medru agor drws y dyfodol, a rhag-weld elfennau o bob dydd, dim ond iddi ddod o hyd i'r allwedd iawn. Yn yr achos hwn, roedd wedi gweld Macs yn sefyll fel acrobat ar lan bedd, yn ceisio cadw'i hun rhag disgyn i ganol y mwydod, y talpiau pridd, a chael ei lyncu gan yr oerni diddiwedd.

'Ysgawen yw hwn, un o'r planhigion mwyaf defnyddiol yn y byd. Gallwch gael inc, hir oes, a'r diodydd mwyaf hyfryd allan o hwn, ac mae'n medru ymladd yn erbyn rhai o'r clefydau gwaethaf. Cancr, hyd yn oed: mae'n foddion pwerus. Pan oedd yr hen anterliwtiwr hwnnw, Twm o'r Nant, yn rhy dlawd i fforddio inc – sef drwy'r amser – byddai'n sgrifennu 'da sudd aeron duon bach.'

Pan fyddai Mrs Lazarus yn esbonio hud y perthi a nodweddion y llwyn i rywun, gyda'r ysgawen y byddai'n dechrau bob tro, oherwydd ei fod wastad yn ddiogel. Nid yw gormod ohono byth yn wenwynig.

Yn ystod un ymweliad, gofynnodd Mrs Lazarus i Gwydion a oedd e eisiau gwybod beth fyddai'n digwydd yn ei ddyfodol yntau.

'Licen i wybod, ond mae tamed bach o ofon 'da fi 'fyd. Odych chi eisiau dweud 'tho fi beth fydd yn digwydd, neu beth allai ddigwydd? Oes gen i unrhyw ddewis yn y mater?'

'Mi ddangosa i ti'r peth mwyaf sy'n dy wynebu, er mwyn i ti allu paratoi ar ei gyfer.'

Cododd lased o ddŵr a'i ddal o flaen wyneb Gwydion. Dechreuodd lliwiau swyrlio i mewn yn y dŵr – rhubanau coch, brown, du a phorffor – ac yna gwelodd ddraig yn ymladd arth, a'r creaduriaid yn tasgu fflamau a chrafangau wrth ymaflyd â'i gilydd.

'Dyma beth sy o dy flaen di. Brwydr enfawr, a phan ddaw'r dydd hwnnw, bydd yn rhaid i ti fod yn ddewr. Mae'r ddraig gen ti, a ti yw'r ddraig . . .'

Gallai Macs fod yn fyr ei dymer, ac ambell waith yn ffrwydrol go iawn, yn chwythu lan fel y math o ddeinameit roedden nhw'n arfer ei ddefnyddio yn y gwaith glo ond nad oedd ffiws ar dymer ei dad, ac yntau'n medru tanio'n ddirybudd. Gallai Gwydion ddeall pam roedd ei dad yn teimlo mor rhwystredig; yn un peth, roedd ei fywyd teuluol yn debyg i arbrawf ar lygod mawr mewn labordy, un a gynlluniwyd i weld a oedd tri pherson yn byw mewn bocs – ac un o'r tri i fod yn fyr ei dymer – yn medru byw gyda'i gilydd, ac yn symlach, efallai, jyst byw. Oherwydd ei sensitifrwydd cynhenid, deallai Gwydion ei fod ef ei hun yn rhan fawr o'r broblem, oherwydd ei fod yn siarad am bethau â mwy o awdurdod na'i dad, ac oherwydd hynny'n erydu ei awdurdod ef. Ond roedd 'na anawsterau eraill hefyd, fel y ffaith bod Gwydion yn dewis treulio cymaint o amser ar ei ben ei hunan, neu gyda Wil drws nesa.

Ac er gwaetha'r holl bethau roedd Macs wedi'u dysgu am hunan-reolaeth – sef y rheswm pam yr aeth ati i ddysgu *tai chi* yn y lle cyntaf, gan wybod bod gan ei dad dymer, a'i dad yntau yn ei dro – ni lwyddodd Macs i gadw trefn lwyr ar y dymer deuluol.

Fel sy'n digwydd yn aml gyda'r McGideons, rhywbeth bach, dibwys daniodd y sefyllfa. Safai Gwydion yn stond yn yr iard gefn. Roedd wedi mynd mas i nôl glo o'r sied, ond roedd ei feddwl wedi dechrau crwydro, a rhyw hanner stori'n dechrau ffurfio yn ei ben. Pan welodd Macs fod ei fab wedi encilio i fyd y stori unwaith yn rhagor, aeth allan a gweiddi arno, digon i beri braw.

'Paid â gweiddi arna i fel 'na, Dad,' atebodd Gwydion. ''Sdim eisie bod mor grac.'

Yn eironig ddigon, dyna'r union eiriau i hala Macs hyd yn oed yn fwy crac. Cenfigen oedd wrth wraidd y peth – fod Gwydion yn mwynhau cwmni Wil gymaint. Symudodd Macs i fwrw Gwydion yn galed ar ei foch, ond roedd y bachgen wedi bod yn ddisgybl da, yn gwrando'n astud ar wersi'i dad, a gwyddai sut i symud i osgoi cael ei fwrw. Roedd Macs yn gandryll, yn gweld haenau coch o flaen ei lygaid, ac felly cydiodd mewn coes brws i'w defnyddio yn erbyn ei fab. Trodd Gwydion o gwmpas fel derfis, wedi'i ddrysu gan y ffaith bod ei dad yn fodlon mynd mor bell. Ond roedd yn rhaid iddo'i amddiffyn ei hun, a chododd glawr y bin sbwriel tu ôl i'r sied lo, a dechrau defnyddio hwnnw fel tarian.

Wrth i Macs fwrw'r clawr yn galetach ac yn galetach, teimlai Gwydion rywbeth yn tyfu y tu mewn iddo, sef yr awydd i chwerthin am ben ei dad, neu am ben y sefyllfa. Wrth i wyneb ei dad ddechrau mynd yn gochach ac yn gochach fel mefusen ni allai Gwydion ddal yn ôl yn hirach, a bu raid iddo fosto mas i chwerthin. Ac roedd hynny'n ddigon, achos roedd yn rhaid i Macs hefyd weld twpdra'r sefyllfa. Gallai weld ei hun, ei ben yn biws, y coes brws yn ei law, yn edrych yn hollol bathetig. Dechreuodd yntau chwerthin, yn afreolus fel na allai stopid, a bu'n rhaid iddo eistedd i lawr nes i'r pwl dawelu. Slympiodd Gwydion i'r llawr wrth ei ymyl, a chyn hir roedd braich Macs o gwmpas ei ysgwydd, fel dau gariad yn sedd gefn y sinema.

'Rwyt ti, gwd boi, wedi dysgu lot yn ddiweddar. Rhaid bod 'da ti athro da!'

'Y gorau, Dad. Fi'n foi lwcus, wastad.'

Bu'r ddau'n eistedd am amser hir, yn cael eu hanadl yn ôl, yn mwynhau eistedd yn glòs at ei gilydd, arwr wrth arwr.

Ceidwad yr anifeiliaid

I Gwydion, roedd byw yn ei gartre teuluol gyferbyn â chapel Pisgah yn debyg i'r profiad o fod yn Wormwood Scrubs neu Sing Sing oherwydd y ffordd roedd ei fam-gu'n rheoli – nage, yn *teyrnasu* – ond roedd y tŷ drws nesa'n hollol wahanol. Hwn oedd cartre Berni (talfyriad o Bernice) a Wil South, gwraig a gŵr hynod o ffeind a charedig. Roedd y tŷ'n enwog yn y cylch oherwydd yr holl anifeiliaid oedd yn byw yno. Menajeri o fywyd gwyllt anffodus – anifeiliad tost, rhai wedi'u niweidio, adar wedi hedfan i mewn i ffenestri, ac yn y blaen. Yn dibynnu ar y tymor, gallech ffindo llond cwtsh glo o gathod bach amddifad yno, neu gadnoid, neu gywion o ugain rhywogaeth o aderyn, neu hyd yn oed bysgod oedd wedi cael eu niweidio wrth i bysgotwr di-hid rwygo'r bachyn o'u cegau.

Drws nesa i dŷ Gwydion, yn yr ysbyty anifeiliaid answyddogol hwn, yr arch Noa yng ngardd rhif 116, roedd saith o gŵn a chanddynt lai na phedair coes yr un, yn cynnwys un a dim ond un goes; roedd hwnnw'n symud rownd y lle ar droli rhyfeddol roedd Wil wedi'i addasu o go-cart ffindodd e lawr ar bwys yr afon. Byddai Gwydion wrth ei fodd yn bwydo'r anifeiliaid a'r adar, ac un yn arbennig – sef Mouser, y dylluan ddall.

Wil ei hun oedd wedi ffindo Mouser, ar ei ffordd i weithio'r shifft nos yng ngwaith dur Llanelli. Gwelodd rywbeth gwyn yn symud yn y gwair tal yn y ffos wrth ymyl yr hewl – wyneb gwyn fel soser, y plu fel eira, a phig fel magl i ddala llygod yn gaeth a byth gadael fynd. Edrychai'r aderyn pert yn hurt ar Wil: golwg ddryslyd, ar goll, yn ei lygaid.

Y dyddiau hyn, byddai Berni a Wil yn rhedeg rhywbeth tebyg i Bird Hospital, ond bryd hynny roeddent yn llai ffurfiol – jest gŵr a gwraig oedd wedi methu cael plant, yn byw fel Samariaid trugarog yn llinach Sant Ffransis o Assisi. Gwariai Wil hanner ei bae ar fwyd i'r anifeiliaid, gan gynnwys hanner tunnell o gnau mwnci bob mis. Ie, bob mis! Ambell dro, byddai Berni a Wil yn mynd heb fwyd eu hunain er mwyn gwneud yn siŵr bod cig i'r cŵn, a moron i'r moch daear.

Ceisiai Gwydion ddychmygu pa fath o le oedd byd Mouser – efallai fod ei allu rhyfeddol i glywed sŵn troed llygoden yn symud dros garped o fwsog yn fwy effeithiol fyth nawr, i wneud yn iawn am y ffaith nad oedd yn medru gweld. Mwythai'r bachgen blu euraidd yr aderyn, gan ganolbwyntio yr un pryd ar wrando'n ofalus ar bob sŵn o'i gwmpas. Ar ôl rhai wythnosau o ganolbwyntio ar y grefft, y sgìl yma, llwyddodd i glywed curiadau calon y dylluan pan oedd yn sefyll ar frigyn yn ei chaets chwe throedfedd i ffwrdd. Gallai dyngu bod Mouser wedi gwenu arno ar ôl iddo wneud hynny, fel petai'n falch o'r crwt a'i allu newydd.

Un noson, ar ôl i'w rieni fynd i'r gwely, dihunodd Gwydion i sŵn gwyfyn yn curo'i adenydd yn bwrpasol yn erbyn y gwydr, wedi'i ddenu yno gan y lamp fach yn y stafell. Credai Gwydion, petai'n diffodd y golau, y byddai'r pryfedyn yn cael ei ryddhau o garchar y golau ac yn hedfan yn syth i'r lloer, heb oedi dim.

Nid oedd Gwydion yn or-hoff o gysgu, gan fod y byd-ar-ddi-hun yn ddigon iddo – yn ormod, efallai; yn rhannol oherwydd ei fod yn cofio gymaint, neu efallai oherwydd nad oedd e'n medru anghofio digon.

Ond roedd 'na reswm arall. Ei freuddwydion. Deuai tair i'w ran yn lled gyson, breuddwydion i'w fecso a'i drwblu.

Yn y freuddwyd gyntaf, gorweddai ar ei gefn ar y gwely yn edrych lan, ond doedd 'na ddim nenfwd i'w ystafell, nac ychwaith do i'r tŷ, ac oherwydd hynny edrychai mas ar wacter gogoneddus. Gwelai smotyn gwyn yn y pellter: hongiai yno y tu hwnt i'r dychymyg, tu hwnt i Betelgeuse a'r sêr pell. Yna byddai'r smotyn yn tyfu'n raddol ac yn closio ato, a gallai weld taw blanced wen oedd hi, yn drifftio i lawr yn araf tuag ato, fel amdo, a byddai'n dihuno jest cyn bod y flanced yn ei orchuddio.

Yn yr ail freuddwyd, a ddeuai'n llai aml ond yn fwy grymus, byddai Gwydion yn cuddio o dan wely'i fam tra bod tri chawr yn cerdded heibio. Roedden nhw'n dalach o lawer na'r capel ar draws y ffordd, gan achosi tipyn o ofn i Gwydion, a cheisiai yntau sgwtshan ymhellach dan y gwely o'r golwg. Yna byddai un o'r cewri'n troi'i ben yn araf, araf: doedd gan y bachgen ddim amheuaeth y byddai'r cawr yn ei weld ac y byddai rhywbeth gwael – na, rhywbeth fyddai'n *diffinio* gwael – yn digwydd iddo. Fel yn y freuddwyd neu'r hunlle arall, dihunai Gwydion hanner eiliad cyn bod y llygaid yr un maint â pheli pêl-droed yn syllu drwy'r nets i mewn i'r ystafell wely. Ffiw!

Deuai'r drydedd freuddwyd yn gyson drwy gydol ei fywyd, breuddwyd am arth yn ymladd yn erbyn draig. Roedd y freuddwyd wastad yn gorffen cyn bod y frwydr ar ben, ac yntau byth yn gwybod pwy oedd wedi trechu.

Cofiai Gwydion y breuddwydion hynny am iddynt ddychwelyd droeon, ond cuddiai pob math o fwystfilod yn ei freuddwydion eraill hefyd. Doedd dim rhyfedd bod Gwydion yn ceisio darllen bob nos, i gadw'r diafoliaid i ffwrdd.

Y bore canlynol, daeth Wil i nôl Gwydion yn gynnar. Doedd e ddim yn gwenu; yn wir, roedd gwg ar ei wyneb fel petai e newydd sugno'r sudd allan o lemwn, a hwnnw'n lemwn crebachlyd o sych. Aethant drwy'r llwyn bychan y tu ôl i'r gerddi, gan styrbio cyffylog oedd yn amlwg yn bwydo mewn rhyw batshyn mwdlyd, a saethodd yr aderyn i fyny i'r awyr gan droi tua'r rhododendra.

Ymlaen â Wil a Gwydion, heibio i'r ddwy res o pri-ffabs a adeiladwyd adeg y rhyfel, ymlaen heibio i hen blasty Maesymeillion, trwy Goed Alltyblaca, ac yna dringo, dringo, heibio'r coed cyll, y bedw, y deri i gyd, heibio'r sitca, y ffawydd a'r castanwydd. Cerddent yn bwrpasol wrth osgoi'r corsdir o dan Tanblaidd, a symud yn chwim a disymwth i'r man lle codai'r tir yn sydyn i ganol porffor y grug. Roedd yr olygfa'n ymestyn ac yn ehangu draw sha Penrhyn Gŵyr, lle safai goleudy haearn Whitffwrdd, creigiau Pen Pyrod, sglein arian Bae Caerfyrddin, a bryniau'r Preseli yn denu'r llygad tua'r gorllewin. Paradwysaidd oedd y gair, y tir yn frodwaith, y golau'n Roegiadd-las a chlir. Nen syfrdanol o las, yr un lliw yn union ag wy robin goch. Ac yna fe'u gwelodd . . .

Hongiai'r adar gerfydd eu coesau oddi ar ddarnau o wifren: mynwent o adar ysglyfaethus mymiedig. Golygfa i beri i ddyn lefen. Un bod tinwen, ei gorff yn llipa, fel petai wedi marw ond ychydig eiliadau ynghynt. Meddyliodd Gwydion am y ffordd faletig y byddai'r aderyn yma'n hedfan pan oedd yn fyw. Roedd 'na gigfran hefyd, ei phig trwchus yn hongian i lawr fel bwyell torri glo, a chudyll coch oedd wedi bod yno am sbel, ei gorff tenau wedi'i sychu gan y gwynt.

'Trapiau polion,' meddai Wil. 'Mae'r bastard 'na o giper, Ebenezer, yn eu defnyddio ym mhobman ar hyd y topiau 'ma. Mae e'n bwriadu ailgyflwyno grugieir, ac yn fodlon difa popeth er mwyn gwireddu'r freuddwyd honno. Ebenezer yw'r ciper mwyaf creulon ym Mhrydain Fawr, dybia i. Dwi'n ei gasáu e am beth mae'n ei wneud i'r holl adar a'r anifeiliaid 'ma, yn ei *gasáu* e, ydw wir. Mae'n gosod trapiau, ond dyw e byth yn mynd i weld os oes unrhyw beth ynddyn nhw o'r naill wythnos i'r llall, ac felly mae'r adar yn diodde a diodde a diodde. Hyd yn oed pan mae e yn dod ar ei rownds, synnen i ddim 'i fod e'n gwneud dim byd ond gadael iddyn nhw gario ymlaen i swingio, a'r wifren yn torri'n ddyfnach i mewn i'w cyrff. Creulondeb pur.'

Yna, gwelodd rywbeth.

'Diawl, mae llygad y boda 'na'n symud! Mae e'n dal yn fyw, Gwydion!'

Gyda'i gyllell boced, torrodd Wil y wifren o gwmpas coesau'r boda; roedd ei gorff yn dal yn gynnes, er nad oedd yn symud. Roedd y ddwy goes wedi'u torri ond, fel dangosodd Wil, roeddent yn doriadau glân, fel petai'r aderyn wedi ceisio hedfan i ffwrdd mewn braw a snapio'r ddwy yn y broses. Lapiodd Wil yr aderyn mewn dau gadach a'i ddodi yn y bag cynfas dros ei ysgwydd. Ni symudodd yr aderyn wrth iddynt ddringo i lawr y tyle – tybiai Wil ei fod wedi marw o sioc, a'u bod nhw'n rhy hwyr i'w achub.

Yn y pellter, uwchben fferm y Pant, roedd y ciper yn gwylio'r ddau drwy'i sbienddrych. Slotiodd ddau fwled i siambrau ei ddryll cyn mynd i ddelio â'r ddau gnaf. Brasgamodd tuag atynt – nid oedd arno ofn neb, ddim hyd yn oed y meirw. Petai Beelzebub ei hun yn dod lawr o ffordd Rhiwdro, ni fyddai Ebenezer yn becso dam. Roedd wedi cwrdd â mwy na'i siâr o'r meirw, oherwydd ei chwaer, a oedd yn byw ar yr ochr dywyll i bethau.

Wrth i Wil a Gwydion straffaglu drwy'r grug, roedd yr hen wreiddiau trwchus yn gwneud iddynt faglu, a Wil yn ceisio sicrhau nad oedd rhagor o niwed yn digwydd i'r aderyn. Roedd hwnnw'n bownd o fod yn cachu brics yn nhywyllwch y bag ar ôl bod yn hongian o'r trap dieflig am ddyddiau, efallai. Yna, i goroni'r cyfan, dyma nhw'n gweld Ebenezer yn dod tuag atynt.

'Dyma fe'r cachgi uffarn,' sibrydodd Wil dan ei anadl.

Gwelodd ddryll y ciper yn hongian dros ei ysgwydd, a'r nifer sylweddol o gyrff cwiningod wedi'u clymu i'w felt. Llamai wrth ei ymyl fwngrel hyll oedd yn edrych fel petai ei dad yn gi potsiwr oedd yn crwydro'r fro, a'r fam yn gi defaid, y math sy'n mwynhau chwarae yn y brwgaits a'r mwd, a'r brigau bach wastad yn glynu wrth ei flew.

'Beth sy 'da chi yn y bag 'na, William South?' gofynnodd Ebenezer, ei lais fel uwch-sarsiant yn y fyddin – gorchymyn yn hytrach na chwestiwn, y math o beth fyddai'n cael tri chant o ddynion i godi'u breichiau ar yr un pryd.

Edrychodd Gwydion yn fanwl ar wyneb y diafol-giper. Ei drwyn oedd y peth mwyaf amlwg, gyda phlorod fel rhai ar dato'n tyfu arno, a'i wyneb yn goch – yn biws hyd yn oed. Aeliau gwyllt yn tyfu fel perth uwchben llygaid creulon glas, yn debyg i rai'r Jyrmans yn y comics roedd Gwydion yn dal i'w mwynhau, milwyr oedd wedi lladd cymaint.

Penderfynodd Wil herio'r dyn, er gwaetha'i wn.

''Dyw e o ddim diddordeb i chi, Mr Ebenezer. Dim ond aderyn gwyllt gafodd ei drapio'n anghyfreithlon gan rhyw dwat o ffermwr. Neu giper, efallai. Odych chi'n adnabod rhyw dwat o giper sy'n gweithio rownd fan hyn?'

Os oedd hi'n bosib i Ebenezer gochi'n ymhellach, yna fe wnaeth wrth glywed y geiriau hyn. Piws yn troi'n sgarlad. Cochi mewn tymer, nid mewn embaras. Symudodd fys neu ddau tuag at y gwn, ond stopiodd ei hun – eiliad fach o foesoldeb yn mywyd dyn a chanddo galon o iâ. Neu efallai'r sylweddoliad na allai lofruddio'r ddau yng ngolau dydd a chael getawê.

'Twat, chi'n dweud. Na, does 'da fi ddim cof o weld unrhyw un fel'nny lan ar y topiau 'ma. Dim ond fi sy'n dod lan fan hyn. Fy nheyrnas i yw hon, a pheidiwch ag anghofio hynny. Dwi'n tueddu i saethu tresmaswyr. Maen nhw gan amlaf lan i ryw fisdimanars, ac mae'n haws tanio cyn holi. Ie, tanio cyn holi, dyna yw fy moto. Chi'n deall? Nawr, mae'n rhaid i mi ofyn i chi a'r bachgen 'ma – pwy yw e, crwtyn Mr a Mrs McGideon sy'n byw drws nesa i chi, ife? – adael y mynydd achos ry'n ni ar fin dechrau llosgi grug, a dwi eisiau paratoi cyn tanio'r fatsien gyntaf. Fyddech chi ddim eisiau gweld y dyn ifanc 'ma'n cael ei losgi'n gols, fyddech chi? Mae'n un da am adrodd straeon, o beth dwi'n ei glywed. Dydd da i chi. Dydd ffycin da i chi'r twat.'

'Beth ddywedoch chi?' gofynnodd Wil.

'Glywsoch chi'n iawn y tro cyntaf.'

A chyda hynny, trodd y ciper ei gefn ar y ddau a cherddded

i gyfeiriad llwyn mawr o eithin, ei got ddrewllyd yn sefyll mas yn erbyn lliw briallu a swlffwr blodau'r eithin. Cariwyd arogl y planhigion hefyd ar yr awel, y melyster cynnil hwnnw'n helpu i waredu sawr y dyn – gwynt pridd, tail a baw ci, fel arogl cawl wedi'i wneud â chwys yn lle stoc a phisho llew yn lle perlysiau.

Edrychodd Wil yn ei fag, i wneud yn siŵr bod yr aderyn yn saff, ac yn dal yn fyw. Erbyn hyn roedd y llygaid ar agor a'r pen yn symud ychydig. Diolch byth, roedd 'na rywbeth ym myw'r llygaid, rhyw olwg heriol, ddeallus, oedd yn awgrymu y byddai'n ddigon styfnig i fyw, i wella, gan herio'r ciper a'i ddulliau Fictoraidd, ofnadwy, o gadw'r tir yn glir o unrhyw grafanc, o ddannedd miniog, o gyfrwystra llwynog a chri unig y bwncath. Damo fe! Damo, damo, damo fe! Edrychodd Wil ar Gwydion a Gwydion ar Wil, fel golygfa o ffilmiau cynnar Buster Keaton, lle roedd ystyr i'r edrychiadau, ond yr un o'r ddau ohonynt yn medru darllen y cod. Ond o leiaf roedd y boda'n fyw.

Heb yn wybod iddo, roedd Gwydion wedi cwrdd â'i nemesis, y ciper. Nemesis bersonol iddo. Deallai'r gair yn iawn. Y broblem oedd na wyddai fod 'na rai go iawn yn bod yn y byd, taw nad jest syniad mewn llyfr yw e. Eich nemesis. Mae un 'da ni i gyd, ac mae rhai'n ddigon ffodus i'w osgoi ar hyd eu hoes. Ond nid Gwydion.

Fel mae'n digwydd, mae'n un o hoff straeon Gwydion, un sy'n esbonio rhywbeth iddo am y byd, rhywbeth gwerthfawr, fel gwybod sut i ffindo nyth cornchwiglen. Mae'n esbonio balans y byd, a dim llai na hynny.

Nawr roedd Gwydion wedi darllen digon o glasuron Groeg a Rhufain i wybod beth i'w ddisgwyl pan fyddai Nemesis yn dod rownd i'ch tŷ chi i ddisgwyl amdanoch, ond roedd y syniad anghywir ganddo. Disgwyliai rywun ar ffurf arall, nid ciper ar y topiau unig. Yn ei ben, roedd y ddelwedd gyfan gwbl anghywir ganddo.

Tra bod Gwydion yn disgwyl Merch y Nos, neu ferch Erebws, neu ferch Oceanws hyd yn oed, nid oedd yn disgwyl ciper drewllyd gyda chachu ar ei lewys a whisgi Teacher's ar ei anadl, heb sôn am yr iâ yn ei wythiennau, a chaledi yn ei galon.

Gwyddai Gwydion fod Nemesis yn ceisio dal y ddysgl yn wastad, i gael ychydig o falans mewn bywyd. I'r perwyl hwn gallai ddosbarthu hapusrwydd ac anhapusrwydd yn ôl y galw, neu ddod â llwyaid fach o anlwc i rywun oedd wedi cael gormod o lwc dda, gan ddwyn ychydig bach o'i ffortiwn, neu achosi damwain, neu sbwylio perthynas. Oherwydd roedd y duwiau'n genfigennus o ddyn hapus, yn enwedig os oedd Ffortiwn neu Tyche wedi bod yn rhy hael. A Nemesis oedd yn dod i gosbi pechaduriaid, neu rywun oedd yn rhy hapus ei fyd. A phan fyddai Nemesis ar eich ôl, doedd dim modd ffoi: doedd dim modd cuddio dan garreg, neu mewn ogof, neu mewn torf.

Gwyddai'r Nemesis clasurol yn union ble ro'ch chi'n byw, a sut i ddwyn y wên oddi ar eich wyneb unwaith ac am byth. Yn ei llaw dde, daliai gangen oddi ar goeden onnen; yn y llaw chwith, olwyn a ffrewyll. Gan amlaf, mae hi'n hawdd ei sbotio – oni bai ei bod yn dod ar ffurf a siâp dyn, ciper penmynydd, gelyn i bopeth byw. I'ch drysu chi'n llwyr.

Ie, y dyn hwn – a gysgai heno ym môn y clawdd, wedi goryfed yn nhafarn y Colliers – hwn oedd nemesis Gwydion, ac o hyn ymlaen byddai yno drwy gydol ei fywyd, rywle yn y cysgodion, yn gwylio rhag ofn i bethau fynd yn rhy dda iddo, neu bod ei dalentau'n tyfu'n rhy niferus. Ciper y cysgodion: fe sy'n dy wylio di heno. Ac yn medru camu i mewn i'th freuddwydion. Bydda'n ofalus, Gwyd. Gochela rhag y bastard.

Anodd oedd i'r crwtyn gysgu y noson honno, wrth droi a throsi gan felltithio Ebenezer dan ei wynt a gofidio am yr aderyn. Roedden nhw wedi ei osod yn ofalus mewn bocs cardbord ar ôl dod 'nôl, ei goesau mewn sblintiau wedi'u gwneud o ffyn lolipop. Llwyddodd Wil a Gwydion rhyngddynt i gael dracht o ddŵr i lawr llwnc y creadur, ond wrth iddyn nhw gau drws y sied y noson honno, doedd ganddyn nhw fawr o obaith y byddai'n dal i fyw y bore wedyn.

Meistr yr awel

*G*WELLODD Y boda tinwen.

Un diwrnod, dyma glywed cnoc ar y drws. Wil oedd yno, yn gofyn i Gwydion a hoffai ddod i weld yr aderyn yn hedfan eto. Ni allai Gwydion feddwl am ddim byd gwell, a gwisgodd ei siaced mor glou nes iddo fethu cau'r botymau yn y drefn gywir, gan wneud iddo edrych fel cranc wrth redeg draw at Wil. Cariodd y boda yn y fasged ar flaen ei feic, ac aethant i'r corsdir ger y pwerdy i ryddhau'r aderyn. Cymylau glaw yn dod i mewn dros Cefn Sidan a Phwll y Wrach. Y gylfinir yn piba'n hudolus allan ar yr erwau o dywod sgleiniog yn yr aber, afon Llwchwr yn frown fel yr Amazon – er yn llai, lot llai. Cwningod yn bolltio i bob cyfeiriad wrth glywed sŵn y beiciau'n dod dros y llwybrau graean, eu cynffonnau'n fflachiadau gwyn ymysg y rhedyn a'r cyrs tal wrth ymyl y ffrwd. Clywid emynau o fawl i'r tymor: teloriaid bach yn nyddu tapestrïau o gân, y siff-siaff yn cyflwyno'i ddesgant syml, telor y coed yn cynnal sioe, yn canu fel pedwarawd-siop-barbwr ar ei ben ei hun, ac ambell robin yn dynwared eos mewn rhan o'r wlad lle roedd honno wedi diflannu ers tua ugain mlynedd. Ni fyddai byth yn dychwelyd, nawr bod y llif wedi cyrraedd y goedwig, a'r heliwr, a'r gwenwyn lladd pla. A chwarae teg, roedd y robin yn medru cyfleu'r modd roedd yr eos yn rhagori ar bob cân arall yn y coed, llif-ffynnon soniarus o nodau'n llifo dros y dail, gan adael gwlith o atseiniau, perlau miniatur o sŵn i lynu ar ddail, a chofnodi'i bresenoldeb, ei hawl i diriogaeth yn y llecyn gwyrdd yma yng nghanol y deri a'r ffawydd, y sycamorwydden estron a'r ywen hynafol. Dyma ddiwrnod braf, diwrnod gyda'r gorau, a dim byd gwell i'w wneud na rhyddhau aderyn gwyllt i'w gynefin, gyda Wil drws nesa i gadw cwmni iddo.

Er gwaetha'r cymylau lliw cwrens duon oedd wedi dechrau llifo draw o gyfeiriad Iwerddon, prin bod awel o gwbl – yn sicr ddim digon i godi'r aderyn o ddwylo Wil heb ryw hwb fach.Felly, taflodd y creadur i'r awyr, ac am foment roedd y ddau'n amau a allai hedfan o gwbl. Yna lledodd ei adenydd hirion a fflapio dros y gwely cyrs. Bron fel petai'n arddangos ei sgiliau aerobatig, dechreuodd y boda droi yn yr awyr, yn cylchu a chylchu gan ddychryn pob math o adar bach oedd yn cwato ymysg y tyfiant, am eu bod yn medru adnabod siâp aderyn ysglyfaethus o'r eiliad y gadawsant yr wy. Dechreuon nhw yn eu tro rybuddio pob aderyn bach arall o'i bresenoldeb, nes fod y gwrychoedd yn drydan o drydar. Yn gynharach, roedd cryman o gysgod wedi cwympo dros y tir – hebog tramor, ar batrôl, yn chwilio am ei ginio. Roedd yr holl adar yn hynod o nerfus bryd hynny, hyd yn oed y rhai oedd yn rhy fach i wneud pryd i'r aderyn, corhedyddion y waun megis *vol au vents*, *canapés* cywion cornchwiglod, blasynnau bach pluog llwyn a dôl a pherth.

Roedd 'na rywbeth gosgeiddig ynghylch yr aderyn, fel petai'n drech na disgyrchiant, a'r awyr yn llawn tonnau anweledig; medrai syrffio'n braf a heb ffws arnynt, yn mwynhau ei annibyniaeth o gaethiwed y ddaear, ei feistroldeb o'r grefft o godi'n uwch ac yn uwch. Cylchodd a chylchodd,

fel geirosgop araf, fel petai am weld holl dapestri Sir
Gaerfyrddin yn ymestyn oddi tano'n wyrdd o goed deri, yn
frown 'da rhedyn crin, y mynyddoedd yn codi'n gefn, y môr
yn fur, y pentrefi bach gwyngalchog fel olion eira, y porfeydd
breision wedi'u hiro gan law cyson y gwanwyn a nadroedd
arian yr afonydd araf yn symud i gusanu'r dŵr hallt, a'r sewin
ac eogiaid yn nofio'n llu i groesawu'r uno. Roedd hyn oll a
mwy i'w weld wrth i'r aderyn ddringo a dringo ac yna troi
tua'r gorllewin, yr haul yn binc ar ei adenydd, ei fryd ar fynd.

Pan aeth yn rhy fach i Wil na Gwydion ei weld, trodd y
ddau i wynebu'i gilydd ac ysgwyd llaw. Gwellodd y claf, o
do, ac aeth i ffwrdd! Roedd 'na wastad bleser mewn gweld
hyn yn digwydd. Er, byddai Wil yn gweld eisiau edrych i fyw
llygaid praff y boda; teimlai'r profiad hwnnw fel gwers ar sut
i edrych yn ddwfn ar y byd.

Er y byddai Gwydion wrth ei fodd yn cerdded y caeau a
chrwydro'r coedwigoedd gyda Wil, byddai hefyd wrth ei
fodd yn mynd ar ei ben ei hun. Adroddai straeon wrtho'i
hun wrth grwydro fan hyn a fan draw, a phan arhosai i
edrych ar ryw aderyn neu'i gilydd, ysgrifennai'r manylion i
lawr. Medrai adnabod hanner cant o rywogaethau'n barod.

Ar ei bererindodau o gwmpas yr ardal byddai Gwydion
yn cwrdd ag ambell grwydryn arall, ond doedd neb mor
lliwgar â Texas Dan, yr unig ddyn yn y pentref oedd wedi cael
profiad o weithio yn America. Gwisgai fel Americanwr, het
Stetson ar ei ben hyd yn oed ar grasddydd o haf, a bŵts lledr
fel rhai cowboi am ei draed. Bu'n gwisgo rhain ers cymaint
o amser fel y gallech gyfri'r bysedd ar ei droed chwith wrth

iddo gerdded tuag atoch, y lledr yn fflapio'n geg-agored fel fflip-fflop.

Er bod Texas Dan yn enwog am ei deithiau i lefydd llawn rhamant megis Nashville, San Antonio, Cheyenne a Pensacola, ac am yr acen Hollywoodaidd, Burt Lancasteraidd oedd ganddo ar ôl dychwelyd, roedd 'na un stori am Dan oedd yn werth yr holl olew yn Nhecsas. Roedd y stori hon ar gof Gwydion, i'w chadw yno am byth.

Un bore, tua chanol mis Hydref, roedd Texas Dan yn cerdded lan tua Mynydd Bach pan welodd rywbeth gwyn ar lan yr afon Mwstwr. Pan aeth i edrych, menyw mewn pais wen oedd yn gorwedd yno, nyrs ifanc, wedi marw: yn ddiweddarch, daeth yn amlwg ei bod hi wedi cael ei llofruddio.

Aeth Dan yn syth i orsaf heddlu'r pentref. Camodd yn bwrpasol at y ddesg fach a dweud wrth PC Hopkins, oedd wrthi'n sgrifennu nodiadau am ddiflaniad caseg y noson cynt, 'Are you the sheriff in these parts? Cuz if you are, you'd better rustle up a posse, cuz there's a stiff up in the canyon.'

Er bod y nyrs wedi marw, byddai Gwydion yn chwerthin bob tro y clywai'r stori, yn enwedig pan glywodd nad oedd Dan wedi bod yn America am fwy na deufis. Er, teimlai drueni dros y nyrs fach gafodd ei lladd.

Yn anffodus, mae dimensiwn trist iawn i'r hanesyn hwn. Yn ôl yr heddlu, cafodd y nyrs ei llofruddio yn y coed gan ddyn o'r enw Geoffrey Axe, ar ôl dawns yn y Jubilee Hall. Hwnnw gafodd y bai, o leiaf. Fe oedd y dyn a arestiwyd. Tri deg tri oed. O Devizes. Yn dad i dri o blant ei hun. Mae'n debyg taw dyma'r ymosodiad ffyrnicaf i PC Hopkins glywed amdano erioed. Trodd ei stumog pan welodd beth wnaed i'r nyrs, ac yntau'n ei hadnabod o eisteddfodau a chyngherddau'r pentref ac yn cofio'i chwerthiniad braf, hael, y math o sŵn y byddai oren melys yn ei wneud petai'n medru canu. Ei bywyd addawol wedi'i ddifetha gan Axe. Bydded i'w enaid bydru am byth bythoedd. Os taw Axe oedd yn euog . . .

Efallai mai Ebenezer oedd yr un a ddylai bydru mewn cell am weddill ei fywyd. Neu gael ei dagu gan un o'r carcharorion hynny sy'n casáu dynion sy'n lladd menywod.

Anifail od iawn

*B*OB WYTHNOS, byddai'r athrawes ddosbarth yn gofyn i'r plant sgrifennu traethawd neu stori, gan ddisgwyl dim mwy na rhyw hanner cant o eiriau gan bob plentyn. Ar wahân i Gwydion, hynny yw, gyda'i lawysgrifen addurnedig a'i allu i weu ffeithiau anhygoel fel rhan o blethwaith ei naratifau hyderus. Byddai'n ei rybuddio rhag gor-ddweud, ac ambell waith – jest ambell waith, cofiwch – byddai'n gorfod ei rybuddio rhag ailadrodd, ond doedd hynny ddim yn digwydd yn aml. Roedd yn grwtyn cyforiog o straeon, yn byw bywyd i'r eithaf, ac felly'n cynhyrchu straeon newydd o ddeunydd ei fywyd ei hun. Stori am dri ffrind, yn aml iawn, tri ffrind a'u hamrywiol anturiaethau. Felly doedd y gwaith cartre ddim yn dasg anodd iddo.

Ambell waith byddai'r straeon yn dod i chwilio am y crwt, fel mochyn gwyllt yn gwybod yn union lle roedd arogl llwyd y tryffl yn cuddio dan y deilbridd. Yn gwybod yn union. Y math o ddigwyddiadau go iawn lle nad oes prin angen eu newid i'w troi'n straeon bythol. Byddai'n hoff o sgrifennu am y pentref, am yr amrywiaeth o gymeriadau oedd yn byw yno, ond gan gyflwyno rhywbeth annisgwyl i'w byd.

Un diwrnod, efallai ym mis Mehefin, efallai ddim, roedd dyn dieithr wedi ymddangos yn y pentref a chanddo focs mawr pren yn hongian ar raff ar ei gefn.

'Beth sy yn y bocs?' gofynnodd Bopa Lil iddo pan alwodd yn siop Nicinacyrs i brynu torth fach o fara a darn o gaws.

'Fy mywoliaeth i,' atebodd y gŵr, yn ddigon dymunol. 'Gallwch weld beth sy yn y bocs os dewch chi i sgwâr y pentref ganol dydd. Gwedwch wrth eich cwsmeriaid. Dewch yn llu!'

Gwyddai'r dyn dieithr nad oedd angen gwneud dim byd mwy na dweud wrth siopwraig mewn pentref bach a byddai pawb yn cael y neges, yr hysbyseb, o fewn awr neu ddwy, ac edrychai Bopa Lil fel y math o fenyw oedd yn lico cario clecs. Erbyn iddo gyrraedd y sgwâr ar ôl brecwasta'n hwyr ar lan ryw nentig chwim – lle roedd y dŵr mor oer fel ei fod yn rhoi loes wrth ei yfed – roedd hanner y pentref wedi dod i weld beth oedd yn y bocs, beth oedd bywoliaeth y dyn yn y got ledr. Mr Boone, gyda'i acen o rywle pell i ffwrdd.

'Foneddigion a boneddigesau. Diolch am ymgasglu oherwydd eich chwilfrydedd, oherwydd eich bod yn dymuno gwybod beth sydd yn y bocs. Ac fe *gewch* chi weld, ond cyn hynny rhaid i mi roi rheswm i chi dros dalu am wneud. Felly fe esbonia i o ble mae'r creadur rhyfedd wedi dod – ie, fe alla i ddweud cymaint â hynny wrthych chi – creadur rhyfedd yw e, a 'sdim un ohonoch chi erioed wedi gweld y fath beth.

'Bûm yn gweithio yn America, lle mae ambell fferm yn fwy na Sir Fynwy, a rhai hyd yn oed yn fwy na Sir Forgannwg! Y sir i gyd! Cowboi oedd fy ngwaith, fel y rhai yn y ffilmiau, yn casglu gwartheg a'u gyrru nhw, fel oedd y porthmyn yn arfer ei wneud yng Nghymru gynt, o'r naill le i'r llall – gan groesi miloedd o filltiroedd ar y tro a wynebu'r peryglon mwyaf. O Decsas i Fontana. Edrychwch ar fap rywbryd i weld hyd y siwrne 'na. Trec a hanner, wir i chi.

'Ambell waith byddai trigain ohonom yn gyrru deng mil o wartheg ar draws afonydd, ar draws sawl diffeithwch, gan ddilyn llwybr unrhyw ddŵr, hen welyau afonydd yn llawn sgerbydau anifeiliaid anffodus. Dod o hyd i ddŵr oedd y nod ym mhobman, a byddem yn chwilio o bant i bentan am ychydig ohono. Ond doedd dim llawer o amser i oedi, ymlaen â ni, i Fontana.

'Dyw pawb ddim yn sylweddoli bod y gwartheg yma'n medru byw ar lai o ddŵr na chamel, hyd yn oed, am gyfnodau byr. Rhaid oedd bod yn wyliadwrus o'r Indiaid Cochion, yn enwedig yr Apache, a oedd yn ffyrnig ac yn adnabod y tir yn well na neb. Os digwydd iddyn nhw ddal dyn gwyn . . .' yna, newidiodd ei lais, ei lygaid yn agor led y pen, 'neu fenyw, neu blentyn gwyn hyd yn oed, byddent yn ei sgalpio – torri'r gwallt a'r croen oddi ar y pen, fel blingo cwningen. A chadw'r sgalp fel troffi, i brofi eu dewrder yn erbyn y dynion gwyn.'

Oedodd y gŵr mewn ffordd ddramatig. Estynnodd i mewn i'w fag a thynnu rhywbeth mas.

'Dyma sgalp Rufus Dreyfuss. Dalion nhw fe mewn gwter ar bwys y Rio Grande, a phegio'i gorff mas yn yr haul i farw'n araf. Rhostiodd y pwr dab yn fyw. A dyma'r cyfan sydd ar ôl ohono, y cyfan sy'n weddill o ŵr pedwar deg tri mlwydd oed gyda gwraig a phump o blant yn Oklahoma.'

Wrth iddo estyn y sgalp i ddangos i'r pentrefwyr, safodd Mr Huws, gweinidog Gerazim, ar ei draed a dweud y byddai'n rhaid claddu'r sgalp, a rhoi angladd Cristnogol deche i'r anffodusyn.

Cytunodd y gŵr dieithr heb oedi dim, gan wybod taw 'sgalp' mochyn daear fyddai'n mynd i'r pridd. Digwyddai hyn ymhob pentref: roedd yn rhan annatod o unrhyw ymweliad, a byddai'n rhoi esgus iddo aros yn yr ardal am ychydig ddyddiau. Yn aml byddai'n cael llety am ddim, oherwydd yr amgylchiadau, yn enwedig pan fyddai'n dechrau ymhelaethu am hanes ei ffrind bore oes, Rufus, a sut roedd hwnnw wedi gorfod crwydro America i chwilio am waith. Byddai'n sôn hefyd am farwolaeth mab wyth mlwydd oed Rufus, ar ôl i'r truan fynd i chwarae gyda neidr ruglo.

Cynigiodd y sgalp yn ddefodol i Mr Huws mewn cadach poced scarlad, i'w gadw yn y festri tan yr angladd. Ac yna aeth yn ei flaen â'r sioe.

'Pwy sydd am fentro dyfalu beth sydd yn y bocs – pwy wnaiff roi ei law i mewn i deimlo beth sydd yma? Rhywbeth yn cysgu, efallai. Efallai!'

Ar ôl clywed am y neidr ruglo, roedd holl drigolion y pentref yn hollol fud. Dychmygent sarff hyll a ffyrnig, yn barod i daro rhyw bwr dab yn farw gelain. Neidr â ffangiau hypodermig allai dorri trwy ledr trwchus.

Braich Gwydion oedd yr unig un i godi yn y dorf – roedd pawb yn hanner gwylio Mr Huws yn camu'n bwrpasol i gyfeiriad y capel gyda'r 'sgalp' mewn cadach yn ei law. Doedd gan y dorf ddim syniad taw gwallt hen fenyw'n diodde o *alopaecia* wedi'i ludio i ddarn o groen mochyn daear oedd yn y cadach. Roedd y dyn yn mynd i gladdu wìg!

'Dere 'mlaen, ddyn dewr. Cofia fod dy fysedd yn medru darllen, hyd yn oed yn y tywyllwch.'

Cododd ddrws bach yng nghlawr y bocs gan wahodd Gwydion i ddodi'i law i mewn. Ochneidiodd y dorf fel un.

Teimlodd Gwydion o gwmpas yn y tywyllwch. I ddechrau, credai fod y bocs yn wag ond yna teimlai rywbeth dan ei fysedd.

'Anifail seis draenog! Na, mae e ychydig yn fwy na hynny,' meddai Gwydion, heb oedi o gwbl.

'Da iawn, 'ngwas i.'

'Ac mae'i groen e'n teimlo fel brws câns, yn galed, bron fel tase'r anifail wedi marw.'

'Beth yw ei siâp e?'

'Pêl.'

'Wyt ti am ei weld e? Wyt ti am ddodi dy ddwy law yn y bocs, a dangos y creadur i'r holl bobl yma sy'n disgwyl yn eiddgar o'n cwmpas?'

Tynnodd Gwydion llond stên o awyr yn ddwfn i'w ysgyfaint, ei galon yn dawnsio rymba o nerfusrwydd, ond doedd e ddim am ddangos hynny.

'Wdw.'

Rhyddhaodd y dyn dieithr ddwy latsh ar ochrau'r bocs, ac estynnodd Gwydion i mewn. Cododd y belen mas i olau dydd.

'Armadilo yw hwn,' meddai'r dyn, gan aros i'r creadur agor ei lygaid a dechrau symud oherwydd arogl cynnil y letys ar fysedd y dyn. 'Dyma i chi ddraenog y diffeithwch, gyda chroen fel tanc sy'n medru gwrthsefyll ymosodiad gan arth fraith. Ie, armadilo.' A gwenodd Mr Boone, ceidwad y creadur.

Synnai pawb o weld yr anifail, gyda'i arfwisg trwchus a'i glustiau hir, pigog, fel ystlum â rhyw fath o farf.

'Dod e ar y llawr, Gwydion.'

Ni ddisgwyliai neb y byddai'r creadur yn shifftio mor gloi ar ei goesau bach bwt.

'Ar ei ôl e!' gwaeddodd Mr Boone wrth i'r creadur ddechrau twrio'n gyflym a diflannu i mewn i'r pridd. Poenai Mrs Roberts, a oedd yn byw reit ar bwys y sgwâr, am ei rhosod, wrth weld yr armadilo'n torri'n rhydd ac yn anelu am y gwreiddiau. Llwyddodd Gwydion i afael yng nghoesau ôl y creadur. Gyda'r dyn dieithr hefyd yn tynnu'n galed, tynnwyd yr armadilo allan o'r twll roedd wedi llwyddo i'w balu mewn llai na munud. Byddai wedi cyrraedd Awstralia mewn awr, y ffordd roedd e'n tyllu.

'Maen nhw'n medru nofio hefyd, a neidio'n syth i fyny i'r awyr. Nawr 'te, os odych chi wedi mwynhau orig yn ein cwmni, rhowch geiniog neu ddwy yn yr het . . .'

Y noson honno, derbyniodd y gŵr dieithr sawl peint am ddim yn y Drwm, tafarn fwya canolog y pentref, am iddo wneud dim byd mwy nag agor y bocs er mwyn i'r meddwon weld y creadur yn ei arfwisg eto. Cysgodd pawb yn drwm ar ôl yr holl yfed, yn rhannol oherwydd bod Annie, perchennog y Drwm, fel perchnogion y Colliers, yn cymysgu dau fath o gwrw, ac roedd effaith y gymysgedd yn nodweddiadol o soporiffig.

Breuddwydiodd Gwydion amdanynt: am Mr Boone, y gŵr dieithr, oedd wedi mesmereiddio'r dorf, ac am y creadur rhyfedd. Gwelodd ei hun, hefyd, yn y freuddwyd; roedd ar gefn ceffyl palomino gosgeiddig, yn rhaffu mystang gwyllt a'i lusgo mewn i gorlan y corrál. Breuddwyd epig. Gwydion ar yr hirdaith, ei gorff yn lliw tîc ar ôl bod yn yr haul cyhyd, ei gyhyrau'n dynn a phwerus ar ôl misoedd o farchogaeth a thrin gwartheg ystyfnig. *Round 'em up, cowboy!*

Breuddwydiodd Mr Boone am ei wraig, a fu farw chwarter canrif yn ôl. Cofiai am ei llais yn atseinio o gwmpas y bwtri wrth iddi ganu hen, hen alawon. 'Dafydd y Garreg Wen.' 'Y Trempyn Coll.' 'Wrth Fynd Efo Deio i Dywyn.'

Mae anifeiliaid yn breuddwydio hefyd. Ar sgrin sinema maint-chwarter-centimetr ei freuddwydion, gwelai'r armadilo lonydd syth, llychlyd, di-ben-draw yn ymestyn tuag at orwel

Tecsas. Llefydd na welai nhw byth eto. Cerddai tuag atynt, gan symud i'r ochr pan deimlai gryndod y cerbydau newydd oedd ar fin sarnu ffordd o fyw pob creadur bach fel fe. Ymlaen ag e, ar hyd y crîcs a heibio'r cactws. I lefydd na allai ond ymweld â nhw mewn breuddwydion bellach: Amarillo, Houston, Larame a Broken Spur.

Flynyddoedd lawer yn ddiweddarach, yn yr Harry Ransome Center for Research in the Humanities yn Austin, Texas, byddai ysgolhaig o'r enw Jeremy Kruger yn ceisio dadansoddi'r stori hon o fewn i *oeuvre* Gwydion McGideon. Byddai'n awgrymu bod yr armadilo'n drosiad ar gyfer gallu Gwydion i lunio storïau. Rhywbeth prin, rhywbeth annisgwyl, rhywbeth egsotig i'w arddangos pan fo angen. Dawn a allai ddiflannu unrhyw funud, ond a allai gynhyrchu arian hefyd – ffortiwn, hyd yn oed. Ac roedd yn rhywbeth i'w warchod. Yn saff, megis, mewn bocs. Dyna oedd casgliad yr Athro Kruger, ta p'un.

Triawd bore oes

*B*LAGURODD GWYDION yn yr ysgol, ac yn y 1970au – pan oedd trowseri'i dad yn llydan, a chrysau bechgyn yn flodeuog – llwyddodd i ymgartrefu yno, er gwaetha'i enwogrwydd. Ar ôl y cythrwfwl 'da Defi, roedd pobl yn dueddol o gadw draw oddi wrtho. Nid oherwydd y ffeit yn unig, ond am fod Gwydion yn wahanol, a'r disgyblion – oedd yn wyliadwrus o bethau nad oedden nhw'n eu deall – yn garcus iawn o'r gwahaniaeth hwnnw. Ar wahân i Geraint a Stephen, hynny yw.

Nhw oedd ei ffrindiau cyntaf yn yr ysgol uwchradd, ac er nad oedd yn cofio sut y dechreuodd y cyfeillgarwch rhwng y tri, gwyddai Gwydion yn iawn na fyddai'n dod i ben am unrhyw reswm. Teimlai'r ddau fel brodyr iddo: Geraint gyda'i dalent rhwydd a digamsyniol am adeiladu pethau, a Stephen gyda'i ddychymyg di-ben-draw wrth ddyfeisio gêmau, a'r rheini'n aml yn rhai drygionus, a rhywun yn rhywle'n diodde o'r herwydd.

Byddai rhai o gêmau'r tri ffrind yn weddol ddiniwed, megis casglu egroes yn y cloddiau er mwyn gollwng yr hadau i lawr cefnau pobl, a'r blew bach arnynt yn gwneud i bopeth gosi'n ddidrugaredd.

Byddai gêmau eraill yn fwy creadigol, fel cysylltu dau fwlyn drws gyda'i gilydd â rhaff yn yr ysgol, ac yna cuddio i weld dau athro, neu ddau ddisgybl yn tynnu yn erbyn ei gilydd nes bod y rhaff yn torri ac un o'r ddau yn cwympo ar ei hyd ar lawr. Byddai'r tri bachgen yn gwingo mewn diléit pan fyddai hynny'n digwydd, ac yn gorfod ffrwyno'u hunain rhag chwerthin yn uchel a datgelu eu man cuddio.

Un tric ysbrydoledig oedd cyfnewid y penbyliaid yn y jar ar y silff yn y dosbarth – y rhai roedd Mrs Hopkins wedi addo fyddai'n troi'n frogaod bach o fewn dyddiau – am bysgod, ac aros i Mrs Hopkins druan gynnig esboniad gwael am yr hyn oedd wedi digwydd, sef bod natur wedi mynd ar chwâl. A'r tri bachgen yn edrych yn slei ar ei gilydd.

Hafau hir, di-ben-draw. Sut, felly, oedd amser yn diflannu mor gyflym, a hwythau'n gwneud fawr ddim? Gallai Gwydion a'i ffrindiau dreulio diwrnod cyfan yn chwarae pêl-droed yn y berllan ar waelod gardd Geraint. Deg gêm y diwrnod a mwy. Byddai dwy hen goeden gellyg yn gwneud y tro fel gôl, a byddai tri thîm disglair Brasil, yr Eidal a'r Ariannin yn sgorio, un ar ôl y llall. A thra bod tri asgellwr o safon uchel iawn, roedd y gôl-geidwad wastad yn llai nag effeithiol, oherwydd nid oedd Gwydion, Stephen na Geraint yn hoffi bod yn y gôl, a hynny er gwaetha'r ffaith fod pob un ohonynt yn cael gwisgo menig gwaith trwchus – menig roedd Stephen wedi eu cael yn anrheg gan ei wncwl Emrys, oedd yn drydanwr yn y gwaith dur.

Diflannai'r oriau'n rhyfeddol o glou wrth chwarae yn y berllan. Gallai aelodau'r tri thîm anghofio cael cinio, anghofio eu bod nhw yn yr ardd hyd yn oed, oherwydd rhuo'r dorf ddychmygol. Ond byddai realiti'n dod megis cynnau'r llifoleuadau wrth i'r bêl ddiflannu dros y berth a glanio yn y mieri drws nesa, lle roedd hen fenyw, Mrs Diddits, yn casglu'r peli ar gyfer bwydo'r tân. Bryd hynny, byddai'n rhaid dirprwyo un o'r pêl-droedwyr talentog i dwnnelu drwy'r berth o un ardd i'r llall, gan obeithio nad oedd un o dîmau *reconnaisance* Mrs Diddits wedi gweld y bêl ddu-a-gwyn yn glanio, ac wedi gosod trap i ddal bachgen i'w gael i swper. Mynnai Gwydion ei bod hi'n cadw saws brown wrth law i roi blas i ben ôl bachgen ar ôl iddo fod yn y ffwrn. Ambell waith, byddai hyd yn oed crwtyn mor ffeind â Gwydion yn mwynhau rhoi ychydig o fraw i bobl, hyd yn oed ei ffrindiau bore oes.

Collwyd pum pêl un haf. Roedd yn anodd cael gafael ar ddigon o arian i brynu peli newydd, a bu'n rhaid defnyddio'r hen dechneg o wneud pêl allan o bledren mochyn. Er mwyn gwneud hynny roedd yn rhaid iddynt fynd i sied Mocky Lewis, lle byddai'n lladd moch. Roedd gwichian byddarol olaf yr anifail wastad yn synnu'r bechgyn, er eu bod wedi gweld tri deg wyth o foch yn cael eu lladd dros y blynyddoedd. Eto, roedd y sŵn annaearol yn syrpréis, er nad yn un pleserus, wrth i'r mochyn sylweddoli bod ei enaid a'i gorff ar fin dilyn llwybrau gwahanol. Yn ogystal â'r bledren, byddai'r tri chrwt yn cael bobo bowlen o ffagots, i'w bwyta tra oedden nhw'n dal yn gynnes, y tu allan i'r sied.

Ambell waith byddai un o berchnogion y ffatri bop drws nesa i'r sied yn eu gweld yn mwynhau'r ffagots ac yn cynnig potelaid o ddiod iddynt. Os oedd dewis, dim ond un ateb a ddeuai o enau'r bechgyn, gan fod ganddynt un ffefryn uwchlaw pob pop arall.

'American Cream Soda!' Gan Rees a Richards, y gwneuthurwyr pop gorau yn y bydysawd.

Roedd y bechgyn yn medru enwi pob blas gwahanol o bop a gynhyrchid gan y cwmni – y 'Lemonade, appleade, cherryade, grapefruitade, raspberryade, dandelion and burdock, portello and sacramental wine', fel roedd yr arwydd ar gefn unig lorri'r cwmni'n eu rhestru. Ond yr American Cream Soda oedd yn ennill y dydd bob tro. Gallai Geraint yfed pum potelaid ar ei ben ei hunan – wel, cyn taflu i fyny.

Un diwrnod bythgofiadwy, cafodd y tri wahoddiad i'r ffatri i weld sut oedd y pop yn cael ei wneud. Roedd fel gwireddu breuddwyd, gyda Mr Rees yn eu tywys o amgylch, ac yn cynnig cyfle euraidd i weld Irie Chambers yn cario sachau o siwgr ar ei chefn, a hithau ymhell dros ei saith deg. Nododd y tri sgiliau'r menywod wrth iddynt roi labeli ar yr ugeiniau o boteli a ddeuai oddi ar y belt bob awr.

Cyn gynted ag y byddai'r peiriannau i gyd yn gweithio, byddai'r ystafell fawr yng nghanol y ffatri'n crynu, a'r awyr yn stafell yr injanau'n llenwi â mwg diesel. Roedd Mr Rees yn gorfod cadw'r drws ar agor led y pen rhag ofn i bawb fygu. A'r bechgyn wrth eu boddau'n gwylio'r olygfa, yr holl bop 'ma yn cael ei greu iddyn nhw! Iddyn nhw! 'Na chi syniad!

Yn aml byddai'r tri ffrind yn dod at ei gilydd i adeiladu modelau o awyrennau. Byddai eu dychymyg, ar y cyd, yn creu armada'r awyr go iawn, a gallai'r tri ohonynt glywed peirannau mawr yr awyrennau bomio, ar eu ffordd i fflatno Dresden. Ac, wrth gwrs, roedd Gwydion yn medru dweud rhywbeth hynod am yr awyrennau 'ma. Ambell waith, byddai ei ffrindiau'n amau a oedden nhw'n ffrindiau go iawn iddo fe, neu'n hytrach jest yn ddibynnol arno am ei straeon. Credent fod ganddo stori ar gyfer pob achlysur, ie, pob achlysur posib. Fel yr un adroddodd e pan oedden nhw'n adeiladu awyren newydd yn sied tad Stephen. Eisteddai'r ddau fachgen arall ar focsys i wrando'n astud ar gyfuniad o araith a gwers.

'Bob nos byddai'r Luftwaffe yn danfon cannoedd o awyrennau draw o Ewrop, gan godi ofn, cychwyn tanau, dinistrio ffatrïoedd a bwrw tai pobl i lawr fel dominos – tase'r dominos ar dân, hynny yw. Roedd y wlad gyfan mewn poen, yn teimlo bod yr Almaenwyr yn hawlio'r nos, a hawlio'r awyr, ac nad oedd dim byd y gallen nhw wneud – ond cuddio yn yr Andersen Shelters ac yn y selerau – cuddio fel cŵn mewn ofn oherwydd eu darpar feistr, Adolf.'

Saethodd cryd drwy'r bechgyn wrth glywed yr enw 'na. Fe oedd y *bogeyman*, ei fwstás byr a sinistr, ei fraich yn yr awyr. Ac roedd y straeon roedd Gwydion yn eu hadrodd wrth ei ffrindiau am y rhyfel yn gwneud iddyn nhw wynto tân, a chlywed sŵn pobl yn gweiddi yn y nos.

Edrychodd Gwydion ar yr awyrennau roedd y tri ffrind wedi'u hadeiladu'r diwrnod hwnnw, mewn llai na theirawr. Y Spitfire MK1A roedd Geraint wedi'i orffen mewn awr a hanner, rhyw fath o record. Y P-40 Kittywake ag un darn allweddol ar goll, oedd dan y ford am y tro. Y Mitsubishi Zero a'r Focke Wulfs sgleiniog yn eu cotiau o baent newydd. Roedd ganddo stori i'w hadrodd am bob un o'r rhain. Roedd ganddo stori at bob achlysur . . .

Y noson honno, gorweddai Gwydion yn ei wely, ar dân gyda syniad am awyren. Ac ar ôl adrodd un stori am awyrennau wrth y bechgyn y prynhawn hwnnw, roedd am osod un arall ar bapur. Byddai gwell siâp ar hon, mwy o drosiadau, mwy o'r pethau 'na ry'ch chi'n medru eu gwneud wrth sgrifennu – y triciau 'na bu'n eu nodi wrth ddarllen Robert Louis Stevenson, Jules Verne a Louisa May Alcott.

Pob awdur a'i driciau, pob un a'i ddawn dweud, ei lais ei hun. Cychwynnodd drwy sgrifennu yn ei lyfr nodiadau mewn inc coch. Doedd dim inc du ar gyfyl y lle, nid ar ôl creu'r afon y tu allan i'r aerodrôm: defnyddiodd Stephen botel gyfan ohono i wneud i'r afon lifo ar y model mawr.

Mae 'na bethau dyw e ddim am feddwl amdanynt. Megis popeth ar dân oddi tano. Y gwres anhygoel a chorwynt yn ffrwydradau. Y cyrff diddiwedd yn llosgi'n gols. Llaw merch fach yn toddi fel cwyr yn y fflamau, y bysedd wedi eu serio'n un, nes eu bod fel un tiwlip gwyn.

Beth sy'n mynd drwy ben dyn eiliadau cyn iddo ladd rhywun, neu hyd yn oed yr union eiliad pan mae'n tanio'r gwn, neu'n claddu'r gyllell? Yr union nanoeiliad? Dyma gyfle i ffindo mas. Wrth iddo hedfan dros yr ynys gyda'r bombiau'n feichiog yng nghrombil yr awyren. I eni poen. I losgi tai. I fflatno ffatrïoedd.

Mae e uwchben y cymylau candi-fflos sy'n torri'n rhubanau silc wrth i'r awyren agosáu at Siapan. I greu Dresden arall. Beth yw e? Dyn tri deg un mlwydd oed o Rapid City, Iowa, ynteu arf? Walter Bruckner yw ei enw, mab i Almaenwr o winllanoedd y Rhein a mam o Chicano. Mae tad Walter yn Americanwr bellach: mae'r papurau ganddo ac mae'n gwybod geiriau'r anthem. Ac mae ei fab yn sicr yn Americanwr: edrychwch ar sglein ei ddannedd. Yn wyn fel cerrig beddi. Dannedd *ffantastig.*

Fe sy'n gadael i'r bomiau fynd, fe, Walter. Efallai bod gan bob aelod arall o'r criw ei *payload* o gydwybod, ond fe, Walter, yw'r un sy'n gwasgu'r botwm ac yn gweld y drysau'n agor, a'r bomiau trymion yn troi'n beledau, yna'n smotiau ac yna'n ddim byd. Nes eu bod nhw'n bwrw'r ddaear, ac yn chwythu popeth i ffrwdd. Fflachiadau o oren, a niwl o fwg gwyn, gwenwynig.

Mae'r Superfortress yn colli uchder nawr, ond dim gormod, rhag ofn bod y gelyn am danio. Yr wythnos ddiwetha, wrth iddynt ymarfer y daith hon, cafodd dwy awyren eu chwythu'n rhacs jibidêrs. Am hedfan yn rhy isel. Gwelodd Walter un ohonynt yn troi a throi, gweld chwyrligwgan eu munud olaf.

Nid oedd y bomiau confensiynol yn gweithio'n rhy dda, gan bod ffatrïoedd y Siapaneaidd wedi'u hadeiladu o bren a phapur. Felly, er mwyn cario ymlaen 'da'u gwaith yn y ffatrïoedd, dyma nhw'n dechrau codi rhai llai a llai, a'u codi mewn ardaloedd poblog. Ond ar ôl ffyrnigrwydd brwydr Okinawa, bu trafodaeth hir a ffyrnig. A ddylai America losgi dinasoedd i'r llawr fel yn Dresden? 'Na' oedd yr ateb cadarn, roedd beth ddigwyddodd yn Dresden yn farbaraidd. Ond roedd hynny cyn Iwo Jima, a'r lladd ar y traeth. Y miloedd o Americanwyr ar y traeth, yr holl ddannedd da 'na yn gwenu mewn poen.

Roedd yr ymosodiad ar Tokyo yn hynod lwyddianus, yn ôl y papurau dyddiol, y *Times* a'r *Washington Post*. Mil a hanner o ffatrïoedd yn cael eu dinistrio'n ddidrafferth; felly, dros gyfnod o chwech wythnos, llosgwyd hanner dwsin o ddinasoedd, gan ddinistrio diwydiant Siapan yn llwyr. Roedd fel sioe dân gwyllt, yn rhuthro i lyncu pob adeilad, y pawennau oren yn barod i reibio'r tai bambŵ a'u tynnu'n ddarnau.

Erbyn Mehefin 1945, dim ond Hiroshima, Nagasaki, Niigata a Kyoto oedd heb eu llosgi, ac roedd y rhan fwyaf o drigolion y dinasoedd wedi ffoi i'r mynyddoedd, i ddianc rhag y fflamau fyddai'n llosgi eu hatgofion, hyd yn oed – eu ffotograffau priodas yn ddail crin, eu hanesion teuluol yn wenfflam.

Beth sydd ar feddwl Walter wrth iddo ddechrau gwasgu'r botwm coch, yr un sy'n rhyddhau eneidiau o gewyll eu cyrff?

Mae injanau pwerus y B-29 yn canu grwndi wrth i Walter gofio'i dad-cu yn y Goedwig Ddu yn yr Almaen yn dangos iddo sut i blygu'r papur, ac yna ei blygu eto, nes bod yr adenydd wedi cymryd siâp. Roedd bysedd yr hen ŵr wedi'u clymu'n siapau rhyfedd gan gryd cymalau, ond roedd yr awyren yn syth ac onglau'r adenydd fel tasen nhw wedi'u mesur gan saer.

Aeth y ddau allan o'r tŷ gwyngalchog a chynigiodd yr hen ŵr yr awyren i'r bachgen, fel rhodd, bron fel offrwm. Taflodd yntau hi i'r awyr a daeth gwynt, nid awel, o rywle a'i chipio'n syth i fyny. Yr adenydd gwynion yn codi, yn cael eu hysbrydoli gan y gwynt, ac yn gwawdio disgyrchiant.

Cododd yr awyren bapur dros rimyn y goedwig, gan gadw uchder, gan hedfan yn osgeiddig, gan hoelio sylw'r bachgen a'r hen ddyn, cyn diflannu o'r golwg dros orwel trwchus o goed pin aeddfed: gorwel oedd ar dân â diwedd machlud haul, fel petai ochr arall y byd yn llosgi.

Dan ei fys mae'r botwm yn gynnes: mae'n ei wasgu â rhyw fath o dynerwch.

Ar ôl gorffen y stori, darllenodd Gwydion hi a sylweddoli nad oedd yn adnabod awdur y geiriau. Digwyddodd rhywbeth rhyfedd rhwng codi'r ysgrifbin a gosod y geiriau ar y papur – rhywbeth tebycach i wyrth na gwaith, fel petai'r syniadau wedi dod oherwydd y sgrifennu. Syniadau na fyddai wedi dod petai e'n sefyll mewn lle tawel ac yn meddwl am yr un pethau.

Dyma'r ffordd roedd Gwydion yn deall y byd, drwy sgrifennu; roedd yn ffindo llwybr felly drwy'r rhialtwch o wybodaeth, y clympiau mieri o ffeithiau, y dryswch o farn ac opiniwn. Hefyd, rhaid oedd iddo gyfaddef ei fod yn mwynhau difyrru pobl eraill. Yn Stephen a Geraint roedd ganddo wrandawyr perffaith – yn hongian ar bob gair, i gyfieithu'n wael – dau ffrind oedd yn gofyn iddo'n gyson ailadrodd ambell stori, yn enwedig eu ffefrynnau. Stori'r armadilo. Yr arth hwnnw, Bruno, er ei bod hi'n stori drist. Y stori am y bachgen bach yn yr India. Roedden nhw'n dwlu ar honno. Y stori am y peilot yn hedfan ar draws y Almaen. Yr un am y dyn yn y gogledd pell yn dofi cigfran . . .

Y nemesis anllythrennog

YN EI GABAN diarffordd, digysur, rhwng dau furddun –
Caeffwrn a Ffynnongrech – safai Ebenezer yn ei siwt
ddu sobor, gyda phatsys o damprwydd a llwydni wedi creu
ynysoedd gwyrdd golau a glas ysgafn ar gefn y siaced ac
ar hyd y llewys, ac am y tro cyntaf ers blynyddoedd lawer
siafodd ei farf. Neu, yn hytrach torrodd ei farf â chyllell,
am fod y blew yn rhy drwchus a budr i'w siafo. Dim ond
ar ôl dechrau teimlo croen ei foch y gallai ddefnyddio raser
go iawn. Aeth ymhellach na hynny – cribodd ei wallt –
ond oherwydd ei fod wedi defnyddio llond dwrn o frigau
bach, am nad oedd ganddo frws pwrpasol, edrychai ei
wallt ar ôl cwpla fel petai wedi cael ei dynnu drwy'r clawdd.
Eto, roedd sglein ar ei sgidiau dydd Sul – er mai dydd
Iau oedd hi. Nid bod Ebenezer yn gwybod hynny, gan ei
fod yn mesur amser yn ôl y tymhorau, fel un oedd yn
darllen almanac cefn gwlad – y blagur a'r arwyddion nythu,
dyfodiad y ffwng neu ddiflaniad y gwenoliaid – ond roedd
'na bwrpas yn ei gerddediad wrth iddo ymlwybro tua'r
pentref.

Synnwyd y Parchedig Gwylfa Roberts wrth weld
Ebenezer yn sefyll ar stepen ei ddrws, gan nad oedd
wedi tywyllu drws y capel ond unwaith erioed, a hynny
pan laddwyd Joe Morgan mewn damwain yn ffowndri
Llangennech. Fe'i claddwyd gyda chôr y gwaith yn llenwi'r
lle â'u canu disgybledig.

'Mr Ebenezer. Dewch mewn, dewch mewn. Ga i gymryd eich cot?'

Gwrthodwyd hynny gan yr edrychiad o oerni a belydrai o lygaid y ciper, a oedd yma ar fusnes yn unig.

'Eisteddwch, felly. Gymerwch chi baned?'

Daeth sŵn o lwnc Ebenezer, fel petai'n clirio annwyd. Estynnodd ei fraich i gyfeiriad y ford.

'Steddwch i lawr, Mr Ebenezer.' Diflannodd Gwylfa Roberts i nôl tegell i'w osod ar ganol y tân. Bu'r munudau hynny'n bwysig er mwyn iddo hel ei feddyliau. Pam fyddai'r dyn mileinig, creulon yma'n dod i'w weld? Cyffes? Dim ffiars. Doedd edifeirwch ddim yn byw yn yr un cae, yn yr un sir, ag Ebenezer.

'Nawr 'te. Sut alla i'ch helpu chi, Mr Ebenezer?' gofynnodd ar ôl dychwelyd.

Estynnodd y ciper ei law bwerus i boced ei got, a oedd wedi'i lliwio'n farŵn gan hen waed cwningod. Defnyddiai'r got ar gyfer rowndio'r trapiau os oedd ei ddillad eraill yn rhy wlyb ac yn dal i sychu o flaen y tân.

Tynnodd allan ddarn o bapur dyddiol, ond wrth i'r gweinidog edrych ar y ddwy ochr ni allai weld arwyddocâd i'r naill na'r llall. Roedd yno hanner hysbyseb ar gyfer moddion Hactos, a cholofn yn sôn am injan newydd a brynwyd ar gyfer pwll glo newydd ar bwys Pont-iets.

'Dwi ddim yn deall, Mr Ebenezer.'

'Alla i ddim . . .'

'Allwch chi ddim beth?'

Ond hyd yn oed wrth iddo ofyn y cwestiwn, deallodd Gwylfa Roberts beth oedd yr ateb. Doedd Ebenezer ddim yn medru darllen.

'Eisiau dysgu darllen y'ch chi?'

'Ie.' Llais o fetel poeth tawdd canol y ddaear, yn ffrwtian 'da gwres neu dymer.

Dyma bicil! Dyma sefyllfa foesol anodd os buodd un erioed! Deuai Mr Ebenezer o ochr dywyll bywyd. Roedd yn ddyn drwg, heb os, ac roedd 'na ddigonedd o blant y pentre ac arnynt fwy o angen help i ddysgu darllen na'r gŵr budr yma, gyda'i ddillad yn aroglu o hen gachu, sawr marwolaeth a phoen anifeiliaid. Ond cofiai'r pregethwr hanes y Samariad trugarog, a doedd dim modd iddo ddianc rhag rhagluniaeth y stori honno. Heb sôn am y ffaith ei fod yn pregethu goddefgarwch a maddeuant bob yn ail ddydd Sul.

'Galla i eich helpu chi, wrth gwrs. Dewch yma ar ôl cwrdd nos Sul nesa. Mi wna i fy ngorau.'

Lledaenodd tawelwch drwy'r ystafell. Nid oedd Ebenezer yn ddyn am siarad wast, yn bendant. Ond ni symudodd chwaith, ei got yn stemio yn y gwres o'r grât.

'Darllen, ife? Peth da. Er mwyn darllen y Gair? Ga i ofyn beth yw'ch cymhelliad dros wneud hyn, Mr Ebenezer?'

Ond wrth i'r gweinidog yngan y geiriau, sylweddolai na fyddai Ebenezer yn eu deall.

Yn yr un modd, ni fyddai'r Parchedig Gwylfa Roberts, Pisgah, yn medru deall cymhelliad y dyn yma, gwas y Diafol ei hun, gan ei fod yn dymuno dysgu darllen am un rheswm yn unig. Er mwyn sgrifennu ei enw newydd. Satan Penhewl. A dod i ddeall yr hyn roedd Gwydion yn ei ddeall. Mae gelyn da yn astudio'i wrthwynebydd yn drwyadl, ac yna'n dal dial yn drwyadl. Oherwydd yr hyn roedd Gwydion wedi gwneud i'w fab, Defi – Defi Reiat fel roedd pawb yn ei alw.

Bob nos Sul, whap wedi'r cwrdd, byddai Ebenezer yn curo ar ddrws y Parchedig Gwylfa Roberts ac yn mynd yn syth at ei gadair i ddechrau'r gwaith. Yn ystod yr wythnosau cyntaf, bu Roberts yn defnyddio'r Ysgrythur fel testun i'w astudio, ond erbyn iddynt gyrraedd chwarter y ffordd drwy lyfr Genesis roedd yn amlwg ei fod wedi dechrau gyda deunydd oedd yn llawer, llawer rhy gymhleth ac anodd i Ebenezer. Ni chlywodd ddarllen y Beibl erioed, ac roedd ei chwaer yn melltithio'r llyfr fel stori dylwyth teg i bobl dwp. Y math o feirniadaeth y basech yn disgwyl ei chlywed o enau gwrach honedig.

Nid yn aml mae rhywun yn dechrau dysgu darllen oherwydd malais, ond dyna oedd yn gyrru Ebenezer wrth iddo ddechrau poeri'r geiriau mas. Roedd Gwydion wedi gwneud i Defi Reiat, bastard-fab Ebenezer, golli parch a hunan-barch yn yr ysgol. Er na wyddai Defi ei fod yn gynnyrch trais, ar ôl i'r Satan lleol hwn ymosod ar ei fam, Angharad, teimlai ambell waith fod yna rywun yn gofalu amdano, yn gweithio'i gornel, fel o'n nhw'n dweud.

'A am afal.'

'B am bwrdd.'

'C am cnau.'

Blasai'r geiriau'n sur, fel criafol iddo. Ond roedd yn benderfynol o ddysgu sut i ddarllen, er gwaetha'i ddiffyg addysg llwyr. Yn y nos byddai'n pori drwy hen gopïau o *Amateur Gardening* y daeth o hyd iddyn nhw mewn sied y tu ôl i dŷ rhywun. Gweithiai'n llafurus o galed i greu synau'r geiriau â'i hen dafod sur.

Synnwyd y gweinidog gan ymroddiad y dyn, neu ei ddycnwch, efallai. O fewn chwe mis roedd yn medru darllen pethau syml ar ei ben ei hun. O fewn naw mis, roedd yn dechrau benthyg llyfrau gan ei athro. Ond ni thyfodd unrhyw gyfeillgarwch rhwng yr athro a'r disgybl, er y byddai'n rhaid i'r gweinidog gyfaddef fod ganddo barch at weithgarwch y dyn rhyfeddol o frwnt yma – mor frwnt, yn wir, nes bod ei ddillad yn medru sefyll lan ar eu pen eu hunain.

'D am diafol.'

'E am erthyliad.'

'F am fwrdwr.'

'Ff am ffwc.'

Aeth yr ymweliadau hyn ymlaen am sbel, nes bod Ebenezer yn medru darllen bron cystal â'r gweinidog. Ac yna, un wythnos, fe stopiodd ddod. Heb air o ddiolch, roedd y ciper wedi dysgu sut i ddarllen. Roedd yn barod ar gyfer cam nesaf ei gynllun dieflig, ei gynllun rhyfedd i ddial ar Gwydion. Nawr, byddai'n dechrau ar flynyddoedd o ddarllen yn ei gaban, bron nes y gallech alw'r hen gipar yn ysgolhaig annibynnol.

Synnai'r pentrefwyr wrth ei weld yn cartio llyfrau'n ôl a blaen; synnent fwy fyth ei fod yn fodlon cyfnewid petrisen am lyfr gan Kant, neu sgwarnog am gyfrol ar hanes Tahiti. Ond ni feiddiai neb ofyn yr un cwestiwn iddo am yr holl ddarllen, gan gofio beth ddigwyddodd i'r dyn diwethaf wnaeth ofyn cwestiwn iddo. Ni allai Trefor Blaen-serth droi ei wddf fwy na modfedd i'r chwith ar yr ôl yr ergyd gafodd e gan Ebenezer – a hynny jest am ofyn yn gwrtais ble roedd e'n mynd, pan oedd y ciper yn cerdded 'da'i gŵn lan yr hewl oedd yn arwain tua Blaen-serth.

Dyddiau da adara

*E*R BOD FFRINDIAU'N bwysig i Gwydion, roedd bod ar ei ben ei hun yn bwysig iddo hefyd. Doedd dim yn well ganddo na mynd allan i'r aber, i gynefin y chwiwell a'r gylfinir, i'r erwau o wair isel ac aer di-ben-draw. Tra oedd yn edrych am adar, byddai'n ceisio gwagio'i feddwl o'r holl straeon a oedd yn bygwth llenwi'i ben hyd at ffrwydro – y nadroedd naratif.

Yn sicr, bachan yr aberoedd oedd Gwydion; roedd wrth ei fodd yng nghanol gaeaf yn lapio'i got yn dynn amdano, gan wrando ar chwibanu clochdarus y chwiwell, a syllu'n dawel ar haid nerfus allan ar y morfa heli. Uwchben, lledaenai'r nen yn llachar las, a lliwiau ysgafn yr hwyaid i'w gweld yn glir ac yn gymhleth. Dacw nhw, yn pori'n baranöig, eu gyddfau'n ymestyn yn uchel cyn codi. Wrth iddynt droi a bancio, byddai'r fflachiadau o wyn ar eu hadenydd yn edrych fel neges annisgwyl. Dyma ni! Edrychwch pa mor dda y'n ni'n medru hedfan!

Gallai Gwydion deimlo'n hapus bron hyd at epiffani wrth droedio lle tyfai'r glwyddyn cyffredin, gyda'i ddail llwydion yn cymysgu â phorffor lafant y môr a glaswelltydd eraill – y mathau o wair llwydwyrdd, tÿff ac isel fyddai'n brwydro i dyfu ar ehangder y morfa. Yma mae'r mwd yn edrych fel petai'n mudferwi wrth i grancod bach, neu ryw greaduriaid tebyg, anfon aer mewn cyfres o swigod i'r wyneb. Anodd oedd credu bod anifeiliaid yn medru anadlu yn y slwj brown yma, ond dyna ni – roedd Gwydion wedi darllen Darwin a'i Ddarwiniaeth, oedd yn dangos sut mae creaduriaid yn addasu i fyw bron yn unrhyw le, hyd yn oed yng nghanol llosgfynyddoedd, neu yng ngwaelodion dyfna'r môr. Fel rhych Mariana. Gallech gladdu Eferest fan 'nny.

Wrth iddo ddilyn y sianelau bychain, ffrwydrodd gïach allan o glwmp o hesg, yn sig-sagio'n ffrwydrol bron o dan ei draed, ei big hir fel coesyn cebáb. Aeth Gwydion ymlaen tua'r de, tuag at fur o goed sitka, i dywyllwch a thawelwch arallfydol y planhigfeydd pin. Lle da i chwilio am ffwng, hyd yn oed ar hirddydd haf. Roedd ganddo lyfr newydd am ffwng, ac roedd yn ysu am gael dechrau enwi'r byd hwn, byd y lleithder a'r pydru. Treuliodd orig yn gwneud hynny, gan nodi enwau hynod anghyfarwydd yn ei lyfr nodiadau, a blasu'r enwau ar flaen ei dafod. Ffwng bachog. Caws llyffant. Pastwn y coed. Heb sôn am yr enwau Lladin oedd yn llond ceg – hyd yn oed i'r Rhufeiniaid, fe dybiai.

Roedd gadael y goedwig fel cyfnewid tymor, y golau'n dallu braidd, y twyni tywod yn codi'n fanc amddiffynnol rhag y môr, a hesg môr a'i wreiddiau dyfnion yn help i lynu'r mur at ei gilydd, er gwaetha chwip y gwynt a'r tonnau fyddai'n ymosod ar y tir os digwyddai'r llanw fod yn uchel. Gwyddai Gwydion fod y môr wastad yn ceisio meddiannu'r tir mawr, i rythm y metronôm beunyddiol. Ton ar ôl ton, ton ar ôl ton.

Oedd, roedd hwn yn lle gwych i grwydro, pob pant yn y twyni'n gynefin da ynddo'i hun, a'r tegeirianau'n niferus ac amrywiol yn yr haf. Cofiai un diwrnod weld cannoedd o degeirianau gwenyn, a'r awel fwyn yn ysgwyd y petalau; dyma weld haid rithiol o wenyn, yn drwm â phaill, ar eu ffordd adref i'r ogofâu cwyr, i dalu teyrnged i'w brenhines. Ac yna, wrth i'r awel ostwng, y blodau'n dod i'r golwg unwaith yn rhagor, a'r rheini'n flodau perffaith.

Ceisiodd Gwydion dorri drwy lwyn o rafnwydd y môr, ond roedd y tyfiant estron, gyda'i ddrain pigog, yn drech nag e, felly dilynodd y llwybr cadno rownd y cefn i fynd yn agosach atynt. Mwy o degeirianau! Gogoniant ohonynt!

Tu hwnt i'r twyni lledaenai'r môr o'i flaen. Gwelai haid enfawr o adar yn y dŵr, y fôr-hwyaden ddu yn bwydo yng nghanol y tonnau gwylltion fel cyrcs bach yn y draethellfor. Am gynefin anodd!

Oherwydd ei fod yn dod yma'n gyson, gwyddai Gwydion fod y sbectacl yn newid yn gyson.

Gwelodd huganod o Gwales yma un tro wedi dod i bysgota – eu cyrff llacharwyn a'u hadenydd chwe throedfedd yn troi'n waywffyn wrth iddynt blymio i'r heli. Unwaith, synnodd o weld bod y traeth wedi'i orchuddio gan sglefrod, yn eu miliynau – ac un tro roedd bwndel o ganabis wedi'i olchi i fynu a'r heddlu a gwylwyr y glannau yn brysur yn chwilio am ragor. Un gaeaf, daeth cargo sylweddol o eli haul i'r lan, a'r poteli oren plastig yn ffurfio rhimyn lliwgar i'r traeth, gan ymuno â sgerbydau'r llongddrylliadau ar hyd y tywod i'w hatgoffa am berygl y darn hwn o'r arfordir.

Trodd yn ôl o'r fan hon, gan grensian ei ffordd dros y graean ar Drwyn Tywyn. Cyfle i fwynhau'r aber eto. Roedd y llanw wedi newid. Roedd e wastad yn newid – roedd hynny'n rhan o'r atyniad. Dyna pam roedd Gwydion yn caru'r lle cymaint. Hwnna, ac adenydd yr hebog tramor yn troi'n gryman uwchben. A chri arallfydol y rhegen ddŵr yn llechwra rywle yng nghanol y brwyn. Y garan anhygoel yn amlwg yn nŵr y sianelau. Fflwch o wylanod yn codi o'r penrhynnau tywodlyd. A'r machlud yn pincio'r cymylau tu draw i Sir Benfro wrth i gymalau coesau Gwydion ddechrau cwyno ar ôl yr holl gerdded.

Erbyn hyn roedd yr afon fel neidr ariangoch, anaconda'r haul; teimlai Gwydion fod bywyd yn dda, wrth i lonyddwch setlo fel mantell lwyd dros y morfa heli a'i fywydau dirifedi: y plancton a'r pibyddion, y cregyn gleision yn ffiltro dŵr, y cornchwiglod yn setlo yn eu clwydfan, y malwod yn dringo'r hesg yn dawel, wrth i'r haul lithro i ebargofiant dros dyrrau castell Cydweli, a thros y maes carafannau yn San Ishmael, ac arian yr afon yn troi'n llwyd yn raddol, lliw piwtar i ddechrau, cyn troi'n ddu eto, a dechrau rhedeg fel inc drwy'r tywyllwch.

Erbyn hynny roedd Gwydion hanner ffordd adre, yn barod am ei wely, ei goesau'n troi olwynion y beic dipyn yn arafach nag oedden nhw y bore hwnnw. Gwelodd lawer o bethau anhygoel o bert, fel y gwelai bob tro ar yr aber – y lle cyfoethog, y trysorle hwnnw.

O fis i fis, o dymor i dymor, rhyfeddai Gwydion at y digwyddiadau yn ei fyd, y symudiadau drwy fyd natur oedd yn cysylltu ei iard gefen â gweddill y byd, yr arwyddion bychan, ambell waith mor fychan â thelor bach yn nodwydda yn y berllan, neu wib y wennol yn dangos bod y gwanwyn wedi dod i dwymo a ffrwythloni'r tir, ac ysgogi'r pryfed i ddawnsio.

Dydd y rhyfeddodau mwyaf oedd hwnnw pan chwythodd y gwynt y toeau oddi ar ddau o dai y pentref – gwynt a hyrddiodd ei hun ar draws de Cymru bythefnos ar ôl cael ei eni reit yng nghanol llygad chwyrlïog corwynt Jezebel, reit mas, ymhell yng nghanol unigeddau lliw *chartreuse* yr Iwerydd. Sbiniodd yn wyllt, yn un fortecs o chwâl a dinistr, gan ddifa planhigfeydd yn Jamaica i'r gorllewin o'i darddle, a thynnu llanast i ynysoedd llai y Caribî, cyn troi fel top tua'r gogledd. Yno, parodd i bobl Louisiana ymbil ar eu Duw, mewn mil a mwy o eglwysi carismataidd pren gwyn, i wneud yn siŵr bod y *levee* yn saff. Ond i'r dwyrain, yng Nghymru, wrth i'r corwynt dewi ychydig a chwilio am dir, er mwyn cael rhywbeth i'w chwythu'n rhacs, ac ef ei hunan gyda fe, dyma'r gwynt yn newid, yn cyflymu, yn cyrraedd can milltir yr awr a mwy – yn chwythu yn ei flaen, yn mynnu a smasio a thynnu coed sycamorwydd lan wrth eu gwreiddiau a gwneud i'r cloddiau ddawnsio'n wyllt.

O glywed rhu y gwynt, byddai rhai o drigolion y pentref wedi aros yn eu gwlâu, neu fynd i guddio mewn ryw selar nes bod yr hunllefwynt yn tewi, ond gwyddai Gwydion beth allai ddigwydd mas yn y môr, a beth allai ddod i'r lan. Felly gwisgodd ddillad twym, gan ddilyn cyngor ei fam yn hynny o beth, er iddo ddiystyru'n llwyr ei gorchymyn i 'beidio mentro mas i ganol y dymestl wyllt'. Bant â fe, felly, a'r gwynt yn plygu'i gorff wrth iddo frwydro i gyrraedd glan y môr i weld beth oedd yno. Byddai adar prin yno, siŵr o fod! Eisoes gwelsai un pedr drycin ac un wylan Sabine.

Daeth pethau eraill i mewn ar y llanw hefyd, ond pan aeth Gwydion gartre i ddweud wrth ei rieni beth oedd e wedi'i weld, prin y gallent ei gredu.

'Sshhh! Paid â'u palu nhw, Gwydion. Mae 'na wahaniaeth rhwng creu straeon a rhaffu celwyddau,' dywedodd Macs, ei ben yn y *Carmarthen Journal*, yn darllen am brisiau heffrod yn y mart.

A doedd dim gwerth ceisio perswadio'i fam i wrando arno'n disgrifio beth yn union ddaeth i mewn ar y llanw.

Am y cyrff a olchwyd i'r lan, hyd at dri chant o forwyr wedi eu boddi, fel tase llongddrylliad enfawr wedi digwydd mas yn y bae. Ond nid rhywbeth diweddar oedd hyn, o edrych ar ddillad y dynion yma, achos roedden nhw'n drychid yn hen iawn, o ganrif arall.

Crensiodd Gwydion ei ffordd ar draws y banciau graean ar lan y môr er mwyn edrych yn agosach ar y morwyr marw gyda'u gwisgoedd gwlyb a'u hwynebau llwydaidd. Ar wyneb ambell un roedd marciau lle bu'r gwylanod cefnddu mwyaf yn tyllu'r llygaid â'u pigau pwerus. Ac ar bron bob un roedd stribedi o halen wedi sychu – streipiau fel sebra ar ambell un, a stribedi o wymon sych yn glynu i'w gwallt. Ar ewinedd y meirw tyfai cregyn llong, botymau newydd o lygaid meheryn ar eu cotiau, a chwrel a sbwng yn glynu fel gele at benglogau'r trueiniaid.

Wrth i Gwydion chwilio am ragor o gliwiau ar y cyrff, mentrodd ddigon agos at un ohonyn nhw i weld bod ganddo ddannedd aur, a llythrennau wedi'u hysgythru ar bob un. Gwelodd taw 'D' oedd un ohonynt ond wrth iddo geisio darllen beth oedd ar y rhes uchaf o ddannedd, agorodd y dyn ei lygaid. Llygaid fel bylbiau shibwns. Llygaid dall. Llygaid marw. Bu bron i Gwydion neidio allan o'i groen, yn enwedig wrth i'r dyn godi ar ei draed yn sigledig, bron yr un pryd â'r boddedig rai eraill. Hanner cant o ddynion, cant o ddynion, dau gant neu fwy ohonyn nhw, yn sefyll lan ar y traeth ac yna'n cerdded yn llafurus i gyfeiriad y twyni tywod. Ac ymlaen . . .

Ni allai Gwydion wneud dim ond edrych arnyn nhw'n

syn, lleng golledig yn cerdded yn araf, gam wrth gam, fel diogynod i gyfeiriad Burry Port.

Gan nad oedd neb am wrando beth oedd gan Gwydion i'w ddweud am yr hyn a olchwyd i'r lan ar ddiwrnod y storom, cadwodd y peth yn gyfrinach, fel y dwblŵn ffindodd e ar y traeth ar ôl i'r dynion fynd. Arian prin fel atgof.

Dair wythnos yn ddiweddarach, aeth Gwydion i brynu ffish a tsips yn Romy's yn Burry Port, ac roedd dyn newydd yn gweithio yno, dyn a chanddo wynepryd llwydaidd iawn. Wrth gynnig papur decpunt iddo i dalu am y pryd, sylwodd Gwydion fod darn hir o wymon y tu ôl i'w glust. Pan ddiolchodd i'r dyn am y penfras, ni ddywedodd hwnnw yr un gair. Dim hyd yn oed cydnabod presenoldeb Gwydion â'i lygaid hallt.

Gwyrdd-iâ'r gogledd

Even though there is no evidence that Gwydion McGideon visited either of the polar regions, references to frozen wastelands recur throughout his work. Kafka said 'Literature must be an axe for the frozen sea within': in McGideon's case the frozen sea became literature. His story 'Northern Ice' offers ample evidence of his utter fascination with Arctic climes.

Jeremy Kruger, *McGideon's Bible: the Complete Guide to the Work of Gwydion McGideon*

*B*YDDAI GWYDION yn aml yn gofyn iddo'i hun ai melltith ynteu bendith oedd ei allu i adrodd straeon, a'r ffaith fod ei ddychymyg ar dân mor gyson. Oedd y byd go iawn yn rhy ddi-ddim iddo, tybed? Oedd e'n teimlo'n siomedig ynghylch y byd hwnnw a'i bethau, yn teimlo bod angen ymladd yn erbyn yr hyn oedd yn amlwg ynglŷn â bywyd beunyddiol, y dyddiau'n batrwm o ddim lot yn digwydd? Gallai weld y ffordd roedd pobl eraill yn dibynnu ar ei gilydd: hapusrwydd mewn haid. Byddent wastad angen cyfeillgarwch, neu barti, neu griw o'u cwmpas o fore gwyn tan nos. Pob un ohonyn nhw'n dweud straeon, ond hen bethau dibwrpas oedden nhw – clecs, sôn am wynegon, lladd ar hwn-a-hwn a hon-a-hon. Ond gallai Gwydion fyw fel meudwy yn ei gell petai angen, gyda dim byd mwy na sbarc ei syniadau i'w ddiddanu ef ei hun. A gallai adael unrhyw bryd. Wedi'r cwbl, ef oedd y peilot uwchben Siapan . . .

Ond allai Gwydion ddim stopid dyfeisio straeon. Nadreddai bob plot i'w ben eithaf. Neu clywai ffaith anhygoel, ac yntau'n meddu ar y pŵer i'w throi'n chwedl. Neu, wrth sefyll yn aros am fws, clywai stori fach sydyn a byddai'r cymhelliad i ddilyn ei reddf, o ddilyn trywydd y stori bosib yn mynd yn drech nag e. Mynnai ddilyn y trywydd, mynnai orffen y peth. Dyna oedd y byd iddo ef, mewn gwirionedd – miliynau o straeon i'w canfod a'u gorffen. Ar y newyddion, yn cario fel clecs, yn llyfrau sanctaidd, yn rwtîn comedi, wrth adrodd am ffaeleddau'i fam-yng-nghyfraith, yn sgwrs ben ffôn neu'n hunangofiant ymerawdwr. Ond hyd yn oed mewn byd wedi'i weu o straeon, roedd y cymhelliad, y busnes dweud straeon, yn gwneud i Gwydion sefyll mas, i fod yn wahanol, yn dipyn o ffrîc. Ei stori ef ei hun, ei hunangofiant, oedd un o'r rhai rhyfedda ym marn pobl eraill – rhai oedd yn aml yn genfigennus o'i allu i hoelio sylw torf, neu greu stori hir o ddim byd o gwbl. Gwydion palu clwyddau. Gwydion gwneud pethau lan. Gwydion od. Gwydion odiach. Paid siarad â fe, mae'r athrawon yn licio fe.

Ond roedd y straeon yn gynhaliaeth iddo. Byddai'n gorwedd yn y gwely, ar ôl i bawb arall yn y tŷ fynd i gysgu, yn geni pobl, yn pypeda cymeriadau ac yn creu bydoedd diderfyn a ffres. Ie, bendith, ambell waith. Wrth iddo gwympo i gysgu byddai'n gweld y geiriau'n ffurfio yn ei ben. Un tro . . .

Un tro, yn y Gogledd Pell Iawn, roedd heliwr o'r enw Eqaluk yn dymuno cael anrheg i'w wraig, Anngilik.

Does dim y fath beth â siop fel Nicinacyrs Bopa Lil yn
unigeddau rhew yr Ynys Werdd, er bod dyn o Tseina
wedi troi lan un haf ac agor siop fach syml, yn gwerthu'r
hyn a'r llall – tuniau o eirin gwlanog oedd wedi
gwerthu'n gyflym, yn hedfan oddi ar y silffoedd cerrig,
gyda rhai pobl yn mynd yn gaeth i'r blas – fel petai
heroin yn y sudd – ac yn wylofain y tu allan i'r siop pan
werthwyd y tun 440 gram olaf un.

Felly, yn y lle gwag rhwng trefi bychain Uummannaq
a Sisimiut doedd dim modd i Eqaluk brynu blodau na
phersawr i'w wraig – oni bai bod Anngilik yn dymuno
gwynto fel morlo. Fel mae'n digwydd, gwyddai Eqaluk
y gallai greu persawr eithaf derbyniol yn rhwydd gan
ddefnyddio glandiau morlo, ond roedd yn awyddus
i gael rhywbeth sbesial iddi, oherwydd roedd hi wedi
bod yn sâl, yn diodde o un o'r pethau gwaetha posib, o
ystyried ble roedden nhw'n byw, sef diodde oherwydd yr
oerfel. O edrych arni ambell ddiwrnod, gallech dyngu ei
bod yn diodde o hypothermia er bod ganddi o leiaf ddeg
rhwymyn o ffwr a chroen o'i chwmpas, gan gynnwys
dau groen arth y Gogledd, a'r ewinedd cryfion yn dal i
hongian o'r pawennau dros ysgwyddau'r fenyw.

Roedd Anngilik wedi bod yn teimlo'r oerfel drwy
gydol y gaeaf hir a bu'n crynu am wyth mis cyfan, er
gwaetha'r ffaith eu bod yn cysgu yng nghanol y deg
hysgi. Felly roedd Eqaluk wedi casglu pob croen sbâr
yn y pentref, er mwyn ychwanegu at yr haenau a'i
gorchuddiai. Roedd ei wraig bellach yn cysgu dan naw
croen arth, heb sôn am grwyn caribŵ ac ych mwsg.
Ond roedd hi'n dal i grynu a rhynnu. Bron iddi droi ei

dannedd yn ddwst gyda'r holl grynu a rhynnu! Prin y
gallai Eqaluk gysgu o gwbl wrth wrando arni'n dioddef
yn ei bywyd yn y ffrij. Felly, treuliodd y misoedd o
dywyllwch di-baid yn ofnus ac yn anhapus, a'i wraig
yn teimlo ei bod yn rhewi. Ofnai ei gŵr na fyddai
Anngilik yn gweld y gwanwyn, ac wrth i'r cyflenwad
o goed ddiflannu'n gyflymach nag arfer wrth fwydo'r
tân, bu'n rhaid iddo fegera am ragor o danwydd gan ei
gymdogion.

Y nosweithiau oedd y gwaetha; bryd hynny byddai
ysgyfaint Anngilik yn chwythu fel megin, a hithau'n
brin iawn o anadl. Os âi Eqaluk ati i'w chysuro,
byddai'n gweiddi arno, fel petai'n rhoi braw iddi.
Daeth eirth i sgwlcan y tu allan i'r caban, a doedd gan
Eqaluk mo'r egni i'w dychryn i ffwrdd, er ei fod wedi
paratoi ei wn yn barod. Arferiad newydd oedd hwn: am
flynyddoedd lawer, bu eirth y gogledd yn cadw draw
oddi wrth ddynion, ond bellach roedd rhywbeth wedi
newid, ac roedden nhw'n fwy ewn, yn fwy dewr, neu'n
fwy despret.

Yn y gwanwyn, pan fyddai'r iâ yn dadmer a'r eira'n
cilio, byddai cymdogion Eqaluk ac Anngilik yn dod draw
atynt, a'r pedwar ohonynt yn cymharu straeon am
eirth, sut y byddent yn gwneud i'w cartrefi grynu wrth
whilmentan a dilyn arogleuon. Yr un ddaeth i mewn
drwy'r drws yn cario pysgodyn wedi rhewi, a dianc gan
adael y bwystfil blasus ar ôl. Neu'r hen arth ddall a
ddeuai i gysgu bob nos wrth gefn y tŷ, yn chwyrnu fel
dyn ond yn drewi fel drychiolaeth. Gan bod eirth gan
amla'n anifeiliaid glân, rhaid ei bod yn sâl iawn.

A phan ddaethpwyd o hyd i'r corff roedd 'na alaru mawr, oherwydd bu'n bresenoldeb cyson drwy gydol y misoedd. Byddent yn gweld eisiau yr anadlu ansoniarus, y pŵer oedd yn codi braw arnynt.

Ond cyrhaeddodd y gwanwyn byr o'r diwedd, a dechreuodd Anngilik deimlo'n well. Gwellai gyda phob munud ychwanegol o oleuni, gyda phob gwawr oer, pob llinell fandarin ar y gorwel a gyhoeddai fod diwrnod newydd ar fin deffro. Roedd y cornentydd o ddŵr yn dechrau canu'n deg, y llifeiriant yn cyflymu'n ras, a'r blodau bach fel y crwynllys, y briwion cerrig a'r seithnalen yn serennu ymhlith y mwswg, a'r adar yn dod 'nôl i godi stŵr yn eu nythfeydd yn y corsdiroedd glwyb. Adar fel yr *aavoq*, yr hwyaden fwythblu, fyddai'n dod â lliw a chig a phlu ar gyfer clustogau. Rhodd o aderyn, i bobl yr iâ a'r gwynt.

Gallai Eqaluk fod wedi llefain am fis wrth weld y lliw yn dod yn ôl o'r diwedd i fochau ei wraig, ac roedd clywed ei chwerthiniad yn well na gweld yr *aurora borealis* ar ei orau, yn chwyrlïo'n llacharwyrdd dros yr erwau mwswg a'r coed isel, unig.

Un diwrnod, dywedodd wrth ei wraig ei bod yn bryd iddo fynd i hela, a'i gadael. Credai ei bod hi bellach yn teimlo'n ddigon cryf, ac esboniodd fod angen iddo gasglu bwyd a chrwyn. Gallai weld o'r disgleirdeb yn ei llygaid bod yr amser yn iawn, a'i bod hithau'n fodlon, felly cerddodd Eqaluk i gyfeiriad y dŵr mawr llwyd, y llwybr yn llaid gwlyb dan draed wrth iddo nesáu at raean y traethell agosaf i weld sut siâp oedd ar y *kayak*. Unwaith yn rhagor roedd wedi para'r gaeaf.

Er gwaetha'r rhew ymosodol a thrwch yr eira, ni welai yr un marc ar y cwch bach tenau.

Wrth i Eqaluk glirio'r gorchudd o iâ oedd arno, teimlai bren y cwch bach yn gynnes o dan ei fysedd. Yn y pellter gwelai smotyn bach, y smotyn bach lleia yn yr awyr. Aderyn, efallai, eryr hyd yn oed, yn astudio'r tirlun o bell, bell i ffwrdd. A dyna pryd y daeth y syniad, yr epiffani yn yr Arctig . . .

Byddai'n cael cigfran i'w wraig fel anrheg hwyr, a'i ddysgu sut i siarad, yn union fel yr anrheg a roddodd ei fam-gu i'w dad-cu oes blaidd yn ôl. Bryd hynny, roedd yr eira'n dewach ac yn fwy trwchus, a'r eogiaid ar li yn fwy niferus, a mwy o blant yn y pentrefi, a neb yn yfed eu hunain i farwolaeth oherwydd Iselder y Dyn Gwyn, a'r pentrefi eu hunain yn fwy bywiog. Roedd hyn cyn i'r llwydni setlo ar y tirlun, a llai o wyddau'n dod 'nôl bob blwyddyn i nythu, a'r iâ yn toddi, a'r sychder yn gwasgu sbwng y corsdir yn sych. Oedd, roedd 'na rywbeth yn digwydd. Yn y brifysgol yn Nuuq, efallai y gallai un o'r ysgolheigion cynhenid esbonio'r peth. Ond am y tro, roedd Eqaluk â'i fryd ar fynd i chwilio am gyw-brân. I'r mynyddoedd â fe, ar ôl ffarwelio â'i wraig drwy rhoi cusan sydyn iddi, ynghyd â thair sgwarnog yr Arctig wedi bore o hela effeithiol. Cafodd wên fel tawdd eira ganddi wrth iddi ffarwelio ag ef – rhywbeth i'w gadw'n gynnes yn yr unigeddau.

Codai'r tir yn rhychau, fel to sinc yn sgleinio yn y golau gwanllyd, draw tua Nuussuaq a Disko Bugt, y mynyddoedd urddasol oedd yn wyngalchog dan garthen drom o eira. Gwelodd Eqaluk dipyn o gomosiwn ger nant fach wrth i nifer fawr o gigfrain loddesta ar garibŵ marw. Roedd eu newyn yn eu gwneud yn ystyfnig, yn gwrthod hedfan i ffwrdd. Hyd yn oed pan ddaeth Eqaluk a'r cŵn o fewn ugain llath iddynt, pigai'r adar gwallgo fel bwyelli drwy groen trwchus yr anifail, a diferion gwaed yn tasgu i'r awyr fel distyll y don. Ond pan oedd Eqaluk bron o fewn hyd adain i'r aderyn agosa ato, ffrwydrodd yr haid i'r awyr gan hedfan yn bwrpasol i bob cyfeiriad, yn ofnus o'r diwedd.

Aeth yn ei flaen, a'r cŵn yn tynnu'r car llusg gydag arddeliad – buont yn gaeth yn y sgubor yn rhy hir ac roedd rhedeg, rhedeg, rhedeg yn eu gwaed, er bod cysgu'n drwm a gaeafgysgu yn eu natur hefyd. Cysgu, dyna fyddai trefn yr hysgi am wyth mis o'r flwyddyn.

Wrth symud yn ei flaen dros y tir anodd, adroddai Eqaluk hen, hen straeon wrtho'i hun, a thyfai ambell stori fel un o'r coed draenen ddu arthritig a lwyddai i dyfu yn wyneb yr elfennau yn y wlad greigiog hon. Gan amlaf byddai'n amlinellu hanes am hen wreigan, hen fam-gu neu *aana*, oedd yn byw ar gyrion tre yn gofalu am ŵyr neu wyres oedd wedi'i amddifadu. Wrth iddo arwain y cŵn, neu efallai ddilyn y cŵn, cofiodd Eqaluk y stori am sut y daeth y dyn-cigfran i'r byd, a rhythm coesau'r cŵn, a 'shish' y car llusg dros y todd-iâ'n mynd trwy'i ben fel symudiad gwaed trwy ei gorff. Cofiai'r stori a adroddai ei *aana* ei hun, stori am *aana* arall oedd yn gyfarwydd â hud a lledrith. Roedd yr *aana* yma'n byw ar ei phen ei hun, ymhell yn ôl yn oes y tywyllwch diddiwedd, pan oedd yr haul ar ffo a'r lleuad wastad yn llechwra.

Yr hysgis yn tynnu'r stori yn ei blaen, eu pawennau'n tanlinellu hanfodion yr hanes. *Beth nesa? Beth nesa? Fe'th dynnwn di mor bell â'r gorwel, gei di weld. Ry'n ni'n teimlo'n gryf, yn teimlo'n heini. Gallwn dy dynnu i'r gorwel, siŵr iawn.*

Bryd hynny, yn Oes y Tywyllwch Mawr, doedd neb yn gwybod pwy oedd pwy, anifeiliaid fel dynion, dynion fel anifeiliaid, popeth wyneb i waered fel tase pobl yn cerdded ar eu pennau. Ble oedd y dydd? I ble roedd y golau'n cilio? O dan y dŵr? Pam y fagddu o dymor i dymor? Doedd eu hoffrymau i dduwiau'r gwynt ddim wedi plesio? Pam bod yr eira'n ddu?

Roedd yr eira'n ddu oherwydd prinder golau. Absenoldeb golau, wedi'r cwbl, yw'r tywyllwch.

Roedd rhywun wedi dwyn yr haul heb ddweud wrth neb.

Roedd y cartrefi'n ddu oherwydd diffyg olew morlo. Du oedd popeth, a doedd dim dianc rhagddo.

Mae amser wedi cael ei lyncu gan forfil. Dyna i chi bryd bwyd! Bwyta amser yn ei gyfanrwydd!

Llyncwyd y morfil gan Lefiathan a aeth i waelod y môr i hela, a dyw e ddim wedi dod 'nôl.

Wrth geisio deall dywediadau a hanesion o'r fath, eisteddai'r hen fenyw yn ei higlw, ar y fainc lle byddai'n cysgu gyda'r hwyr – nid bod modd dweud y gwahaniaeth rhwng dechrau dydd a diwedd nos. Yng nghornel yr iglw dychmygai ei ŵyr yn cysgu'n dawel, ac yn mynd yn raddol ddall, oherwydd nid oedd unrhyw beth i'w weld, ac oherwydd hynny doedd dim pwrpas i'w lygaid. Clywai ei rochian tawel wrth iddo freuddwydio

am nofio yng nghanol gwymon, y rhubanau'n cyffwrdd
â'i goesau mewn ffordd oedd yn ymylu ar y rhywiol.

Ie, hon oedd y stori, meddyliodd Eqaluk, y stori
a garai pan oedd yn fachgen bach. Ymlaen â ni,
gŵn ffyddlon, llusgwch ni ymlaen at ddannedd y
mynyddoedd.

*Mor bell â'r gorwel, meistr, a thu hwnt. Ry'n ni'n
tynnu a thynnu, gorau gallwn ni.*

I ymladd newyn byddai pobl yn bwyta braster morlo
wedi'i losgi, y blas olew yn sur ac yn ddu. Wedi'u gwisgo
mewn parcas o groen adar, eisteddai rhai trigolion
gan wneud dim byd mwy na disgwyl am y wawr, ond
ni ddaeth y wawr, oherwydd bod y düwch yn ymladd
y goleuni ac yn ei drechu'n feunyddiol. Doedd dim lle i
ronyn o olau, dim pan oedd y dydd yn nos.

Ond roedd yr hen fenyw yn cnoi wrth feddwl, wrth
geisio datrys y dirgelion du o'i chwmpas, yn cnoi'r olew
brwnt; roedd darnau ohono fel corc du, ond trodd yn
wyn rhwng ei dannedd cam.

Ac un diwrnod daeth y golau'n ôl, ac i ddathlu creodd
yr hen fenyw ddyn allan o *puiya*. Rhoddodd iddo big yng
nghanol ei dalcen, pig fel bwyell, fel pigas; pig cigfran,
ontefe? Yna gorchmynnodd iddo sefyll ar y fainc gysgu,
ond ni symudodd o gwbl. Yna aeth hi i gysgu. Erbyn iddi
ddihuno roedd y dyn wedi hen fynd. Edrychodd yr *aama*
o gwmpas, a gweld gŵr ifanc yn cysgu ar lawr, a phig
trawiadol a newydd ar ei dalcen. Gofynnodd iddo o ble
roedd wedi dod.

Nid atebodd. Yna enwodd yr hen fenyw bob man oedd
hi'n ei adnabod. Oedd e'n dod o Attamik? Nac oedd,

dim o Attamik na Kuummit na Saattut. O Ikerasak? Na, dim o Ikerasak, na Nuussuaq na Paamiut. Siglodd ei ben, a'i big yr un pryd wrth gwrs. Ond yna cofiodd yr hen fenyw taw hi oedd wedi gwneud y big ar ei dalcen, gan ddweud 'ti yw *puiya*, fy ŵyr', ac atebodd ie, drwy nodio'i big tuag ati.

A dyna sut y creuwyd Tulunigraq, y Gigfran. Yr un sy'n medru hollti craig â'i big.

A'r fenyw a'i creodd oedd y shaman gyntaf . . . Ymlaen, gŵn ffyddlon, ry'n ni bron yno, bron ar ddiwedd y stori.

Ac mae hi wastad wedi byw yma, yr hen fenyw 'na, a bydd hi'n byw yma am byth – er nad oes neb yn ei gweld.

Ac unwaith y dysgodd yr aderyn sut i hedfan, a hedfan yn bell, roedd angen cymar arno, felly aeth Cigfran i chwilio amdani, yr *uiluaqtaq*, y fenyw nad yw am briodi. Hedfanodd yn bell, gan chwilio'n ddyfal. Dros bob mynydd, dros bob llyn, gan ddilyn pob afon bosib.

Dacw'r gorwel, meistr. Gallwn gyrraedd fan'na mewn diwrnod.

'Ymlaen, gŵn ffyddlon, mae'r stori arall ar ben. Dim ond ein stori ni sydd i'w chwpla nawr. Gallwn wneud hynny trwy ddod o hyd i nyth cigfran a chymeryd cyw allan ohono, neu efallai ddau i fod yn saff. Rhain fydd ein hanrhegion.'

Mae e'n siarad â'i hunan yn aml y dyddiau 'ma. Y straen yn ormod iddo, efallai.

Mor hawdd oedd gweld y nyth oherwydd y cachu gwyn a staeniai'r clogwyni oddi tano. Nyth mewn man anghysbell, ac yntau heb raff nac unrhyw offer dringo ar wahân i'w freichiau cyhyrog a'i goesau cryf. Lan â fe, ei sach dros ei ysgwydd, yr oerfel yn fflangellu croen ei wyneb. Yn yr awyr, hedfanai pâr o gigfrain yn grac ond yn ofni ymosodiad y dyn. O'r diwedd, llwyddodd – er gwaetha'u protestiadau – i gyrraedd y nyth a chymryd dau gyw, bwndeli plu anniben fel pyncs, a'u gosod yn dwt yn y sach. Plannodd y sach dan ei gesail wrth iddo fynd lawr, y cŵn yn edrych lan ar eu meistr yn disgyn fel hedyn oddi ar y graig serth, soled.

Ar ôl diwrnod arall o deithio, roedd Eqaluk o fewn cyrraedd i'w gartre, ond roedd yn rhaid iddo drefnu bod yr adar yn siarad cyn eu rhoi'n anrheg i'w wraig. Felly dechreuodd roi gwersi i'r cywion ar unwaith a gadael i hen fenyw oedd yn byw mewn pentref cyfagos gwblhau'r hyfforddiant. Cymerodd dair wythnos i wneud hynny. Roedd y cyw cryfa yn tyfu'n dda, yn ymdebygu i gigfran ac yn crawcian yn uchel. Bu farw'r ail gyw, yn ôl trefn arferol natur. Ond dysgodd yr hen fenyw bob math o bethau i'r cyw oedd yn weddill, oherwydd roedd hi'n amyneddgar ac roedd hi wedi gwneud hyn unwaith o'r blaen. Felly dyma'r aderyn yn dysgu dweud pethau defnyddiol. *Nano-q savim-mi-nik kapi-vaa.* Lladdodd y dyn yr arth â chyllell. A geiriau'n dod o'r gair tafod, sef *oqar. Oqarpoq* – dweud. *Oqaaseq* – gair. *Oqaluppoq* – dweud. *Oqaasilerisoq* – ieithydd. *Oaaasilerissutit* – gramadeg. *Oaaluttualiortoq* – awdur. *Oqaatiginerluppaa* – yn dweud pethau drwg amdano.

Hwn oedd yr aderyn mwyaf hyddysg a'r mwyaf rhyfeddol yn y Gogledd i gyd – os nad yn y byd. Byddai clywed y frân yma'n gwneud synau cymhleth yn syfrdanu unrhyw un. Triwch chi ddweud *oqarpog* drwy big, gan ddychmygu ynganu'r gair heb dafod. Ni soniodd Eqaluk air wrth ei wraig am yr aderyn nes ei fod yn rhugl. Rhugl!

Daeth y dydd pan gyflwynwyd yr aderyn afieithus i'w feistres newydd. Doedd ei gŵr ddim wedi ei gweld hi'n gwenu am fisoedd, ac roedd yn awchu cael ei gweld hi'n gwneud eto.

Wrth nesáu at y pentref ar ôl y trip hela diweddara, canai Eqaluk gân fach syml iddo'i hun. Ar gefn y sled roedd pentwr o gyrff ar ôl cyfnod llwyddianus o hela. Gwyddai y byddai cig yr ychen, wedi'i halltu, yn eu cynnal drwy gydol y gaeaf nesa, heb sôn am y pysgod y byddai'n eu dal yn ystod yr haf. Honciai gwyddau ar lynnoedd bychain y corsdir llydan a ymestynnai fel ffedog werdd wrth droed y mynydd. Gwelodd Eqaluk lwynog, ei got wen heb fod yn guddliw effeithiol bellach wrth i'r tirlun ddadmer, wrth i'r tyfiannau bach styfnig dorri drwy'r rhew, gweddillion yr eira'n toddi. Ar y creigiau ar lan y môr roedd yr adar yn gacoffoni, eu nerfuswydd o fod ar y tir mawr yn ymladd yn erbyn yr ysfa, y reddf ysol, i gymharu a nythu. Safai'r gwylogiaid megis pengwiniaid ar silffoedd culion ar y graig, ac roedd y pedryn niferus fel fflwch llwyd yn gweu patrymau sydyn yn y gwynt wrth iddynt fynd ar batrôl uwchben yr heli islaw.

Llonnai'r teithiwr gyda phob cam a gymerai bob un o'r cŵn. Roedd ar ei ffordd adre, ei gŵn yn dangos pwrpas yn eu tynnu: roedd wedi profi'i hunan fel heliwr unwaith yn rhagor. Safai eu cigfran nhw ar ben y pentwr cig, yn adrodd geiriau wrtho'i hunan, ynghyd â rhigymau bach syml. Bob hyn a hyn byddai cigfrain gwyllt yn crawcian uwchben, gan fethu'n deg â deall pam roedd eu cefnder yn teithio gydag un o'r anifeiliaid peryglus, gyda'r chwe anifail peryglus arall oedd yn gwmni iddo. Ond anwybyddai Tulugaq yr adar yn yr awyr, a'u croncian whilmentus. Rhaid oedd iddo ymarfer. *Anak. Uivvulak. Katak. Katak. Katak.* Cachu. Mynedfa. Rownd, rownd, rownd. Geirfa ysblennydd aderyn dof. Ar ei ffordd i'w gartre newydd. I gwrdd a'i feistres.

Llechai blinder anhygoel yn llygaid Anngilik, yn gymysg â llawenydd mawr o weld ei gŵr. Dangosodd iddi y pethau roedd wedi eu casglu a'u hela, yn browd o'i allu. Glafoeriai'r cŵn wrth weld ymysgaroedd yr anifeiliaid. Taflodd y pentwr gwaedlyd y tu allan i'r caban, yn ddigon pell o'r ffos lle tynnent y dŵr ffres. Gwyddai fod y cŵn yn haeddu pob tamaid o'u gwledd. Tynnodd Eqaluk ei fŵts ac eistedd ar y fainc tra oedd ei wraig yn berwi dŵr. Yna aeth i nôl yr aderyn.

Syfrdanwyd Anngilik ganddo. Pan ddechreuodd yr aderyn raffu geiriau fel 'drws' a 'morlo', wel, bu bron iddi farw o sioc. Ond pan esboniodd ei gŵr y byddai'r aderyn yn gwmni iddi tra oedd e bant yn y *kayak*, bodlonodd ar ei bresenoldeb, yn enwedig ar ôl iddo ynganu'i henw hi, yn glir ac yn awdurdodol.

'Anngilik,' crawciodd yr aderyn, ei blu du yn crynu â balchder. Atebodd Anngilik gan estyn bisgeden geirch i'w ffrind newydd. Derbyniodd yntau'r fisged ganddi fel petai'n ei hadnabod ers blynyddoedd maith. Ers tro byd.

Cymorth y wrach

ANNISGWYL OEDD y gnoc ar ddrws Mrs Lazarus. Roedd hi'n gynnar iawn. Roedd Gwydion, a oedd yn rhynnu ar stepen ei drws, i fod yn yr ysgol. Ond roedd ganddo gwestiwn i'w ofyn i Mrs Lazarus, un pwysicach na dysgu am Euclid yn nosbarth Mr Thomas. Ta p'un, roedd wedi dysgu am berffeithrwydd mathemateg ymhell cyn y wers, gan ei fod wedi bod yn canolbwyntio ar fathemateg bur yn ei amser sbâr. Yn y llyfrgell, roedd Miss Evans wedi cyflwyno syniadau Albert Einstein iddo. Gallai fforddio sgipio gwers, teimlai. Iddo ef, roedd pob gwers yn yr ysgol fel cymryd cam yn ôl, yn enwedig oherwydd bod llyfrau newydd yn cyrraedd bob wythnos yn y llyfrgell, llif o ddarllen i wneud i'r meddwl ddawnsio. Kant-Gogol-Marx-Wittgenstein-Joyce-Freud.

Daeth arogl pwerus i'w ffroenau, fel petai Mrs Lazarus wedi bod yn llosgi gwallt rhywun. Dyna'n union roedd hi wedi bod yn ei wneud, rhyw ddefod Haitïaidd oedd newydd gyrraedd ei chartre yn Llwyn yr Eos drwy gyfrwng pagan a oedd yn byw sha Ponthenri. Roedd hithau yn ei thro wedi clywed y manylion gan forwr o'r enw Huwcyn Rees, yntau wedi treulio gormod o amser yn y Caribî, a gormod o flynyddoedd yn yfed rym.

Gwelsai Huwcyn un o'r defodau hyn yn Port au Prince, y gwaed yn llifo a bronnau menywod duon yn ei hudo wrth iddynt siglo'n wyllt yng nghanol defod o waith y Diafol ei hunan. Teithiodd y ddefod yn ôl i Gymru gydag e, swfenîr gwell o lawer na chragen egsotig. Gorffennodd ei thaith gyda Mrs Lazarus, a oedd yn hoff o bethau estron.

Bob nos Wener, o flaen cynulleidfa neu er ei ddiddanwch ei hun, cynhaliai Mrs Lazarus ddefodau fwdw. Yn ei chartre digysur, câi gwallt ei losgi, câi anifeiliaid eu haberthu. Roedd gan y ceiliog ar yr iard reswm da dros gysgu ag un llygad ar agor bob nos Iau, felly, fel petai'n gwybod unrhyw beth am fwdw a'i arferion.

'Dere i mewn, Meistr McGideon. Gymri di chydig o laeth? Mae e'n dal mor dwym â thethi'r afr dwi newydd ei godro rownd y bac. Llaeth da hefyd, a thwtsh o sinsir yn y blas. Mae'r afr wedi rhoi llaeth yn ffyddlon am ddeuddeg mlynedd. Ie, gafr odidog yw hi. Nawr 'te, dere 'mlaen, tynna dy got. Mae'r tân yn rhuo ar ei anterth.'

I Gwydion, blasai'r llaeth yn sur, a thinc o'r wermwd ynddo efallai. Gwyddai Gwydion sut flas oedd ar wermwd ar ôl cael ei orfodi i'w yfed pan oedd llyngyr arno. I genhedlaeth Mrs Lazarus, roedd y wermwd yn ateb i lu o broblemau, a byddai bron pawb yn ei dyfu yn yr ardd. Hwn oedd un o'r pethau mwyaf ofnadwy iddo ei flasu yn ei fywyd, yn bendant. Blas i ddiffinio'r gair sur, heb os. Ond roedd cwrteisi'n bwysig . . .

'Diolch, Mrs Lazarus. Mae'r llaeth 'ma'n lyfli. Ffres a blasus,' meddai a chodi'r cwpan gwyrdd at ei wefusau.

'Nawr 'te, Gwydion. Sut alla i helpu?'

Edrychodd i fyw ei lygaid, fel cobra'n syllu ar fongŵs. Doedd dim ffoi. Roedd yn sownd ym magl ei hedrychiad, yn gleren ar bapur clêr. O'i gwmpas, syllai llu o lygaid eraill arno, llygaid gwydr anifeiliaid wedi'u stwffio mewn casys. Dyna oedd hobi'r diweddar Mr Lazarus. Roedd yn giamstar ar wneud i eog marw edrych fel un byw, a'i gyfenw'n hynod briodol i'w waith bob dydd. Heb yn wybod i Gwydion, wrth gwrs, roedd gweddillion Mr Lazarus yn gorwedd yn y gist wrth y drws, ei esgyrn wedi'u lapio'n daclus mewn papur dyddiol.

Esboniodd Gwydion am y ciper, a theimlodd gasineb yn symud y tu mewn iddo; roedd yn debyg i bwll o rywbeth gwyrdd-ddu, trwchus fel tafleth neu driog yn symud yn ei berfeddion, yn codi cyfog arno. Y dyn dieflig yma, gyda'i greulondeb difeddwl.

Ddeuddydd ynghynt, roedd Gwydion wedi mynd am wâc lan i'r bryniau grug ac wedi darganfod dwy res o bolion trap. Roedd adar ysglyfaethus wedi cael eu dal a'u lladd ym mhob un, bron, wedi eu denu yno gan ddarnau mawr o gig. Deunaw aderyn i gyd. Lladdfa greulon. Teimlai Gwydion fod adar yn rhan o'i natur, a'u hysbryd rhydd hwythau'n hedfan y tu mewn iddo. Gallai uniaethu â'r rhywogaethau hyn. Roedd yntau'n fwncath, neu efallai'n dylluan. Ie, tylluan. Pan welai dylluan wen yn hedfan ar draws corsdir ar ddiwedd prynhawn oer o aeaf, byddai'n teimlo ei fod yntau hefyd ar batrôl, yn hofran, yn llygadu'r gwair yn eiddgar. Ac wrth i'r ciper diawledig ladd yr holl adar hyfryd, urddasol, gosgeiddig yma, roedd yn niweidio Gwydion hefyd, yn lladd tamed bach o'i ysbryd yntau.

'Roedd beth weles i yn 'y ngwneud i'n grac. Yn fwy crac nag y galla i esbonio. Mae e fel tase fe'n licio poenydio'r adar 'ma i gyd. Mae'r ffordd maen nhw'n marw yn greulon tu hwnt. Mrs Lazarus, dyw hi ddim yn fy natur i gasáu pobl, ond y tro hwn, gyda'r dyn 'ma, dwi'n teimlo casineb noeth. Ie, casineb pur.'

Gwelai y rhesi o adar yn sychu yn y gwynt – yn eu plith tri chudyll a phedwar bwncath – un barcud, hyd yn oed – aderyn prin iawn. Mynwent ohonynt.

'Paid â phoeni am y dicter, 'machgen i. Mae hyd yn oed rhywun fel ti'n ei deimlo fe ambell waith. Mae'n dda gallu trafod sut wyt ti'n timlo. Nawr te, alla i ofyn un cwestiwn i ti? Mae'n amlwg dy fod am dial. A'r cwestiwn yw, faint o ddial yn union? Wyt ti am iddo ddioddef am amser hir? Wyt ti'n dymuno iddo fe farw? Bydde rhywbeth fel hynny'n beth mawr i gael ar dy gydwybod.'

'Dyw e ddim yn Gristion, Mrs Lazarus. Dyw e'n hido dim am y bywyd, am y pethau byw o'i gwmpas. Am y boen mae'n ei hachosi.'

'Ond dwyt ti ddim wedi ateb fy ngwestiwn i. Ody'r hyn mae e wedi'i wneud yn haeddu'r gosb eithaf?'

Oedodd Gwydion cyn ateb. Synnai at gryfder ei deimladau.

'Ddim cweit cymaint â hynny, Mrs Lazarus. Ond dwi'n credu y dylai fe ddysgu beth yw poen a dioddefaint.'

'Reit 'te. Rwyt ti am iddo ddysgu beth yw poen a dioddefaint. Ateb da. Mae hynny'n glir. Ateb da iawn. Rwyt ti'n fachan dewr. Llawn egwyddor. Dwi'n edmygu 'nny. Dere 'da fi i'r pantri i nôl beth sydd ei angen. Dylai deg jar fod yn ddigon.'

Synnwyd Mrs Lazarus gan bendantrwydd y crwt. Gwyddai fod ei dad wedi dysgu *tai chi* iddo, ond er gwaethaf hynny ysai'r crwt am weld Ebenezer yn dioddef. Anodd oedd cysoni'r ddau beth. Dymunai Gwydion rywbeth oedd fel petai'n gwbl groes i'w gymeriad ei hun, yr addfwynder 'na, y cariad tuag at anifeiliaid.

Estynnodd Mrs Lazarus ddeg jar Kilner, y math a ddefnyddiai ar gyfer piclo maro neu winwns, a'u gosod mewn sach gref i'r crwt. Gallai pob un ohonynt ddal pedwar pwys o fêl, neu bicyls. Ond nid ar gyfer mêl na phicyls y byddent yn cael eu defnyddio tro hwn. O, nage.

Ni ddywedodd Mrs Lazarus wrth y crwt mai Ebenezer oedd ei brawd. Byddai hynny wedi drysu hyd yn oed dyn ifanc oedd mor glyfar â'r un safai o'i blaen, ei draed yn soled ar y teils coch. Wrth iddi osod y jariau yn y sach, cofiodd am y diwrnod y trodd ei chalon yn erbyn ei brawd.

Yng ngwaelod y pentref roedd tyddyn bach yr Hendre. O'i amgylch roedd darn ffrwythlon o dir, digon i gadw moch a geifr, a hyd yn oed buwch neu ddwy, ond roedd y tir wedi'i glustnodi ar gyfer tip sbwriel newydd rywbryd yn y dyfodol ac felly roedd y teulu'n gwybod y byddent yn gorfod symud yn y pen draw. Gŵr a gwraig a chanddynt ferch syml oedd yn byw yno – roedd hyn ymhell cyn dyfodiad termau derbyniol, gwleidyddol-gywir am anabledd meddwl. Er gwaetha'r ffaith nad oedd hi'n medru deall gwaith ysgol, ac yn cerdded o gwmpas fel petai hi mewn cwmwl, ei llygaid wedi pylu braidd, hi oedd heulwen eu dyddiau, diléit eu bywydau bach di-nod. Roedd ganddi lais fel mwyalchen, a'i nodau clir a phur yn esgyn fel cân yr ehedydd. Ond roedd rhywun wastad yn sbecian arnyn nhw yn eu cartre, yn obsesiynu am y ferch. Yn pipo drwy'r clawdd i mewn i'r ardd, yn llechwra tu ôl i'r planhigion cini bêns.

Un diwrnod, a'r ferch wedi mynd i gasglu cnau gwyrddion yn y llwyni ger y tŷ, dim mwy na hanner can llath o'r drws ffrynt, gafaelodd dyn ynddi a'i llusgo i ganol llwyn o fieri.

Drwy gyd-ddigwyddiad hollol, gwelodd Mrs Lazarus

bopeth a ddigwyddodd o fryncyn gerllaw. Y dyn yn gwthio rhwng y coesau gwynion, ei ben-ôl yn pwmpio, yn ddi-hid o'r ferch a'i breichiau wrth iddo'i gwthio hi'n ddyfnach mewn i'r drain.

Gwelodd Mrs Lazarus ei brawd yn treisio'r ferch, ond doedd dim y gallai ei wneud i'w helpu oherwydd bod ceunant llawn dŵr rhyngddynt. Erbyn iddi lwyddo i gyrraedd y ferch, roedd y diawl wedi'i heglu hi. Cysurodd Mrs Lazarus y ferch druan, oedd yn methu deall beth, pam, sut na phwy.

Yn groes i'w chymeriad, neu o leia'n groes i'r math o gymeriad roedd pobl yn meddwl oedd ganddi, helpodd Mrs Lazarus y ferch, Angharad, 'nôl i'r tyddyn a churo ar y drws. Cymerodd ei thad hi i mewn i dywyllwch a mwg y stafell fyw heb ddweud gair, ond medrai weld beth oedd wedi digwydd, wrth y crafiadau ar groen ei ferch annwyl, a'r rhwygiadau yn ei phais a'i ffrog. Diolchodd i Mrs Lazarus â'i lygaid yn unig. Ni adawodd i Angharad adael cartre am bron i flwyddyn ar ôl hynny, ac ni chanodd y ferch yr un nodyn byth eto. Hi oedd yr eos fud: Ebenezer oedd y diafol a'i tawelodd. Roedd awydd Mrs Ebenezer i ddial yn ddwfn a di-ildio.

A nawr roedd ganddi fachan bach i'w helpu. Roedd addewid Mrs Lazarus i ddial ar ei brawd yn syml. *Byddi di'n dyfaru, Ebenezer. Heb os.* Ac roedd Gwydion wedi rhoi esgus iddi wneud yr hyn yr oedd wedi dymuno'i wneud ers achau.

Sarffio

Aeth Gwydion i gynaeafu'r jariau wythnos yn ddiweddarach. Er mwyn dewis y lle gorau, roedd wedi dilyn nant Pasgan Fach ar ei feic, ac ymlaen hyd nes cyrraedd y fforch yn y llwybr ar bwys Plu'r Gweunydd. Yn y fan honno, trodd at blanhigfa'r Comisiwn Coedwigaeth. Roedd y coed yn dywyll ac yn fygythiol, a rhywbeth milwrol yn eu cylch – efallai am eu bod wedi'u plannu'n union saith troedfedd wrth ei gilydd fel catrawd o filwyr pren yn sefyll yn stond, eu lifrai gwyrdd-ddu yn rhannu'r tywyllwch.

Gadawsai ei feic mewn llwyn o fieri a mynd â'r sach llawn jariau lan i ganol yr eithin. Gwyddai fod hwn yn lle da i ffindo'r anifeiliaid.

Roedd wedi dewis yn ddoeth. Er bod ambell jar wedi casglu dim byd ond pryfed, chwilod a malwod bychain, roedd cynhaeaf da yn aros i'w gasglu. Rhyddhaodd lygoden fach y maes oedd wedi cwympo i mewn i un jar yn ystod y nos, ond roedd un arall yn cynnwys yn union beth oedd ar Mrs Lazarus ei angen, sef gwiber sylweddol, ei gyhyrau bron yn llenwi'r gwydr, y marciau ar ei gefn – diemwntau du ar felyn – yn rhybuddio ac yn awgrymu taw gwryw oedd hwn, un ifanc efallai, o nodi eglurder y lliwiau ar ei groen.

Gosododd Gwydion fag hesian trwchus yn dwt dros geg y jar, fel roedd Mrs Lazarus wedi'i ddangos iddo; arllwysodd y creadur i'r bag, a'r sarff yn hisian fel nwy yn dianc o biben. Cerddodd yntau'n ôl drwy'r eithin at ei feic. Cyn hongian y bag oddi ar y bar a dechrau ar ei ffordd yn ôl, gwnaeth yn siŵr fod y cwlwm yn hollol dynn. Cymerodd Mrs Lazarus y bag oddi arno heb na gair na gwên. Roedd yn amlwg i Gwydion nad dyma'r amser i ofyn iddi beth fyddai'r cam nesaf.

✤

Ddwy noson yn ddiweddarach, cyrhaeddodd y negesydd. Pan glywodd Gwydion y curo ysgafn ar y ffenest a gweld beth oedd yn sefyll ar y silff, prin y gallai gredu'r peth. Tylluan fach gyda llygaid melyn pefriol oedd yno, a neges ynghlwm wrth ei choes. Gwyddai mai Mrs Lazarus oedd wedi anfon y neges, doedd dim dowt am hynny. Dau air yn unig oedd wedi'u sgrifennu ar y sgrôl bach o bapur. 'Nos yfory.' Blinciodd y dylluan ddwywaith cyn diflannu i'r nos.

Pan gyrhaeddodd Gwydion y bwthyn y noson ganlynol, nid oedd golau yn y tŷ, a dim golwg o Mrs Lazarus. Curodd Gwydion ar y drws am ychydig funudau, ac roedd ar fin cychwyn 'nôl sha thre pan welodd yr hen wraig yn cerdded lawr yr hewl tuag ato. Symudai fel cysgod, fel drychiolaeth, ei dillad duon yn toddi i dywyllwch y nos. Ei hwyneb oedd yr unig beth y gallech ei weld, bron. Pan welodd hi Gwydion, ystumiodd arno i'w dilyn i'r ardd y tu ôl i'r tŷ. Teimlai Gwydion fod Mrs Lazarus yn ymddwyn yn or-felodramatig braidd, er nad oedd ganddo fawr o brofiad o weithgareddau gwrachaidd.

Cynheuodd Mrs Lazarus lamp baraffîn yn y sied ar waelod yr ardd, drws nesa i'r tŷ bach. Rhoddodd hanner gwên, ei dannedd rhydlyd yn edrych fel casgliad o hen hoelion yn ei cheg.

147

'Ddest ti â neidr dda i mi. Yr unig beth sy'n rhaid i mi wneud nawr yw sicrhau ein bod yn medru defnyddio'r gwenwyn yn y ffordd fwya effeithiol.'

Dangosodd iddo ddarn o ganclwm Siapan a bonyn y planhigyn wedi'i dorri i'r un hyd â ffliwt i wneud chwythbib, y math a ddefnyddid i hela macawiaid ar lannau'r Amazon. Hefyd roedd yno focs bach pren oedd yn cynnwys casgliad o ddartiau bach â phigau siarp, ac adenydd bach o blu lliwgar.

'Dyma beth dwi eisiau i ti wneud.'

Wrth i'r lamp hisian yn isel, dangosodd Mrs Lazarus iddo sut yn union i ddipio'r ddarten fach yn y gwenwyn. Nid oedd y ddarten yn fwy na maint cleren, ac yn pwyso llai. Awgrymodd Mrs Lazarus y dylai ymarfer yn drwyadl er mwyn meistroli'r gamp o chwythu'r dartiau, gan roi bocs bach pren yn llawn ohonynt i Gwydion.

'Cofia ymarfer nes dy fod yn giamstar arni, ac yna cer i lech-hela'r dyn. Dilyna fe fel tase fe'n garw a thithau'n heliwr o fri – rhywun allai ddal uncorn heb feddwl ddwywaith. Ond bydda'n wyliadwrus. Mae'r diafol ynddo fe, ody wir. Cofia di hynny.'

'A beth fydd yn digwydd os fwra i fe?'

'Bydd fel brathiad gwiber, ond llawer gwaeth.'

'Fydd e'n marw?'

'Dim os ydy'i galon e'n gryf. Mae'n ddyn caled, er ei fod e'n tynnu 'mlaen mewn oedran. Bydd hyn yn dysgu gwers iddo fe, ond synnen i ddim y bydd e lan ar ei draed 'to mewn ychydig wythnosau.'

'Ac os yw ei galon yn wan?'

'Bydd angen ciper newydd ar Sgweier Matthews.'

'Ga i ofyn un peth arall i chi, Mrs Lazarus?'

'Cei, â phleser.'

'Sut wnaethoch chi hyfforddi'r dylluan?'

'Yn union fel taswn i'n hyfforddi colomen i gario neges, ond 'mod i'n gwneud y gwaith yn y nos. Ei chael hi i hedfan tamed bach ymhellach bob tro, a'i gwobrwyo wrth gyrraedd adre – rhoi llygoden fach fyw iddi hi i'w darnio, neu ddarn ffres o afu llygoden fawr.'

Teimlodd Gwydion ei hun yn paratoi i ofyn cwestiwn mawr. Un anfaddeuol o stilgar ac anffortunus o amlwg.

'R'ych chi'n cadw oriau gwrach, felly?'

'Os wyt ti mor hy â gofyn – yn reit *anghyfrwys* os ga i ddweud – os taw gwrach ydw i, yna na yw'r ateb. Pagan, ie. Gwrach wen, yn bendant. Efallai bod hynny'n ddigon o esboniad am y tro. Ond gwrach fel rwyt ti'n feddwl, rhywbeth allan o *Macbeth*, neu *Llyfr Mawr y Plant*? Na, pethau mewn llyfrau yw'r rheini. Pobl ddychmygol. Gyda chathod dychmygol. Ar gefn ysgubau dychmygol. Ffantasïau llwyr. Y math o beth y'ch chi'n 'u gweld ar wibdaith drwy'r isymwybod. Ti'n gwybod, ti'n deall, Gwydion? Rwyt ti'n fachan breit.'

'Reit. Pagan. Fi'n deall.'

'Na, Gwydion bach. Dwyt ti ond megis wedi dechrau deall.'

Gwawriodd y dydd tyngedfennol pan oedd yn rhaid i Gwydion gadw'i addewid i Mrs Lazarus. Gwisgodd ei siaced o frethyn cartre: patrymau'r brown, y gwyrdd a'r porffor megis cuddliw fyddai'n ymdoddi i'r grug. Esboniodd wrth ei fam a'i dad ei fod am ddringo Mynydd Bach ar ei ben ei hunan, felly paratôdd ei fam fwyd iddo. Torrodd ddarnau mawr o fara a dou lwmp enfawr o gaws Caerffili, a'u lapio, ynghyd â Thermos o de a thri afal. Cuddiodd ddarn o siocled mewn cadach hefyd, wrth gwrs. Fel pob mam, roedd yn hoff o sbwylo'i mab.

Roedd Gwydion wedi bod yn cysgodi'r ciper am wythnosau, a bellach roedd yn gyfarwydd â'i batrwm gwaith bob dydd o'r wythnos. Roedd yn eitha tebyg o'r naill ddiwrnod i'r llall, ar wahân i'w ddewis o dafarn wrth iddi nosi. Nos Lun byddai'n yfed yn y Ship. Ar nos Fawrth, ar ôl mynd rownd y trapiau i gyd, byddai'n mynd i'r Colliers, ac yn aros yno am un bach clou cyn mynd adre i'w fwthyn i olchi'r gwaed oddi ar ei ddwylo – oherwydd prin oedd y diwrnodau heb ladd o ryw fath – cyn mynd mas go iawn. Am weddill y noson, i feddwi'n dwll, heb siarad â neb.

Dilynai Ebenezer yr un llwybrau bob tro, felly arhosodd Gwydion am ei gyfle. Roedd un man lle roedd y grug yn hen iawn ac yn tyfu bron fel llwyn. Roedd yno ddigon o le i wneud dau beth – cuddio, a gweld mas.

Gwelodd y bwystfil-giper yn cerdded i lawr y llwybr caregog tuag ato, gan chwibanu'n isel. Cadwai ei gŵn hyd coes bant oddi wrth ei fŵts trymion, gan eu bod yn ei adnabod yn rhy dda – ei greulondeb, y dymer hawdd, a'r gic slei.

Yn ei gwrcwd yn ei ogof yn y grug, paratôdd Gwydion y chwythbib. Roedd wedi ymarfer digon i sicrhau y byddai'n bwrw'r targed bob tro; roedd hyd yn oed wedi llwyddo i ddefnyddio'r chwythbib tra oedd yn marchogaeth ceffyl, a hwnnw'n geffyl ar garlam. Teimlai'n euog ar ôl iddo anelu at ddryw bach un diwrnod, a chwythu darten yn ddamweiniol gan ladd yr aderyn bach pert.

Deuai'r ciper yn nes, a sugnodd Gwydion aer yn ddwfn i'w ysgyfaint. Cyfrodd i dri cyn chwythu'r dart tuag at gefn y ciper, gan anelu am yr asgwrn cefn. Yn ôl Mrs Lazarus ni fyddai'n teimlo fawr ddim, yn meddwl efallai bod gwenynen feirch wedi'i bigo. Doedd Gwydion ddim yn hollol siŵr bod y dart wedi bwrw'r targed, felly saethodd un arall cyn setlo'n ôl yn ei guddle grugog i aros am ychydig, a gadael i'w galon dawelu. Ymhen ychydig amser, dechreuodd fwyta'r bara a caws, ac yfed ychydig bach o de, er mwyn dathlu'r dial yn erbyn gelyn-pob-aderyn.

Un diwrnod yn fuan wedi hyn, roedd Gwydion yn cerdded lawr sha'r afon, a'i fryd ar fynd i ddal slywod. Weithiau deuai rhyw fwystfil o slywen lan y pibau dan yr hen dip sbwriel, ambell un hyd braich, ambell un hyd braich a hanner.

Wrth groesi'r ffordd fawr ar bwys tafarn y Slope, gwelodd Gwydion rywbeth digon erchyll i roi braw i'r brain. Yno safai dyn (os taw dyn oedd e) gyda phen tebyg i bwmpen, ond bod y bwmpen yn binc, a bod nodweddion wyneb y dyn – y trwyn, yr ên, y bochau a'r talcen – yn aneglur; rhith tebyg i weld rhywun drwy ffenest, y ffigur pell yn cerdded drwy law trwm. Ni allai adnabod y dyn nes iddo weld y ddau gi yn sgwlcan y tu ôl iddo.

Ebenezer! Edrychai'r dyn fel drychiolaeth, fel petai wedi camu i mewn i'r bedd unwaith yn barod. Nododd Gwydion y penglog pinc a'r llanast o wyneb, cyn ei heglu hi at Mrs Lazarus i ddweud beth oedd wedi digwydd, yr hyn roedd wedi ei weld. Pigodd ei gydwybod wrth redeg, o do, ond roedd hefyd yn llawn llawenydd annisgwyl, bron nes y gallai deimlo adenydd hir y boda yn cyffwrdd â'i wyneb wrth iddo droi i lawr Tyle Job.

'Mrs Lazarus! Mrs Lazarus!' gwaeddodd wrth guro ar y drws.

'Dere mewn, 'machgen i. Dwi'n gwybod pam rwyt ti 'ma. Dwi wedi'i weld e â'm llygaid fy hunan. Mae e fel pwmpen, on'd yw e? Diawl, mae 'na olwg arno fe!'

Ac fe chwarddodd yr hen wreigan, sŵn oedd yn dod o waelodion ei chorff, cân ei pherfeddion, fel cymysgedd o iodlo a sain trombôn. A chyn hir roedd Gwydion yn chwerthin hefyd, gan fod sŵn ei chwerthiniad hi'n heintus, ac am ei fod yn edmygu pŵer y fenyw hon. Pŵer y fam ddaear. Egni paganaidd o'r hen fyd.

Dyn blaengar yn ei faes

*U*N DIWRNOD, cafodd Mr a Mrs McGideon alwad i weld Miss Williams yn yr ysgol.

'Rwy'n credu y bydd angen i mi gysylltu ag arbenigwr,' meddai wrthynt. 'Allwn ni ddim dysgu rhagor i Gwydion. Bydd e'n aros yn y system statudol, ac yn cael ei gofrestru ar gyfer arholiadau ac yn y blaen, ond bydd angen rhywbeth, wel – ychwanegol arno fe. Efallai bod hynny'n wir cyn iddo ddechrau gyda ni, hyd yn oed.

'Mae'n bleser aruthrol i mi ei ddysgu fe, ond mae'n anodd iawn i'r staff hefyd, am ei fod mor wybodus, ac mor anghenus – eisiau gwybod mwy drwy'r amser. Pam? Sut? I ble? Sut wnaeth hynny ddigwydd? Mae e'n holwr bach, on'd yw e? Mae'n flin 'da fi, ry'n ni wedi gwneud ein gorau, ond mae angen mwy o stimiwlws ar Gwydion nag y gallwn ni ei gynnig. Buaswn hefyd yn awgrymu bod angen i rywun astudio'ch mab yn drwyadl. Dwi wedi siarad â'r athrawon eraill, ac maen nhw'n cytuno y byddai'n gyfraniad sylweddol i fyd addysg petai modd deall yr hyn sy'n wahanol ynglŷn â'i ddatblygiad meddyliol. Byddai'n gyfraniad i wyddoniaeth yn gyffredinol, synnwn i ddim. Nid gofyn iddo fe adael 'yn ni, ond dymuno rhywbeth gwell iddo fe nag y gallwn ni ei gynnig. Gobeithio y gwnewch chi faddau i fi, ond dwi eisoes wedi cysylltu â rhywun sy'n arbenigo mewn astudio plant rhyfeddol, *prodigies* os licwch chi, ac mae'n gwbl hapus i gynnig ei gymorth a'i arbenigedd.'

Syllodd y rhieni'n syn ar Miss Williams – ond ddim mor syn â hynny. Gwyddent y byddai'r dydd hwn yn dod rhyw ben. Bellach roedd Gwydion yn ddieithr iddynt, er ei fod yn dal yn fachgen hoffus ac yn mwynhau cwmni'i fam a'i dad. Ond roedd sgwrsio ag ef yn anodd, a dweud y lleiaf, gan ei fod ar blaned arall, egsotig a hwythau'n stỳc ym myd bach cyfyng y pentref.

Cyrhaeddodd yr Athro Graham Beer ar drên bythefnos yn ddiweddarach. Roedd Macs yn synnu bod y dyn hyddysg ac awdurdodol hwn wedi dod i'w gweld nhw, yn hytrach na'u gwahodd nhw i fynd i'w weld ef yn ei brifysgol yn Llundain. Ond fel y dywedodd mewn llythyr byr a anfonwyd atynt, 'It's important for me to see the specimen in his home habitat.' *Specimen*. Am air i godi gwrychyn! Teimlai Macs fwy na gronyn o atgasedd at y dyn yn barod. Penderfynodd Macs a Martha ei fod yn haeddu croeso oergalon. Un digon blydi rhewllyd, wir i Dduw, meddyliodd Macs, er gwaetha'i addysg a'i statws a'r llythrennau niferus ar ôl ei enw ar y papur sgrifennu crand. Beth ddiawl oedd D.Litt, beth bynnag? A ble oedd Oxon? Gwyddai Macs rywfaint am brifysgolion da, a doedd Oxon, ble bynnag oedd e, ddim yn un ohonyn nhw.

Roedd y trên o Lundain yn cyrraedd am hanner awr wedi dau ac aethant i'w gyfarfod yn y Renault – roedd hwnnw'n chwythu mwg fel hen Fergie bellach. Ond oherwydd trafferthion yn croesi Rhyd y Dwrgi, lle roedd y dŵr yn uwch nag arfer ac yn bygwth llyncu caeau'r Pant, roedd y trên wedi hen gyrraedd a gadael hefyd erbyn iddynt gyrraedd yr orsaf.

Ar y platfform safai dyn annaturiol o dal, ei goesau fel Jac y baglau. Gwisgai got felfed borffor hyd at ei draed, ac roedd ganddo bluen aur sylweddol yn rhimyn ei het. Rhwng ei wefusau mudlosgai clamp o sigâr, maint twrdyn dafad. Doedd Macs erioed wedi ogleuo'r fath fwg trwchus, trofannol.

'Professor Beer, I presume?' dywedodd Macs, yn ei Saesneg gorau, gan geisio osgoi llythrennau 'o' rhy fflat. Gwyddai bod crachach yn rowlio'u llafariaid.

'Unless I'm an excellent impostor, I am he. Good day to you, sir. You must be the boy's father. You must be very proud, if a trifle perplexed.'

Dadmerodd y rhew yng nghalon Macs. Emosiwn twym yw balchder.

'I am very proud of him, yes. I am afraid I don't know what "perplexed" means, but I am probably that as well.'

'Let's just concentrate on the pride. Perplexed just means "confused", and you have every right to be that, in great measure. Now then, where is the young man?'

'Wouldn't you rather see your rooms first? We have arranged lodgings for you at the best of the village hostelries. It is nothing grand, but it is the pick of the two, and it has recently been deloused. Burned them out of their beds!'

Chwarddodd y ddau ar hiwmor du, annisgwyl Macs.

Drannoeth, ar fore llachar o haul diwedd haf, treuliodd yr ysgolhaig a'r bachgen dros deirawr yn trafod pethau yn y rŵm ffrynt. Clustfeiniodd ei fam sawl gwaith, ond ni allai glywed mwy na sibrwd. Ac ambell waith clywai chwerthiniad dwfn, hael, a hwnnw'n gorffen â pheswch fel tân gwyllt. Yr holl sigârs 'na, meddyliodd Martha.

Gwrandawodd yr athro ar y stori roedd Gwydion wedi'i sgrifennu yr wythnos cynt, ei stori ddiweddaraf, wedi'i lleoli yn yr India.

Un noson, ar ôl i bawb arall yn y tŷ fynd i gysgu, aeth Tomos Pryderi Huws allan i'r sied i nôl y bocs a roddwyd iddo gan ei dad ar ei wely angau. Roedd ei dad wedi dweud, neu'n hytrach wedi rhoi gorchymyn, na ddylid ei agor nes bod Tomos wedi cwrdd â gwraig a setlo lawr i fywyd teuluol.

Tyddynnwr oedd Tomos, a chanddo fil ac un o sgiliau cefn gwlad – plethu perthi, gosod trapiau, chwilio am feddyginiaethau yn y cloddiau, darllen arwyddion y tywydd mewn aeron a lliwiau dail, gwybod beth oedd wedi teithio drwy goedwig yn y nos a pha un o'r pentrefwyr oedd yn ddigon mentrus, neu newynog i botsio mewn afon a llyn. Byddai Tomos wedi gwneud ciper da, ond roedd ganddo gydwybod iachus a doedd e ddim am niweidio neb, na chadw unrhyw dad rhag bwydo'i deulu 'da physgod niferus y Sgweier. Fel yr ymresymai wrtho'i hunan, alle'r Sgweier ddim cyfri'r nifer o bysgod yn yr afon, felly sut oedd e'n gwybod os oedd un neu ddau yn eisiau?

O'r India ddaeth y bocs, ac roedd y pren sandal wedi'i gerfio â dioramau o fywyd ar lan afon Ganges, temlau hardd yn Gwjarat, a mynyddoedd anhygoel o uchel yr Himalya. Roedd gwaith y crefftwr yn gywrain ac yn destlus. Ond o gwmpas yr ochr mewn cannoedd o ddelweddau bach perffaith, roedd stori am fachgen bach o gardotyn, a'r peth erchyll ddigwyddodd iddo tra oedd yn crwydro o gwmpas dinas ei febyd. Darllenodd Tomos y pictogramau'n ddi-ffws. Dyna oedd bwriad y cerflunydd: y gallai unrhyw un fwynhau'r stori, ar ba gyfandir bynnag yr oedd e.

Rhyfeddai Tomos at y manylion, y teimlad ei fod yno yng nghanol prysurdeb, gwres ac arogleuon lluosog dinas estron, ac yntau heb weld dinas yn ei fyw. Gwyrth oedd y fath gelf. Dyma'r stori ar y bocs . . .

Begera oedd busnes Pal Singh ond gan ei fod ond yn ddeng mlwydd oed roedd yn amhosib, neu'n anghywir, i'w ddisgrifio fel dyn busnes. Eto, roedd yn trin ei waith fel busnes, ac yn ceisio amrywio'r ffyrdd y byddai'n casglu arian a wastad, wastad yn edrych am ffordd o gyrraedd cwsmeriaid newydd. Yn hynny o beth roedd yn fodern; roedd hynny'n briodol ddigon oherwydd ei fod yn byw ac yn bod mewn dinas fodern, Delhi, mewn gwlad oedd newydd ei geni. Deallai Pal fod yr India newydd ei chreu: roedd hynny'n fater o hanes. Darllenai benawdau yn y papurau, eto roedd yn ei chael hi'n anodd i weld o ble ddaeth yr holl bobl i lenwi'r lle. Achos roedd y wlad newydd-anedig dan ei sang yn barod.

Sadar Bazaar oedd ei gartre a'i le gwaith, swbwrb llai prysur na Chandni Chowk neu Delhi Cantt, dyweder. Ar ôl diwrnod hir o adrodd ac ailadrodd ei gais bach syml am bres, byddai'n ymuno â llu o gryts eraill i rannu matiau bambŵ yn nhŷ Rajiv Rai. Gorweddai hyd at gant ohonynt mewn bocs cyfyng o stafell gyda dim byd i gadw'r clêr, y llygod mawr, na'r lladron bach i ffwrdd. Byddai pob un ohonynt, yn ei ffordd ei hun, yn dangos dyfeisgarwch wrth guddio'i enillion – neu o leia'r hyn oedd yn weddill ar ôl talu crocbris Rajiv Rai, rhent oedd yn codi fel lefel yr afon Yamuna ar ôl monswn. Yn achos Pal, byddai'n rhoi yr arian i'w fodryb oedd yn byw yn y baracs, lle roedd hi'n glanhau o fore gwyn tan nos nes bod dim nerth ar ôl yn ei breichiau tenau.

Un prynhawn bob wythnos byddai Pal yn mynd ar grwydr, i fforio o gwmpas y ddinas boblog hon, a oedd yn rhoi'r teimlad i'r crwt bod ynddi bopeth dan haul, a mwy.

Y prynhawn dan sylw, roedd Pal yn cerdded heibio'r rhesi gwynion o saris oedd yn hongian i sychu y tu allan i dai yn agos i Sunehri Masjid, y Mosg Aur, pan welodd farchnad nad oedd wedi dod ar ei thraws o'r blaen. Roedd yno nwyddau cyfarwydd iddo o sawl marchnad arall.

Oherwydd ei fod yn edrych yn llai tlawd na'r bechgyn tlawd eraill oedd ar hyd y lle, ymbiliai'r masnachwyr arno i ddod draw i weld eu nwyddau: y gwafas, y brwsys gwallt plastig, y ffowls byw, y ffowls hanner marw, y cloeon clep a'r pentyrrau plastic coch o setiau radio tsiêp o China. Byddai Pal wedi dwlu cael radio, ond doedd dim lle ganddo i'w gadw.

Cerddodd Pal yn ei flaen. Yna gwelodd yr adar – hebogiaid neu farcutiaid, doedd e ddim yn siŵr yn union pa fath – ond roedd pob un ohonynt yn ddu bitsh. Roedd dwsinau ohonynt yn troi a throelli wrth hedfan uwch ei ben cyn plymio o'r golwg y tu ôl i wal uchel, wedyn yn ailymddangos drachefn yn cario rhywbeth i'w ddarnio 'da'u pigau siarp ar dop sied sinc oedd fel petai'n rhan o gomplecs y mosg.

Gwelodd ddrws bach heb glo hanner ffordd i lawr y wal. Heb oedi eiliad, aeth tuag ato a cherdded i mewn. Yno roedd dyn yn sefyll yn hanner-ceisio cadw'r adar bant o gynnwys y cart pren o'i flaen – cert trymlwythog yn cynnwys rhywbeth tebyg i foch coed, pentwr du ohonynt wedi eu trefnu'n daclus, fel chikoos, neu ffrwythau cyffelyb. Ond o glosio atynt, roeddent yn edrych yn walltog, fel rambwtanau wedi pydru, neu duswau o wair.

Yna, deallodd Pal beth oedd yn y cart, a pham roedd yr adar mor awyddus i ymosod drosodd a throsodd ar y lle, er gwaetha presenoldeb y dyn boliog a safai y tu ôl i'r cart. Clustiau. Pentwr gwaedlyd, sticio ohonynt. Gallai Pal weld bod y rhain newydd eu torri, oherwydd roedd y gwaed yn ffres a heb dduo'n llwyr eto.

'I beth maen nhw'n dda?' gofynnodd Pal. 'Beth ydyn nhw?'

Dyfalai taw clustiau gwartheg oedd yn y cart; gwenodd y dyn, ond nid atebodd y cwestiwn. Clustiau byfflos oedd y rhain. Roedd y bachgen bach wedi dyfalu'n ddigon agos.

Crafodd y dyn ei stumog chwyddedig, gan ddisodli sgwadron neu ddwy o glêr, pryfed digon boliog eu hunain, oedd wedi gwledda a chachu ar ei ffedog amryliw. Yna gafaelodd yn nolenni'r cart a'i wthio ar hyd lôn gul a arweiniai at y ffatri.

Nawr, roedd Pal wedi gweld digonedd o gig a gwaed – pledrennau, llygaid, pennau, calonnau porffor, traed moch a hyd yn oed penolau niferus a stincllyd ar werth mewn gwahanol farchnadoedd – ond roedd yr olygfa yn y lle 'ma'n drech nag e, a theimlai'r cyfog yn codi yn ei wddf.

Llifai nentig o waed o dan ei draed tuag at ddraen mawr agored ac yna'n syth i mewn i system garthffosiaeth aneffeithiol Delhi. Roedd yr awyr yn drwchus ac yn drwm o arogl marwolaeth, a dramâu munud olaf yr anifeiliaid yn rhoi egni i'r sbectacl bwerus. Mewn un cornel roedd hen ddyn yn paratoi te iddo'i hunan, y tegell bach wedi'i staenio gan sbotiau duon, gwaedlyd. Ac er gwaetha'r gyflafan roedd grŵp o ferched ysgol yn cerdded drwy'r iard, eu gwalltiau'n drwsiadus, a sachelli dros eu hysgwyddau fel petai dim byd anghyffredin mewn cerdded drwy'r lladdfa ar ôl crwydro drwy barc Panchsheel ar eu ffordd i brynu hufen iâ a chwrdd â ffrindiau ar ddiwedd prynhawn.

Tynnodd un o'r bechgyn ifainc oedd yn gweithio yn y lladd-dy un o'r byfflos o gorlan yng nghornel yr iard, a'r anifail yn udo ac yn strancio. Ond, er gwaetha'i brotestiadau, tasg hawdd oedd i un o'r dynion afael yn ei gwt, ac un arall yn ei ben, a thynnu'r anifail styfnig i'r llawr. Roedd poer yn creu ffroth o swigod yng nghorneli'i geg, a bwrlwm o hylif yn arllwys dros ei dafod lletchwith fel poeri'r gog. Suddwyd y gyllell yn ddwfn i'w wddf a rhaeadrodd gwaed o'r twll. Symudodd y bwtsiwr ymlaen at yr anifail nesa, a safai yno'n ddihid. Heb oedi dim, lladdwyd deg bafflo, eu cyrff trymion yn cwympo fel dominos anferth i'r lagŵn o waed lliw marŵn. O fewn munud neu ddau roedd dyn ifanc yn tynnu'r croen oddi ar eu cyrff ac yna, gyda phrysurdeb gwenyn yn casglu, aeth pawb ati i gynaeafu pob un darn o bob un anifail, gan ddosbarthu'r tafodau i'r pentwr tafodau fel llyfrgellwyr hoff-o-gadw-trefn.

Doedd neb yn hapus bod y crwt yno. Pwyntiodd un neu ddau ato â'u cyllyll, gan wneud ystumiau hyll a sgyrnygu dannedd – dannedd coch ar ôl cnoi sudd betel. Yna symudodd un o'r dynion tuag at Pal, gan smalio ei fod yn mynd i dorri'i wddf, ond roedd yn rhy agos at y bachgen wrth slasho'r gyllell, ac fe dorrodd ei wddf yn go iawn, hyd at yr asgwrn cefn. Nid allai Pal weiddi, hyd yn oed, oherwydd natur yr anaf, a'r unig beth y medrai ei wneud oedd ceisio atal y llif gwaed â'i ddwylo, fel petai'n ceisio clymu sgarff goch. Ond o fewn deugain eiliad roedd wedi marw. Sgrechiodd y merched ysgol, sarnodd yr hen ŵr ei de, a setlodd tawelwch dros y lladd-dy. Dim ond anadl trwm y byfflos oedd i'w glywed, yna symudodd pawb fel un, fel actor yn cadw at sgript. Dyma'r dyn-tynnu-croen yn dod i mewn, a dechrau gweithio ar gorff y crwt anffodus. Pan orffennodd e, daeth y gang torri i mewn, gan ddosbarthu'r organau dynol i'r pentyrau amrywiol dan y cymylau clêr.

Dim ond un ffordd oedd 'na o ddelio 'da damweiniau yn lladd-dy Masjid, a deliwyd â Pal yn union fel y deliwyd â dynion oedd yn cwympo'n farw yng nghanol shifft. Wedi'r cwbwl, doedd yr un ohonynt yn gweithio yma'n gyfreithlon. Ac roedd bòs y lle yn fwriadol yn dewis gweithwyr heb deulu, heb hanes hyd yn oed. A ta beth, dim ond cardotyn bach oedd y crwt 'ma ddaeth i dresmasu. Doedd neb eisiau gwybod am y rheini. Cardotwyr! Pa! Dim gwerth mwy na *chikoo*-wedi-pydru, i'w sathru dan draed.

Ar ôl gorffen darllen y stori roedd yn rhaid i'r ysgolhaig gyfaddef iddo'i hun nad oedd erioed wedi dod ar draws plentyn mor aeddfed â hwn o'r blaen. Anodd oedd deall o ble y cawsai'r straeon rhyfedd a'r holl wybodaeth 'na. Roedd fel petai wedi byw yn y ddinas arbennig hon yn yr India, er nad oedd Gwydion erioed wedi gadael Cymru.

Ac wrth holi Gwydion, doedd y bachgen ei hunan ddim yn cofio o ble daeth yr holl fanylion, er ei fod yn cofio darllen llyfr am yr India ac efallai bod rhywbeth wedi aros yn y cof. Aha! Roedd yr Athro'n dechrau meddwl taw problem Gwydion oedd na fedrai anghofio unrhyw beth, a bod pob sgrapyn, pob ffaith a hanner ffaith, pob gair cymhleth o unrhyw iaith – ystadegau cloddio copr yng ngorllewin Awstralia, ffrwythau'r byd, dyddiadau cyfansoddi symffonïau o waith unrhyw un – o Sibelius i Lutoslawski – chwedlau Dwyrain Timor, enwau marchnadoedd Delhi, copaon prif losgfynyddoedd y byd – yn aros yn y cof, yn glyd ac yn gynnes ac yn saff nes bod angen eu defnyddio. *Savant* oedd yr enw am y math o berson, ond er fod cof anhygoel Gwydion yn dilyn y patrwm safantaidd, roedd pethau eraill yn ei gylch oedd yn ei gadw ar wahân. Ei normalrwydd, er enghraifft: roedd y bachgen fel petai'n delio â'i ddoniau trwy dderbyn taw dyna oedden nhw a dim byd mwy, a bod modd byw bywyd gweddol gyffredin er gwaetha'r ffaith ei fod yn cofio pob sgrap, ac yn medru creu stori o ddim byd – a honno'n stori solet, hefyd.

Wedi iddo siarad â Miss Williams, cyn-brifathrawes Gwydion, deallai'r Athro Beer nad oedd neb yn gofyn cwestiynau iddo yn yr ysgol, am ei fod wastad yn gwybod yr atebion, ei fod yn wyrth beirianyddol o wybodaeth, bron.

Synnai pobl at y ffaith ei fod yn cario'r holl stwff 'ma yn ei ben. I rai o'r academyddion yn eu tyrau ifori, gyda'u bywydau ffroenuchel, dinesig, roedd yn gyfan gwbl annealladwy bod bachgen o bentre bach yng ngorllewin Cymru, o Gymru hyd yn oed (wir Dduw!) yn gymaint o feistr ar bethau astrus: ei fod yn meddu ar sgiliau athronyddol dwfn, neu'n medru dadlau ar bynciau diwinyddyddol 'da dau esgob ar yr un pryd. Erbyn hyn roedd hi'n hysbys i bawb oedd yn darllen papurau dyddiol fod Gwydion yn gwybod popeth am adaryddiaeth, seryddiaeth a hanes gwledydd pell a rhai o'r rheini'n bell iawn i ffwrdd, megis Swrinam a Gwatemala. Rhyfedd. Doedd neb o blith yr academyddion a'r gwŷr mawr 'ma wedi meddwl edrych i weld pa lyfrau oedd ar gael iddo yn llyfrgell y pentref, a neb wedi ystyried gallu rhywun fel Miss Evans – hen fenyw oedd, mewn gwirionedd, mewn cariad â Gwydion. Sicrhaodd hi fod ei awydd di-ben-draw am lyfrau ac addysg a ffeithiau a straeon – wastad straeon – yn cael ei fodloni yn y bocs bach o ystafell yn Neuadd Les y pentref. A chafodd addysg o safon uchel iawn yno.

Arferai'r bocs o stafell fod yn lyfrgell i'r glowyr, dynion oedd yn parchu addysg. Felly roedd y casgliad sylfaenol yn un llawn a doeth a heriol, heb sôn am y llyfrau roedd Miss Evans yn eu harchebu fesul trol o lyfrgelloedd yng Nghaerfyrddin ac Aberystwyth.

Yn un o'r llyfrau, daeth Gwydion o hyd i bwt bach diddorol am y robin goch, er enghraifft. Un gred ymhlith y coliars oedd bod gweld robin goch dan ddaear yn arwydd o berygl. Gwelwyd un cyn y danchwa yn Senghennydd, a phedwar cyn yr un yn Ynysfardre Number 1, pan gollwyd hanner dynion y pentref. Ni ddaethpwyd o hyd i'r un corff, a chaewyd y pwll yn swyddogol yn 1961 ar ôl i'r wylo hir ddod i ben, a'r dagrau'n ffurfio nentig araf oedd yn llifo drwy fywydau mamau'r fro.

Dros ginio gyda'r Athro Beer – afu, tato a phys o'r ardd gyda grefi trwchus – roedd yn rhaid i fam Gwydion ofyn y cwestiwn oedd yn llosgi yn ei pherfeddion.

'You won't be sending him away for his schooling, will you, Professor?'

Nid oedd mam Gwydion wedi cysgu noson gyfan mewn wythnos, wrth fecso am yr hyn a allai ddigwydd i'w mab. Gwyddai bellach nad oedd neb yn y pentref, mwy na thebyg yn yr holl sir, yn abl i ddysgu Gwydion. Carlamai drwy ei lyfrau, ar ras wyllt i ddeall popeth dan haul. Dyna pam roedd Beer yma, yn drewi o sigârs.

'Not at all. I think that approach would be counter-productive. More than likely, we'll arrange to have him taught at home. He'll need a lot of help just to make sure he has enough to stimulate him.'

A dyna sut y buodd hi. Trefnodd yr Athro Beer y byddai Prifysgol Llundain yn danfon y bobl orau yr holl ffordd i'r pentref i ddysgu rhychwant eang o bynciau i Gwydion, gan gynnig yr addysg orau bosib drwy roi sylw un-i-un i'r crwt. Ac yn wir, daeth llif o ysgolheigion, athrawon ac ôl-raddedigion yno at y crwt. Ymwelodd un Athro Emeritws o Rydychen i ddysgu iddo am chwedlau Groeg a Rhufain a storïau'r Northmyn. Synnwyd ef gan rai o gwestiynau'r bachgen. Rhaid oedd i'r dyn clyfar iawn yma gyfadde ei fod wedi clywed nifer o bethau llai heriol a gwefreiddiol yn cael eu dweud wrth y Ford Uchel yn Corpus Christi. Nid parota geiriau oedd y bachgen hwn, nid adeiladu brawddegau gan ddefnyddio patrymau gramadeg – er y byddai hynny'n wyrthiol ddigon – ond yn hytrach roedd yn deall y cysyniadau, y soffistri i gyd. Roedd ganddo feddwl mor chwim â brithyll bach ac roedd yn mwynhau dadlau. Pryfociodd. Cwestiynodd. Ac un tro llwyddodd i gael yr athro i amau ffeithiau ynglŷn â diwedd Bysantiwm. 1453, ontefe? Chwalfa Constantinopl. Efallai mai chi sy'n iawn, Gwydion . . .

Un diwrnod ymddangosodd llond lle o ddynion i gwrdd â Gwydion, i ymchwilio ac arbrofi. Mesurodd un dyn pob dimensiwn o'i benglog – math o astudiaeth oedd yn henffasiwn ac yn drewi o imperialaeth. Ond roedd rhai o'r gwyddonwyr a'r academyddion eraill yn fwy rhadlon, yn gofyn cwestiynau iddo. Gwnaeth un ohonynt brofion Rorschach arno, a Gwydion yn mwynhau'r rheini'n fawr oherwydd ei fod wedi darllen am y dechneg ac am y seicolegydd o'r Swistir a allai ddadansoddi person gan ddefnyddio dim byd mwy na blotiau inc. Doedd Gwydion erioed wedi gweld y peth yn digwydd. Roedd y profion hyn yn ei siwtio fe i'r dim.

'Now then Gwydion, what can you see here?'

'Just the east side of Madagasgar, from Lemur Point to Tinovalu.'

'And this?'

'That's an ink blot, I think . . .'

Chwarddodd y ddau at y jôc amlwg.

Yn y gwely gafaelodd Martha yn ysgwydd dde ei gŵr a'i siglo'n dyner ond yn bwrpasol er mwyn ei ddihuno.

'Be sy'n bod?'

'Dwi ddim yn gwybod sut i'w gadw fe. Mae e'n glyfar iawn. A drycha arnon ni'n dou – 'sdim tamed o addysg rhyngddon ni. Nawr, sa i eisiau bod yn amharchus, ond er gwaetha'r ffaith dy fod ti'n dda yn dy waith, mae angen mwy arno fe na beth sy 'da ti i gynnig. Nid lladd ar y reilwe ydw i, jest dweud bod ein diffyg addysg ni'n broblem. Ma 'da fi embaras am fy niffyg gwybodaeth am gymaint o bethau. Mae e'n gofyn cwestiynau i fi, a sa i'n deall y cwestiwn heb sôn am wybod beth yw'r ateb. Dim ond prynhawn 'ma roedd e'n gofyn i fi abwyut rhyw wand mewn chwedl fyddai'n cyffwrdd â milwyr, a'r rheini oedd y rhai oedd yn mynd i farw. A dyma fe'n ceisio fy helpu drwy esbonio taw chwedl o Lychlyn oedd hon. Sut allen i weud 'tho'r crwt mod i ddim yn gwybod ble mae Llychlyn, na beth oedd y wand 'ma? Dwi'n ei weld e'n diflannu, Macs, yn hwylio'n araf bach bant o'n dwylo ni, bant o'n gofal ni.'

Edrychodd Macs ar ei wraig; roedd hi wedi heneiddio ers geni'r bachan bach, a gwyddai ei bod hi'n browd o allu Gwydion ond yn ofnus ohono yr un pryd. Tynnodd hi tuag ato, a lapio'r flanced drwchus goch am ei hysgwyddau tenau noeth, yr esgyrn yn fwy amlwg dyddiau 'ma, er ei bod hi'n bwyta'n dda.

'Ond mae e'n dy garu di'n fwy nag unrhyw blentyn arall. Alli di weld 'nny yn ei lygaid,' dywedodd Macs, ei eiriau'n drwm â chysur.

'Ond cyn hir fydda i ddim yn medru siarad 'da fe, achos mae ei fyd e mor fawr a'n byd ni'n crebachu bob dydd. O

Macs, dwi'n edrych arno fe'n cysgu yn y stafell drws nesa, a bron na alla i edrych arno fe, mae e mor brydferth.'

Rhoddodd Macs gwtsh mawr iddi, yn rhannu gwres ei gorff 'da hi.

'Mae'n hwyr. Pam na wnei di drio cysgu? Efallai gallwn ni gael crempog i frecwast – ti'n gwybod sut mae e'n hoffi crempog gyda lemwn a siwgwr. Bydd y byd yn teimlo'n well o weld ein mab a'i ben i lawr yn llyfu'r sudd oddi ar y plât. Bachgen yw e, wedi'r cwbwl: un sy'n hynod o breit ond yn dal yn anaeddfed. Mae'n rhy ifanc i adael cartre 'to; mae hynny o'n plaid ni.'

Daliodd Martha yn sownd yn ei gŵr, yn ceisio atal ei hun rhag crynu, ond roedd ei hysgwyddau'n dechrau siglo'n barod.

'O Macs, Macs, ble fydden i hebddot ti? Wir nawr, beth fysen i'n gwneud i hebddot ti?'

Gafaelodd ynddi a'i gwasgu'n dyner at ei fron. O fewn ychydig funudau roedd hi'n cysgu'n drwm, ac roedd rhywbeth hudolus yn ei chwyrnu, fel cwningen ddof mewn caets.

Roedd cysgodion brigau'r gastanwydden tu allan i'r ffenest yn troi'n nadroedd, a'r rheini'n eu tro yn gweu tapestri sydyn ar y carped yn y stafell gysgu.

Nid oedd Martha yn cysgu'n dda o gwbl y dyddiau hyn, gan fod ei holl feddwl ar Gwydion. Poenai'n ddirfawr ynglŷn â diddordeb yr ysgolheigion a'r gwyddonwyr oedd wedi bod yn whilmentan yn ei ben. Iddi hi, roedd yn grwtyn oedd yn hoff o ddychmygu pethau: iddyn nhw, doedd e'n ddim mwy na sbesimen diddorol. Teimlai fel aelod o lwyth yn byw yn bell, bell mas yn y jyngl, gyda'r dynion gwyn yn dod i ryfeddu at yr anwariaid, ac yn mynd â rhai esiamplau'n ôl i'w hamgueddfeydd i'w harddangos.

Oedodd cyn mentro dihuno Macs unwaith eto, gan wybod ei fod yn gorfod codi'n gynnar i fynd i weithio, ond roedd arni angen siarad â rhywun, a doedd ganddi neb ond Macs yn y byd i gyd. Doedd gan Martha ddim ffrindiau, er ei bod yn ddigon serchog gyda phawb, a'r pentref i gyd yn ei hadnabod fel menyw a chanddi wên hawdd a'i bod yn barod i helpu unrhyw un – hyd yn oed Joe Tanner, oedd wastad yn gofyn i bobl eraill am help, am rywbeth fyddai'n caniatáu iddo fe'i hunan aros yn y gwely. Fe oedd yr unig ffermwr yn y sir oedd yn gofyn i bobl eraill helpu 'da'r godro achos nad oedd yn lico codi'n rhy gynnar.

Yn dyner, dechreuodd Martha fwytho gwar ei gŵr, ond roedd e'n ddwfn yng nghanol breuddwyd am bysgota, a'r eog ar y lein yn pwyso cymaint â heffer, ond wrth i fysedd ei wraig ddechrau troi o fod yn anwes i fod yn ymosodiad, fe ddihunodd. Gwyddai y byddai'n clywed yr un hen diwn gron. Gwydion-hyn a Gwydion-llall. Ambell waith byddai'n difaru bod gan ei fab y fath ddawn dweud, a'r ddraig 'na ar ei fraich – yr un oedd rhai pobl yn ei weld fel marc tywysog, neu o leiaf fel arwydd o arweinydd – ond yna byddai'n cofio bod y ddau ohonynt wedi gweddïo'n dawel bach am gael plentyn sbesial. Ac roedd y crwt *yn* sbesial, doedd dim dwywaith am hynny. Yn hynny o beth fe oedd eu dymuniad, fe oedd yr ateb i'w gweddi dawel.

'Ie, Martha, beth sy gen ti i ofyn am ein tywysog bach ni y tro hwn?'

Ceisiai wneud jôc allan o'r sefyllfa ond doedd insomnia ei wraig ddim yn caniatáu iddi chwerthin. Bob nos yn becso,

becso, becso ac roedd hi'n bell o gael unrhyw ateb achos ei bod hi'n bell o wybod pa gwestiwn i ofyn. Ceisiai osgoi'r ateb hawdd: tawelyddion.

'Beth tasen ni'n cynnig cyhoeddi'i straeon e?'

'Cyhoeddi?'

'Ie, cyhoeddi. Dod â nhw mas mewn llyfr. Defnyddio'n cynilion i ddod â llyfr teidi mas, gyda rhai o'r straeon mae e'n eu sgrifennu byth a beunydd. Byddai hynny'n dangos bod 'da ni barch mawr ato fe. A'n bod ni'n gwneud rhywbeth positif i gefnogi'r ddawn sy ganddo fe.'

'Ond mae'n gwybod hynny'n barod.'

'Ond beth am ei weld e fel anrheg, 'te? Rhywbeth bach annisgwyl. Yn wir, pam na wnawn ni drefnu heb ddweud gair 'tho fe, a gofyn i rywun baratoi'r cyfan?'

'Oni fydde fe'n grac? Bydde hynny fel dwyn ei eiriau.'

'Fe sy wastad yn dweud bod stori dda yn haeddu mil o ddarllenwyr.'

'Martha, ti yn llygad dy le.'

'Fory, 'te? Wnawn ni ddechrau sorto hyn mas fory.'

Syniad cynhyrfus, a'r gastanwydden tu allan yn crynu wrth i Martha osod ei llaw yn dwt rhwng coesau Macs a dechrau mwytho a chwarae. Teimlodd yntau ei hun yn caledu, y chwant yn cynyddu ynddo, a symudodd i bwyso ar ei wraig. Roedd hithau ar dân gyda'r syniad o weld llyfr ag enw Gwydion ar y clawr, ac ar dân am ei gŵr hefyd, a oedd wastad yn ceisio'i phlesio wrth garu. Roedd heno'n noson dda o ran gweld pa mor bell y gallai fynd i'w phlesio. Martha a Macs, cyhoeddwyr newydd, yn nwydus-addoli ei gilydd wrth i'r glaw dasgu ar y ffenest.

Drws nesa, yn gyfan gwbl ar ddi-hun, gwrandawai

Gwydion ar y synau a ddeuai o stafell ei rieni wrth iddyn nhw garu. Er mwyn osgoi realiti'r sefyllfa, a delweddau o'i dad a'i fam yn noethlymun, dyfeisiodd esboniad arall am y sŵn. Dychmygai ei dad yn adeiladu rhywbeth i'w fam, anrheg arbennig, gan ddefnyddio morthwyl melfed a hoelion meddal. Unrhyw beth i osgoi gorfod derbyn fod ei dad a'i fam yn caru yn y rwm drws nesa.

❧

Cododd Gwydion un bore i gael brecwast ac roedd ei fam a'i dad yn methu stopid gwenu, fel tasen nhw'n diodde o ryw glefyd, a'r wên yn ymestyn yn llythrennol o glust i glust. I ddechrau roedd Gwydion yn dychmygu bod newyddion am frawd neu chwaer newydd iddo ar y ffordd, ond er iddo ofyn beth oedd yn bod, doedd yr un ohonynt yn fodlon dweud gair, dim nes ei fod wedi gorffen ei frecwast – wy, bara lawr, tomato, cig moch, shrwmps, pwdin gwaed a bara saim. Brecwast arbennig ar gyfer achlysur arbennig.

Llarpiodd y mab ei fwyd yn gyflymach nag arfer hyd yn oed, er mwyn gweld beth oedd wedi heintio'i rieni â'r fath hapusrwydd. Cariodd ei dad y plât i'r conserfatori, ac yna daeth ei fam â pharsel i'r ford. Heb ddweud gair, amneidiodd y dylai Gwydion dynnu'r papur, a phan agorodd y parsel, dyna lle roedd y llyfr. *Perfedd Gwlad* oedd y teitl, a fe, Gwydion McGideon, oedd yr awdur. Ar y clawr roedd llun o ardal Maenclochog yn y niwl, y meini hirion yn toddi i'r lleithder llwyd. Tir da i dyfu chwedlau.

Eisteddodd Gwydion wrth y bwrdd yn anwesu'r llyfr, yn llefain ac yn chwerthin yr un pryd, bron mewn perlewyg oherwydd ceinder y gwrthrych yn ei ddwylo, y caligraffi gwych a ddefnyddiwyd ar gyfer y teitl ac enw'r awdur. Enw'r awdur! Bodiodd drwy'r llyfr, gan weld stori'r gigfran yn y Gogledd Pell, hanes peilot yn hedfan dros Siapan – hyd yn oed ei stori gyntaf am y blaidd, ond wedi ei diwygio. Rhwng bob stori roedd 'na ysgythriad bach hynod effeithiol.

Heb yn wybod iddo, roedd e wedi bod yn chwennych y math yma o beth, wedi breuddwydio rhywle'n ddwfn yn yr isymwybod ei fod nid yn unig yn storïwr, ond yn sgwennwr ac yn awdur hefyd. Roedd hyn yn ddigon naturiol, o ystyried yr oriau di-ri a dreuliai â'i drwyn mewn llyfr. Un mis darllenodd bron y cyfan o glasuron Rhufain a Groeg, gan gofio'r enwau'r parêd o gymeriadau a'u henwau cymhleth. Artemis. Zeus. Leto. Amphitrite. Ganymede.

'Diolch, Mam! Diolch, Dad! Dyma'r anrheg orau ges i erioed! Sut yn y byd lwyddoch chi i drefnu'r fath beth?'

Ni allai'r un ohonynt fod wedi breuddwydio y byddai'r llyfr wedi cael y fath groeso gan Gwydion. Anrheg hynod lwyddiannus, fyddai'n ennill llwyddiant pellach.

Duw'n dwyn eneidiau

ROEDD Y NEWYDDION am farwolaeth ei fam-gu a'i dad-cu yn ergyd drom i Gwydion, ac yn achos cymhlethdod emosiynol mawr iddo – pos, os rhywbeth, fel stribed Möbius, neu geisio datrys croesair y *Belgrade Times* (mewn Serbo-Croat, wrth gwrs). Teimlai mor wahanol tuag at y ddau.

Cancr oedd wedi dod i fyw yng nghorff ei fam-gu, gan hala celloedd i ddawnsio tango gwyllt, a'r tiwmorau'n tyfu fel pwmpenni bychain drwy ei system lymffatig. Yn achos ei dad-cu, dim ond henaint oedd ar waith, yr hen beiriant yn rhedeg allan o olew, y pibellau'n culhau, a'r esgyrn yn troi'n flawd wrth i gryd cymalau fwyta'i sgerbwd fel gwiddon newynog. Erbyn hyn edrychai'n debyg i sgerbwd Belsenaidd, a phrin bod hanner owns o frasder arno.

Roedd y cancr yn un ffyrnig, a'i fam-gu ar ddi-hun fore a nos, yn sgrechen a gweiddi ac yn ymbil ar y Diafol a Duw yn yr un anadl. Crafangai poen aruthrol drwy ei chorff, a hynny er gwaetha effaith y moddion a'r tawelyddion oedd yn llawn morffin. Oherwydd bod yr holl sŵn yma'n effeithio gymaint ar Thomas John, penderfynwyd y dylai yntau fynd i'r ysbyty, er mwyn iddo gael tamed bach o heddwch.

Ni fyddai Gwydion dan deimlad yn yr un ffordd fyth eto. Profiad erchyll iddo oedd gweld y dynion ambiwlans yn rhwymo'i dad-cu mewn blanced goch, ei osod mewn cadair olwyn, a'i gario allan o'r tŷ lle bu'n byw am hanner canrif.

Aeth ei ŵyr gydag e i gadw cwmni iddo, ac ar y ffordd i Ysbyty Bryntirion, hen wyrcws o le, rhaffodd Gwydion ddisgrifiadau o'r hyn a welai, y tai newydd lle safai'r gwaith coed gynt, yr hewl newydd oedd yn cysylltu'r dre â Phont-iets a Phontyberem, a thafarn newydd y Steelworker's Arms, gyda llun yn hongian tu allan o weithiwr gyda chyhyrau fyddai'n gwneud i Popeye edrych fel Stan Laurel. Trwy gydol y daith-araith hon, roedd yr hen ŵr yn ymateb i'r disgrifiadau gyda brwdfrydedd, yn cytuno â barn y bachgen, ac yn edrych fan hyn a fan draw i weld popeth oedd dan sylw. Ond act oedd y cwbwl. Ar ôl i'w dad-cu farw, cofiodd Gwydion ei fod yn ddall, ac wedi bod yn ddall am dair blynedd a mwy oherwydd glawcoma. Doedd e ddim wedi gweld yr un o'r llefydd drwy ffenest gefn yr ambiwlans. Roedd wedi twyllo'i ŵyr am resymau dilys, oherwydd nad oedd am ei siomi wrth i orwel bywyd ddod i gwrdd ag e.

Roedd y ward yn llawn sŵn pesychu silicotig ac emffysemig, hen ddynion yn taflu globenni o fflem, eu hysgyfaint yn creu corws uffernol, afiechydus yn gwichian fel haid o fyjerigars. Yno cafodd ei dad-cu gyfle olaf i gwrdd ag ambell ddyn fu'n gweithio gydag e – dan ddaear, yn y ffatri frics, yn adeiladu'r pwerdy, pan oedd Thomas John yn gweithio bob dydd yn gosod briciau ar ddarn o bren ar ben rhaff, dri chan troedfedd uwchben y ddaear, ym mhob gwynt, yn wyneb pob cawod heriol o law a dasgai i mewn o gyfeiriad Bae Caerfyrddin.

'Sut wyt ti, Thomas John?' gofynnodd llais cryg, cyn sugno eto ar y mwgwd ocsijen.

'Ti'n cofio,' meddai un arall, 'sut oedd y dynion yn canu ar ôl shifft? O'n ni'n well nag unrhyw gôr. Dyddiau da, er eu bod nhw wedi sbaddu'r rhan fwyaf ohonon ni.'

'Peth od ein bod ni'n cwrdd 'to ar ôl yr holl flynyddoedd 'ma, ontefe, a hynny jest cyn bo ni'n marw.'

'Beth wyt ti wedi'i ddysgu, Thomas John?'

'Dysgu?'

'Ie, dysgu. Yn ystod dy fywyd hir. Beth wyt ti wedi'i ddysgu?'

Ac wrth i'r hen fois ymladd am anadl, fel petai'r ward ei hun yn ei chael hi'n anodd anadlu, rhannodd Thomas John y pethau syml roedd wedi dod i'w deall yn ystod ei fywyd hir.

'Peidiwch â thwyllo neb,' meddai wrth gyn-frici o Gwmgwili yn y gwely nesa.

'Mae Duw wedi mynd a'n gadael ni,' datganodd mewn llais cryg wrth y boi yn y gwely gyferbyn ag e.

Oedodd i roi cyfle i un hen stêjyr chwythu'i berfeddion mas trwy'i gorn gwddw. Yna, ymlaen â'r rhestr. 'Parchwch eich mam a'ch tad, wa'th pa mor galed maen nhw'n eich bwrw chi. Ac mae'n well mynd i'r ardd i bisho.'

Chwarddodd pawb wrth glywed yr epigram bach hwnnw. Yna disgynnodd pen Thomas John yn ôl yn erbyn y gobennydd, wedi cwpla esbonio gwersi'r blynyddoedd mewn ychydig frawddegau, y gwersi anodd a ddysgwyd ar dalcen caled, y ffaith ei bod yn well mynd i'r ardd i biso os o'ch chi'n byw 'da Pegi. Roedd yn well byw yn yr ardd na byw 'da Pegi. Er gwaethaf hynny, roedd Thomas John yn becso amdani, wrth gwrs, gan wybod bod y salwch difrifol yn ei bwyta, yn rheibio hynny o gig oedd ar ôl ar ei chorff. Nid cariad oedd y gair, na dibyniaeth hyd yn oed, ond roedd Thomas John a Pegi wedi byw gyda'i gilydd a chael dau o fechgyn, ac roedd ystafell hebddi yn teimlo'n wag, er bod rhannu ystafell gyda hi yn medru bod yn beryglus. Un tro, ceisiodd hi dorri'i glust i ffwrdd gyda hanner potel gwrw. Dro arall, llosgodd bob copi o *Amateur Gardening* oedd ganddo yn y sied, gan wybod yn iawn mai dyna'i unig eiddo yn y byd, a gwyddai ei bod wedi procio'r ffagal papur â phleser mawr. Iddi hi, roedd poen yn bleser, a phoen pobl eraill yn bleser digamsyniol. A nawr roedd hi'n marw. Gallai Thomas John deimlo hynny ym mêr ei hen esgyrn. Hyd yn oed o bell, a hithau filltiroedd i fwrdd. Bron y gallai ei chlywed yn ochneidio.

Am un o'r gloch y bore, yr amser clasurol i bobl adael y bywyd hwn, hw-hwiodd tylluan fraith mewn coeden sycamorwydden y tu allan. Dyna pryd y dechreuodd y broses na allai neb ei hatal. Y gwaed yn tewhau, yr arennau'n rhoi lan, a churiadau'r galon yn arafu nes bod dim rhythm ar ôl bellach, dim ond ambell arwydd bob hyn a hyn bod Thomas John yn dal ar dir y byw. Ymgasglai ysbrydion rhai o'i hen ffrindiau o gwmpas ei wely angau, bois a fu farw yn ystod yr wythnosau diwetha: pâr o goliars cyfeillgar o Gwmgwili; Stan y Rhaff, a besychodd waed fel jam mwyar duon cyn mynd i bysgota am frithyll yn yr Iorddonen Dragwyddol, a Shonci, ei bantner gorau a oedd yn falch ei fod e wedi marw cyn Thomas John, oherwydd ni allai ddychmygu bywyd hebddo. On'd oedden nhw'n ddyddiau da? O, oedden. Fe a Thomas John, fe gafon nhw'r hwyl rhyfedda. O'n nhw fel dau frawd.

Pum bît rhwng pob curiad calon nawr, y llygaid yn dechrau pylu cyn cau. Mae Thomas John yn dechrau diosg ei gorff, yn pilo rhubanau o groen, yn tynnu'i wefusau bant, a'r clustiau'n cwympo naill ochr i'r gwely. Mae 'na oleuni hufennog yn dod o'i du mewn, yna'n ffrwydro wrth i Thomas John ddechrau esgyn i'r nefoedd, yn y sbêc tragwyddol sy'n arwain o waelod y pwll i'r wyneb.

A beth oedd y nefoedd iddo?

Gwlad heb Pegi, a'i bantner Shonci'n disgwyl amdano gyda chart a cheffyl i fynd i gasglu cocos, ar draethell unig lle roedd llenwi dau fwced mor hawdd â llenwi un. Lle roedd Stan y Rhaff yn methu aros i ddangos y llyn o gwrw iddo, a phawb yn cael nofio ynddo, unwaith yn y bore, unwaith yn y prynhawn. Ac yfed o'r llyn, wrth gwrs. Ie, dyna oedd nefoedd iddo fe.

Yr union eiliad y bu farw Thomas John, bu farw Pegi hefyd – yr union eiliad, cofiwch. Roedd hi'n sgrechian fel rhywun ynfyd, ei chorff yn crynu'n wyllt; doedd neb ond Macs yno i'w chysuro achos roedd y doctor wedi mynd adre gan ei fod yn gwybod beth oedd i ddod, bod dim siawns o achub y fenyw. Roedd wedi esbonio'r cyfan mewn geiriau clir iawn wrth Macs a Martha.

Y bore canlynol, gwahoddwyd Gwydion i fynd i weld ei fam-gu yn ei harch a gwnaeth hynny gyda phleser, yn falch o weld ei llygaid caeëdig, a sawru'r hylifau embalmio, megis Popham's Luxury Unguent No. 4. Safodd wrth ymyl yr arch, gan hisian yr hyn roedd yn ei feddwl ohoni, ac yn awgrymu na fyddai neb yn dod i'r cynhebrwng oherwydd eu hatgasedd tuag ati. Ond gwyddai yn ei galon y byddai tyrfa fawr yn dod, oherwydd bod traddodiad yn asgwrn cefn i'r pentref, ei bod hi'n gymeriad poblogaidd erstalwm pan oedd hi'n rhedeg tafarn, a bod rhai'n dal i'w hofni hi, hyd yn oed nawr pan roedd ei breichiau'n stiff fel pibau cario dŵr.

Wrth sefyll yno'n edrych ar gorff Pegi, teimlai Gwydion fel tase'r awyr yn chwyrlïo o'i gwmpas, fel tase'r hen glegen ddim am fod yno, neu efallai am ei fod wedi'i chythruddo, ym mha le bynnag roedd hi'n clustfeinio arno. Yr awyr yn y stafell yn symud, yn chwyrlïo. Doedd dim amheuaeth.

Y diwrnod canlynol, symudwyd corff Thomas John yn ôl i Oakdene, ac roedd Gwydion yno pan gariodd y trefnwyr angladdau ei arch i'r rwm ffrynt, a'i gosod i wynebu yr un ffordd â Pegi. Sylwodd Gwydion bod y cynnwrf yn yr awyr wedi gwasgaru, bod pethau wedi setlo, fel petai Pegi'n hapus o'i gael yn ôl. Rhaid cofio'r ddibyniaeth sy'n dod gydag amser – sut mae perthynas, hyd yn oed un dreisgar neu ddigariad, yn gwreiddio; hyd yn oed os nad yw pobl yn dymuno i blanhigyn dibyniaeth dyfu, i'r gwraidd sinco lawr, i chwilio am y mymryn lleiaf o faeth yn y tir caled. Deallai Gwydion bod y ddau ohonynt wedi eu rhwymo mewn cadwyni o ddibyniaeth, fel yr ysbryd yn *A Christmas Carol*. Plannodd ei law ar arch ei dad-cu, gan deimlo pa mor llyfn oedd y pren, y derw lleol da a amgylchynai ei gorff sgerbydol. Ffarweliodd ag ef, defod syml bersonol, un tap ar y pren â chledr ei law.

Daeth tyrfa i'r angladd dwbl, nid yn unig i weld y ddwy arch, un ar ben y llall – doeddech chi ddim yn gweld hynny'n digwydd yn aml – ond am bod y ddau, er eu ffaeleddau lu, yn rhan o wead y pentref; dau oedd yn cysylltu heddi â phryd 'nny, dyddiau'n bell yn ôl, yn enwedig wrth gladdu Thomas John, coliar go iawn. Pan oedd ei deip ef yn marw mas oherwydd silicosis, emffysema, clefyd y bysedd gwyn neu galonnau rhacs, roedd tamed bach o draddodiad yn marw hefyd. Nid bod Pegi'n estron i neb chwaith, oherwydd bu unwaith yn fath o frenhines, yn ei lordio hi dros bobl oherwydd ei henw fel paffwraig, yn fodlon cymryd sofren i sefyll yn y glaw i wynebu olcomers. A deuai lot o bobl i wylio, achos roedd arnynt ofn ei gwylltineb, ac am ei bod yn ymladd trwy fynd am y clustiau. Roedd wedi cnoi mwy nag un glust i ffwrdd, a thynnu o leiaf dair yn rhacs â nerth ei dannedd. Pegi. Menyw a hanner. Clatshwraig gyda'r gorau. Ennill pob un o'i tair ffeit ar ddeg ar deugain, ac yn cymryd y teitl gyda hi i'r bedd.

Saif y capel bach ar fryncyn unig ar ben pellaf cwm coediog, lle gallwch weld y môr yn y pellter. Mae'r Grocbren yn codi'n goron i'r gogledd, a'r tir yn ddigon uchel ar gyfer grug ac ambell rugiar. Tiriogaeth Ebenezer. Yma, bob mis Mai a phob mis Medi byddai Gwydion yn cerdded o'r capel i'r topiau i geisio gweld hutan y mynydd, pan oedd honno ar ei ffordd i nythu yn y gogledd neu ar ei ffordd 'nôl i elwa ar ddyddiau hirion Affrica.

Yn eu siwtiau claddu edrychai'r holl ddynion fel llif o lafa, yn symud yn araf wedi echdoriad, ond yn symud yn erbyn disgyrchiant – un llif du o frethyn cartre, parêd gosgeiddig yn llenwi'r hewl fach a arweiniai tuag at gapel Carmel. Neb yn siarad, pennau i lawr, camu ymlaen, eu hetiau yn eu dwylo.

Y Parchedig Garmon Edwards oedd yn gofalu am y gwasanaeth, rhif un ar restr Deg Uchaf Pregethwyr Cymru, perfformiwr tân a brwmstan heb ei ail. Edmygai Gwydion ei ddawn dweud, yr amseru gofalus er mwyn codi braw, y ffaith ei fod yn edrych i fyw llygaid pawb yn y capel. Gyda'i lygaid ffyrnig fel madfall, ei farf laes a'i wallt blêr, heb sôn am ei lais-torri-caws, ymdebygai'r Parchedig i un o broffwydi ail reng yr Ail Destament – rhywun fel Jared, Shem neu Enoch.

Safai'r Parchedig Garmon Edwards yn y pulpud yn siarad am ddau berson nad oedd Gwydion yn eu hadnabod, nes iddo sylweddoli taw dyma'r fersiynau cyhoeddus, derbyniol o'u bywydau – ei fam-gu a'i dad-cu fel mynychwyr y capel, cymwynaswyr a chyfeillion da oedd yn driw i safonau cymdeithas. O! beth petai'r holl bobl hyn yn gwybod am ei mileindra hi, y creulondeb slei – fel tynnu llygaid ffowls er mwyn gwneud yn siŵr eu bod yn dodwy'n fwy cyson?

Claddwyd y ddau yn yr un bedd, y bedd teuluol, yr un lle â rhieni Pegi; y dorf mewn cylchoedd consentrig o gwmpas y meini, a'r haul yn tywynnu'n braf ac yn ddi-baid.

Yna, digwyddodd rhywbeth rhyfedd. Ar ôl i'r trefnwyr angladdau ollwng yr ail arch i mewn i'r twll, dyma holl adar y cwm yn stopid canu. Yr un pryd yn union. Doedd yr un fronfraith yn torri'r cyrffiw, na'r un dryw yn trydar hanner alaw o glwmp o fieri. O na.

Setlodd tawelwch dros y lle; tawelwch llwyr, tawelwch perffaith, fel canol mangre sanctaidd mewn teml yn Biwtan, yn uchel-leoedd y mynyddoedd – y math hwnnw o dawelwch, heb unrhyw su gan y gwynt, na thinc na thonc.

Lle bu teloriaid yn mynegi'u hunain gydag arddeliad, roedd tawelwch. Dim mwy y côr gwasgaredig o fwyeilch yn emyna'r gwanwyn a'i fendithion oll – molwn y pryfed dirifedi, yr heulwen, y deunydd nythu ym mhobman nawr bod y defaid wedi symud i lawr o'r topiau a'u gwlân yn ddafnau candi-fflos ar bob sgrap o weiren bigog, molwn o molwn – ie, dyna roedden nhw'n emyna, ar eu brigau, ymhlith yr holl flagura a'r arwyddion gwyrdd o haf i ddod. Ond dim nawr, dim ar ôl i'r ail arch fynd i'r pridd.

Tra bod pobl megis yn gwrando ar y tawelwch, cwympodd cawod ryfedd allan o nen las a di-gwmwl, cawod o rywbeth a edrychai'n debyg i flodau cennin Pedr. Disgynnodd y gawod ar frigau draenen ddu, a dechrau crynu yno.

Caneris, meddyliodd Gwydion, gan feddwl bod rhywun wedi gadael drws y sied ar agor, neu efallai bod ysbryd

Dad-cu wedi codi'r latsh er mwyn gadael iddynt hedfan yn rhydd. Crynodd yr haid, gan siglo lliw lemwn fel conffeti o'u hadenydd. Ac yna dyma nhw'n dechrau canu, mewn undod, bron yn ddisgybledig, a gallai Gwydion glywed darnau o'r gân yr arferai Dad-cu ei chwibanu i'r cywion bach. Galwai hi'n symffoni silicosis, y ratlo yn ei ysgyfaint yn swnio fel offer taro cyntefig.

Gwrandawodd y dynion yn eu siwtiau duon yn astud ar yr adar yn trydar, yn ynfyd ac yn bert, yn orfoleddus, yn dathlu bywyd eu meistr, a oedd wedi mynd i'r caeau miled di-ben-draw.

Haf-ddyddiau braf

*P*AN NAD OEDD yn gweithio yn astudio'r cant a mil o lyfrau ar ei restr darllen, roedd bod ar ei ben ei hun yn bwysig i Gwydion. Byddai'n mwynhau dilyn llif ei syniadau, ei feddwl ar grwydr tra oedd yn trampio'r ffermydd.

Crwydrai bob twll a chornel: caeau Jac y Pant, ar hyd glan yr afon Shagog, dringo'r bompren uwchben y Gwrath, a lan i'r cwar lle roedd y brain fel darnau o bapur llosg yn y gwynt. Ambell flwyddyn byddai cudyll coch yn nythu ar un o'r siliau creigog yno.

Cerddai am filltiroedd, o gapel Rehoboth i gapel Pisgah ar hyd y ffordd fawr rhwng Ffoslas a Phontarddulais, a byddai'n aml yn hapus i dderbyn lifft yn ôl gan ryw ŵr neu wraig garedig oedd wedi gweld y blinder yn y ffordd roedd ei goesau'n llusgo. Byddai ambell ddiwrnod yn yr haf yn un epiffani hir, wrth i'w lygaid fwydo ar fenyn lliwiau cwpanau'r brenin yn tyfu mewn cors dan gysgod coed. Credai fod y lliw menyn yn berffaith, fel ysbryd yr haf wedi ei gywasgu'n lliw – melyn crombil yr haul, melyn bron caneri, melyn i fesur pob melyn arall. Dyma oedd yn ei feddwl wrth iddo grwydro, gyda'r boda'n gwmni iddo, ei fewian fel cath wrth iddo droi a throsi ar donnau o wres uwchlaw.

Roedd Gwydion yn arbenigwr ar ddod o hyd i nythod adar. Gosodai ei law yn dawel mewn clawdd er mwyn teimlo tynerwch o blu mewn nyth mwyalchen, y fam newydd gael ei dychryn i ffwrdd. Gallai deimlo gwres y cywion yn yr wyau, a gwres plu'r aderyn oedd wedi mynd i gwato mewn llwyn gerllaw.

Codai un wy, ac un wy yn unig, a'i osod yn ofalus mewn tun tybaco, ac roedd stori'n perthyn i bob wy. Gwydion lan i'w ganol yn nŵr Pownd Twym wrth ddod o hyd i nyth iâr fach yr hesg. Defnyddio rhaff i ddringo i lawr at nyth gwylan ar glogwyn lawr sha Llansteffan. Roedd ofn dychrynllyd arno bryd hynny, achos roedd y rhaff yn hen iawn a'r llanw'n dod i mewn ar garlam i orchuddio'r creigiau geirwon gerllaw. Yn y dyddiau hynny roedd adarwyr yn dysgu'u crefft trwy chwilio am nythod, adlais o ddiddordebau oes Fictoria. Astudio 'da rhwyd a gwn.

Cafodd focs gan Macs i gadw'i gasgliad ynddo, a chyn hir roedd wedi dechrau arbenigo – wyau corhedydd y coed gyda phob un yr un siâp, ond bob un yn wahanol ei liw, gan ddibynnu ar ba fath o goed a pha fath o gysgod oedd o gwmpas. Felly roedd ganddo ambell un coch fel rhedyn, ac un arall oedd yn edrych fel petai rhywun wedi tasgu gwaed ar wy llwyd. A thrwy'r amser, roedd y crwt bach yn cadw nodiadau:

'Ffesant. Dim lliw achos mae'r fam yn cwato'r wy dan ei phen-ôl.

'Mae wy bronfraith yr un lliw â'r awyr. Felly mae dau wy fel dwy nen.'

'Ffindes i wy hebog ar y Gwrath. 23 Ebrill 1959. Y fam yn grac iawn. Gwmpes i lawr o dop y goeden, a bydd craith 'da fi ar 'y ngho's am byth ar ôl yr holl waedu. Ond wy pert. Yr wy gorau sy 'da fi heblaw am un y sofliar.'

Roedd un haf yn odidocach nag unrhyw haf arall, pob dydd yn drwchus 'da mêl o heulwen, a rhieni Gwydion yn gofyn iddo wneud dim byd mwy na chadw'i ystafell yn deidi, felly roedd ganddo rwydd hynt i dreulio amser mas yn chwarae 'da'i ffrindiau. Hanfod yr haf hwnnw oedd cynllunio rafftiau, a phetai modd cael tri Mark Twain yn hwylio i lawr y Mississippi, yna Gwydion, Geraint a Stephen oedd y Mark Twains hynny. Byddai afon Shagog yn mynd yn ddyfnach bob tro y trafodent sut i'w mordwyo, o'r man llydan dan y bompren lle arferai Gwydion edrych ar ieir bach yr hesg yn bwydo'u cywion, i'r darn tu ôl i dafarn y Talbot lle roedd y dŵr yn ddwfn. Yno roedd y slywod fel anacondas a'r perygl yn berygl go iawn, wrth i ddŵr ddreinio o'r llynnoedd artiffisial a grewyd i gymryd y dŵr a heintiwyd gan wastraff glo o'r pwerdy, y dŵr ei hun dan haenen drwchus o ddwst gwyn, gwenwynig. Ond i'r Twainiaid yma, roedd yr afon mor llydan â'r afon fawr yn America, yn medru cludo a dyfrio a gwahanu a boddi ac erydu, a phob peth afonaidd arall.

Adeiladwyd y rafft gyntaf allan o hen ddrws wedi'i glymu i ddwy hen faril olew a gyfrannwyd gan Neil Stan o'i garej. Yn wir, daeth Neil i lawr i'w gweld yn gwthio'r cwch lletchwith i'r dŵr, a'i fedyddio â photel o bop Rees a Richards – Dandelion and Burdock, y stwff gorau am fedyddio llong, siampên y tlawd. Y rili, rili, rili tlawd. Y *Marina* oedd yr enw a roddwyd ar y rafft.

Byddai mwy nag un person yn ormod o lwyth iddi, a hithau'n gwyro tua starbord dan bwysau dau, felly dewiswyd Stephen ar gyfer ei thaith gyntaf, ei ffrindiau'n torri trwy ddrain a mieri, yn ei heglu hi drwy welyau cyrs ac ar hyd llwybrau dyfrgwn i gadw lan ag ef wrth iddo badlo â hanner planc. Tyfai'n hyderus nawr, wrth i'w freichiau godi rhythm ac wrth iddo ffindo'r lle gorau i sefyll, neu ambell waith fynd i'w gwrcwd i gadw balans, a ffindo'r ffordd sythaf ymlaen. 'Ffwl stîm ahéd capten! Ai, ai!' gwaeddodd y ddau o'r banc, yn rhyfeddu bod y fath rafft yn medru mynd mor glou. Ond heb yn w'bod i'r un ohonynt roedd twll bach yn un o'r barilau, ac felly yn raddol dechreuodd y *Marina* suddo fesul modfedd; diolch byth, llwyddodd Stephen i gyrraedd pen ei daith, sef yr orsaf drydan, lle syllodd y tri ohonynt ar y *Marina* yn mynd i lawr, gydag urddas o ryw fath, fel y buasent yn ei ddisgwyl – O! long mor ffyddlon! A'i siwrne hi mor fyr! Ffarwél!

Bu lot fawr o gynllunio cyn adeiladu'r rafft nesa, a'r tri'n darllen llyfr antur Thor Heyerdahl am adeiladu rafft, y *Kon-tiki*, a oedd yn ddigon o seis i deithio reit ar draws y Môr Tawel. Pam felly? Pam aeth Thor ar ei rafft, i foroedd berw? I brofi taw dyna sut oedd pobl wedi teithio ganrifoedd yn ôl i ddarganfod tiroedd newydd, neu i ledaenu eu byd-olwg. Bu'r tri'n rhyfeddu at y ffotograffau yn y llyfr o bysgod-hedfan, oedd yn cadw cwmni i Heyerdahl trwy saethu drwy'r awyr tu ôl i'r rafft, fel gwylanod bychain.

Llwyddodd Geraint i gael gafael mewn llwyth o bren balsa, ond er ei fod yn ysgafn iawn ac yn eistedd yn uchel ar y dŵr, roedd bron fel petai angen balast arno, ac roedd cael pren o fath arall yn well syniad.

Neil o'r garej ddaeth ag ateb. Roedd ar fin dymchwel yr hen sied yn yr ardd i wneud lle ar gyfer adardy go iawn, a chynigiodd y coed i gyd i Gwydion a'i antur-gyfeillion. Pan edrychon nhw ar beth oedd ar gael, roedd digon yno i adeiladu llong fel un o rai'r Northmyn, neu hanner galiwn; rhwng y rhaffau roedden nhw wedi'u ffindo ar lan y môr, a'r tarpolin roedd Neil wedi'i gario o'r garej, roedd ganddynt ddigon i greu rhywbeth sylweddol, a dweud y lleia.

Y tro hwn, aethon nhw i'w lansio ar y gronfa ddŵr uwchben Felinfoel, a daeth criw sylweddol o ffrindiau a phentrefwyr ynghyd i wylio'r rafft yn symud drwy'r dŵr gystal ag unrhyw alarch, yr hwyliau o flancedi gwyn yn alarchaidd iawn, yn enwedig yn y pellter wrth i'r Capten Stephen agosáu at yr hen fynwent – yr hen, hen fynwent – o'r oes cyn y capeli. O bosib, dyma'r man y dympiwyd cyrff y rhai a fu farw o'r Pla. Pan ddychwelodd y rafft i'r man lansio, cafwyd gweiddi mawr a chymeradwyo gan bawb, nes bod Stephen yn gwrido.

'Wyt ti'n barod i fynd i'r môr?' awgrymodd un hen wàg, a dau wàg arall yn ychwanegu wedyn, 'I Fôr Arabia, ma' hynny'n ddigon pell.'

'Neu rownd yr Horn – byddai hynny'n profi nad yw'r rafft yn gallu suddo.'

'Neu beth am fynd i Nofa Scotia? Lle neis yn yr haf, ond yn beryg bywyd yn y gaeaf.'

'I ble fyddwch chi'n hwylio nesa?' gofynnodd yr holwr gwreiddiol.

'I rywle tu hwnt,' atebodd Gwydion ar ran Stephen, a oedd yn newid ei sgidiau.

'Tu hwnt i ble?'

'Jest tu hwnt,' meddai Gwydion yn freuddwydiol, 'jest tu hwnt.' Heb yn wybod iddo, roedd yn darogan gwae.

Erbyn y trydydd lansiad doedd dim ffws fawr, oherwydd bod y bois wedi penderfynu mynd â rafft fechan – hen beth syml wedi'i gwneud o weddillion go-cart a bagiau plastig trymion, y math o beth mae rhywun yn ei ddefnyddio i gario brics – yn llawn aer i'w chadw ar yr wyneb, allan i'r lagŵns llwch.

Estynnai'r rhain am wyth neu naw erw; roedd y dwst ar

y top yn drwchus ond wedi'i hollti mewn mannau i ffurfio system o grîcs, a'r dŵr islaw yn goch oherwydd bod hen waith glo yr Empire dan y dŵr hefyd, a haearn yn dal i hidlo mas o'r hen safleoedd gwaith.

Anodd oedd cael y cwch i'r dŵr yn y lle cyntaf, a'r tri yn gorfod slasio eu ffordd drwy gynffonnau'r gath a hesg uchel er mwyn cael hyd i ddarn o ddŵr addas ar gyfer y lansio. Nid oedd angen hwyliau ond, gan ofni y byddai ffindo'i ffordd rownd y cilfachau a'r ynysoedd llwch yn cymryd amser hir, paciodd Stephen fwyd mewn sach. Rhoddodd Gwydion far mawr o siocled iddo, a chyfrannodd Geraint fag mawr o gnau mwnci i'w gadw i fynd.

Crynai'r tir dan eu traed – er nad tir oedd y gair priodol am y deg troedfedd o lwch oedd yn arnofio ar y dŵr odditano. Yn y diwedd bu'n rhaid iddynt fynd i lansio'r cwch o'r hyn oedd yn weddill o'r gwaith glo – dau ddarn mawr o goncrit yn llawn arwyddion metel yn addo perygl ac yn rhybuddio pawb i gadw draw, a'r rheini wedi'u rhidyllu â thyllau bach ar ôl i bobl â drylliau danio atyn nhw wrth hela hwyaid.

O'r fan hon y lansiwyd y cwch. Diflannodd Stephen i ganol y gwastadeddau gwynllwyd, er bod y ddau arall yn cael cipolwg bob hyn a hyn o'i gap porffor yn symud drwy'r cyrs. Gwaeddodd y ddau nerth eu hysgyfaint er mwyn cadw cwmni iddo, a bob hyn a hyn byddai yntau'n gweiddi'n ôl gyda sylwadau ar sut roedd y rafft yn perfformio. Wrth iddo ymbellhau newidiodd ansawdd llais Stephen; roedd yn uchel nawr ac yn denau, fel telor yr hesg, neu sŵn y gwynt yn sisial drwy'r hesg.

Yna aeth pethau'n dawel, yn annaturiol o dawel, ac er bod Gwydion a Geraint yn gweiddi ac yn gweiddi, suddai eu lleisiau i'r gors ryfedd. Buont yn gweiddi enw Stephen gymaint o weithiau nes iddynt faglu dros ei enw wrth ei yngan am y milfed tro, ond doedd dim bw na ba i'w glywed. Parlyswyd y ddau, heb wybod beth i'w wneud, ond yn y diwedd penderfynodd Gwydion redeg adre i ddweud wrth Macs, tra bod Geraint yn aros yn ei unfan i gadw golwg ar y sbot lle gwelson nhw Stephen am y tro olaf.

Bellach roedd yr haul yn dechrau machlud, y gwelyau cyrs yn troi'n binc yn y golau tyner, a'r lagŵns yn edrych yn oer. Hyd yn oed wrth redeg, gallai Gwydion ddarllen yr arwyddion ar ben y concrit. 'Danger of drowning.' 'Perygl.' 'Cadwch allan.'

Erbyn i Macs gyrraedd yno, ar ôl ffonio'r heddlu a rhieni Stephen, roedd y pinc wedi troi'n llwyd, a chafodd Gwydion drafferth i weld ble roedd Geraint yn sefyll, er bod darnau agored o ddŵr yn dal i befrio yn yr hyn oedd yn weddill o olau'r haul; emeraldau hirsgwar yn sgleinio'n faleisus.

Daeth y nos. Yn ddu bitsh. Fel y fagddu.

Symudai'r goleuadau ar hyd y glannau am oriau yn y tywyllwch, er bod yr heddlu'n gwneud hyn i dawelu ofnau'r rhieni yn fwy na dim byd arall. Hyd yn oed pan gyrhaeddodd y cŵn, ni allent wneud fawr mwy na chodi'r arogl oddi ar y dillad roedd mam Stephen yn eu cario i'w lapio am ei phlentyn. Y plentyn nad oedd yn dod i'r golwg. Y plentyn oedd wedi boddi, efallai; y plentyn oedd ar goll allan yn ei fynwent lwch.

Ailgychwynnwyd y chwilio cyn y wawr. Erbyn hynny roedd yr heddlu wedi dod â'u dingis bach eu hunain, ac erbyn wyth o'r gloch roedd tîm o ddeifwyr wedi cyrraedd o Gaerloyw ac yn cerdded yn lletchwith i'r dŵr allan o'r fan – fel brogaod enfawr, a thraed mawr y plismyn yn edrych fel clowns yn eu fflipars.

Pawb ar bigau'r drain. Y deifwyr yn dod 'nôl gan ysgwyd eu pennau, a'r prif arolygydd yn disgrifio'r dŵr fel y dŵr mwyaf trwchus roedden nhw wedi gweithio ynddo erioed. 'It's exceptionally thick water,' meddai. Rhwng y llwch a'r haearn, roedd yn goctel ofnadwy.

Nid oedd amser yn bihafio yn ôl yr arfer y diwrnod hwnnw; roedd rhai oriau'n llusgo'u traed ac eraill yn mynd yn gyflym iawn, yn enwedig o'r prynhawn ymlaen, pan oedd mam Stephen mor bryderus nes y bu'n rhaid ei thawelu â Valium. Roedd yr olygfa ohoni'n eistedd mewn cadair gynfas yn druenus, gyda'r mŵg o de yn oeri'n dawel yn ei llaw, a hithau'n syllu allan i'r lagŵn drwy lygaid stond, mewn parlys o bryder.

Ni welwyd unrhyw beth, ni ddaethpwyd o hyd i unrhyw beth, ac erbyn diwedd y dydd roedd rhai aelodau o dimau'r heddlu wedi dechrau pacio'u stwff tra bod y deifwyr wedi gorfod mynd i Firmingham i chwilio am gorff mewn camlas.

Hyd yn oed gyda'r tawelyddion yn ei system, bu mam Stephen yn udo'i phoen pan esboniwyd y byddai'n rhaid dod â'r prif weithgarwch i ben. Ni allai dderbyn bod ei mab yno, yn unig, yng nghanol y rhialtwch o ddŵr a drain. Ond ar ôl gofyn iddi symud am y seithfed tro, penderfynodd un o'r plismyn fod yn fwy cadarn gyda hi, gan ddweud y byddai'n syniad da iddi fynd i edrych ar ôl ei merch, chwaer Stephen, oherwydd ei bod hithau hefyd yn becso'n rhacs. Yn y diwedd, cytunodd adael, gan edrych yn ôl unwaith ar y dŵr twyllodrus, ac ar y fan lle gwelwyd Stephen ddiwethaf.

Oriau hunllefus. Artaith o ddiffyg cwsg. Pryder yn gafael yn y pentref ac yn siglo mam Stephen a holl drigolion y lle. Rhywbeth wedi llyncu un o blant y pentref. Y dŵr wedi ei draflyncu. O! y boen a'r galar! Y diodde di-ben-draw! Diffyg gwybod oedd y peth gwaetha. Na, ei golli oedd y peth gwaetha! O, roedd popeth yn wael.

Ni chysgodd y pentref cyfan: pawb ar ddi-hun yn gofyn yr un cwestiynau drosodd a throsodd. Ble oedd Stephen? Beth oedd wedi digwydd iddo? A'r cwestiwn oedd yn rhewi'r enaid: oedd e wedi boddi?

Ddeuddydd yn ddiweddarach, yn gwbl ddiffwdan, curodd Stephen ar ddrws ei gartref, yn swnio'n hollol normal, gan ddweud ei fod wedi anghofio'i allweddi. Llewygodd ei fam yn y fan a'r lle. Yfodd ei dad botel gyfan o Glenlivet y noson honno. Bu dathlu dychrynllyd yn y pentref, a daeth pobl y cyfryngau 'nôl i whilmentan. Hyd heddiw, does neb yn gwybod yn union beth ddigwyddodd iddo. Clywir weithiau am ddynion o'r gofod yn eu herwgipio, neu eraill sy'n dweud taw stỳnt oedd y cwbl – tric gwael ar y naw. Awgrymodd rhai fod Stephen wedi mynd i berlewyg ac wedi cysgu ar un o'r ynysoedd – ond ni allai Stephen ei hun gynnig gair o esboniad iddynt.

Ni allai ddweud wrth unrhyw un beth oedd wedi digwydd, oherwydd ni fyddai neb yn ei gredu. Roedd ef ei hun yn amau'r hyn a welsai. Roedd yn swnio fel un o straeon mwyaf lliwgar Gwydion, ond yn fwy gwallgo. Yn llai credadwy. Ac eto, roedd ganddo swfenîr yn ei boced . . .

Wrth iddo symud yn ddyfnach i mewn i'r gwelyau cyrs,

fel taith Moses drwy bapurfrwyn ochrau'r Nîl, gallai Stephen glywed lleisiau Gwydion a Geraint yn graddol wanhau yn y pellter, cyn diflannu'n gyfan gwbl. Yng nghanol y tyfiant trwchus, roedd sisial tawel y gwynt drwy'r dail sych yn swnio'n debyg i dân prysgwydd. Tasgai ambell dderyn bach o un man cuddio i un arall wrth i'r rafft symud ymlaen yn araf, a phrin bod angen iddo ddefnyddio'r rhwyf roedd Gwydion wedi'i llunio o hen arwydd trwsio hewl, gan fod arwyneb y dŵr mor llyfn.

Wrth agosáu at adfeilion pwll glo yr Empire, a'r rafft yn symud ohoni'i hun tuag at y rhannau o waliau o frics coch oedd yn dal i sefyll uwchben y dŵr – oherwydd roedd 'na gerrynt hyd yn oed mewn corff o ddŵr llonydd fel hyn – clywodd sŵn annisgwyl . . .

'Psssst!'

Cododd y rhwyf 'Men at Work' o'r dŵr er mwyn gwrando. Yna clywodd lais, yn siarad mewn acen ryfedd.

'Psssst! Hei, ti! Boi bach! Beth yw dy enw di nawr? Ti'n gwbod, mab Jack. Ti, 'chan. Dere 'ma . . .'

Yna gwelodd berchennog y llais, Texas Dan, yn eistedd yn ei gwrcwd ger yr adit, y fynedfa i'r pwll – twll du â pholion rhydlyd ar draws ceg yr adit i gadw anifeiliaid rhag mynd drwyddi a disgyn i'r dyfnderoedd. Gwisgai Dan y Stetson oedd wedi gweld dyddiau gwell, a'r rheini'n ôl yn y chwedegau'n rhywle. Disgleiriai rhimyn yr hat â saim a bryntni, ac roedd arogl fel hen gaws yn yr awyr – drewdod hen ddyn oedd heb fod yn agos at fath am flwyddyn neu dair.

'Paid â becso. Fi yw Dan, Texas Dan . . .'

'O'n i'n gwbod hynny. Mae pawb yn gwbod pwy wyt ti. *King of the wild frontier*, ontefe?

'Mae pobl yn defnyddio disgrifiadau llai caredig ambell waith.'

Erbyn hyn, roedd Stephen dair llathen i ffwrdd o'r lan ac estynnodd Dan ei law er mwyn tynnu'r crwt draw.

'Beth ti'n wneud fan hyn, mas yng nghanol y brwyn 'ma?' gofynnodd Stephen.

'Fan hyn dwi'n byw.'

'Byw? Fan hyn? Tu allan i'r twll 'ma?'

'Na. Tu fewn i'r twll. Os ti'n moyn, alla i ddangos y lle i ti. Mae gen i bethau rhyfedd tu mewn, o oes. Pethau rhyfeddach na rhyfedd.'

Camodd Stephen ar y lan, ond wrth iddo wneud, symudodd y rafft ymhellach i ffwrdd, allan o gyrraedd y ddau ohonynt. Sylwodd Dan ar yr olwg ar wyneb y crwt.

'Paid â phoeni. Fi'n gwybod sut i gyrraedd tir sych. Ond cyn hynny, hoffet ti weld beth sy gen i i'w ddangos iti? 'Sneb arall wedi gweld y stwff 'ma.'

Gadawsant fyd yr haul ar eu holau mewn amrant. Ni allai Stephen weld unrhyw beth nes i Dan gynnau lamp, yna gwelodd eu bod yn sefyll mewn siambr a'r to ond ychydig fodfeddi'n uwch na'i ben. Roedd yn rhaid i Dan dynnu'i het a phlygu i lawr er mwyn camu ymlaen at geg twnnel oedd yn nadreddu i ffwrdd bron o dan eu traed, gan lyncu'r golau o'r lamp.

'Dere, dere. 'Sdim amser i wastio. Mae'n rhaid dweud fi'n teimlo'n ecseited reit abwytu dangos beth dwi wedi'i greu. O'n i ddim yn sylweddoli 'mod i'n moyn i unrhyw un weld y stwff 'ma, ond nawr bod rhagluniaeth wedi dy hala di . . . Beth yw dy enw di?'

'Stephen.'

'Nawr bod dim byd llai na rhagluniaeth, ie rhagblydiluniaeth wedi dy hala di, Stephen, i 'ngweld i, alla i ddim gweld unrhyw fai arna i fy hun am fod eisiau dangos y stwff iti.'

'Stwff?'

'Ie, stwff. Wel, ychydig mwy na jest stwff. Dinas.'

'Dinas?'

'O, gei di weld. Bydd yn ofalus wrth gamu dros yr hen drawstiau 'ma. Maen nhw'n beryg bywyd.'

Cerddodd y ddau ymlaen, a'r to yn mynd yn is ac yn is nes eu bod yn eu cwman bron erbyn cyrraedd agoriad y siambr nesaf.

'Dyma ni.'

Cynheuodd Dan gyfres o lampiau bach gan oleuo'i gartre, sef un siambr gron, rhyw ugain troedfedd ar draws. Roedd y lle yn llawn pethau, yn llawn dop o stwff.

Crwydrodd llygaid Stephen o un peth i'r llall, yn ceisio gwneud sens o'r hyn a welai, ond roedd rhai pethau y tu hwnt i'w ddeall, megis y cerfluniau tenau, uchel oedd yn codi o bob rhan o'r llawr bron, ac yn tyfu fel coedwig o stalagmeitiau. Gan nad oedd Stephen wedi bod mewn unrhyw ddinas, ac yn sicr doedd e erioed wedi bod yn Efrog Newydd fel Texas Dan, sut y gallai wybod bod yr hen ŵr wedi bod yn naddu casgliad o nendyrau, gan beintio ffenestri ar y darnau o bren a gasglodd ar lan y môr, a'u trefnu'n eithaf ffyddlon ar siâp map o Manhattan? Ond yna cofiodd Stephen am King Kong yn y ffilm, a sylweddolodd taw dyna lle y gwelsai adeiladau fel hyn o'r blaen. Codai'r American Radiator Building, twr Hearst, adeilad Chrysler, y Woolworth, yr Empire State Building a mwy. A rhwng y rhain, wedi'u gosod mewn rhesi taclus, teithiai casgliad o geir bach, teganau plant roedd Texas Dan wedi dod o hyd iddynt ar ei deithiau; er nad oedd pob un yn fodel Americanaidd, roedd digon o Chryslers yn eu plith, a Texas Dan yn edrych fel cawr wrth iddo stelcian o gwmpas yn gwneud y peth yma a'r peth arall, yn brysur fel gwenynen. Gwenynen wallgo. Sgubai ei law drwy'r awyr, yn dangos hyn a'r llall, yn cyflwyno'i drysorau.

'Dyma New York i ti. Y ddinas hardda yn y byd. Beth ti'n feddwl?'

Wnaeth Dan ddim oedi am ateb, oherwydd roedd wedi estyn am ryw declyn rhyfedd.

'Mae 'na arogl yn New York sy'n wahanol i unrhyw le arall, ac mae'n amhosib ei ddisgrifio. Rho hwn dros dy wyneb, ac mi a' i â ti yno, yr holl ffordd ar draws yr Atlantig.'

Ffitiodd Dan y mwgwd nwy o'r Ail Rhyfel Byd yn dynn dros wyneb Stephen, nes ei fod yn glynu at ei wyneb fel croen llyffant. Ond er bod y crair yma o'r Rhyfel i fod i gadw nwy allan, aeth Dan ati i gynnau pum sigarét mewn bocs bach a dechrau chwythu'r mwg i mewn i dwnnel gwydr. Yna agorodd focs arall yn llawn iâ. Roedd dannedd metel yn troi yn rhywle yn mherfeddion y peiriant, ac yn chwalu'r iâ er mwyn i ffan bwerus chwythu'r darnau bach i gymysgu gyda'r mwg. Bwydwyd y gymysgedd honno, yn ei thro, i mewn drwy'r masg ar wyneb Stephen. Nid am y tro cyntaf, meddyliodd Dan ei fod yn lwcus iawn nad oedd unrhyw nwy yn y rhan yma o'r hen bwll, neu mi fyddai'r ddinas wedi chwythu lan hydoedd yn ôl.

Gwenai Texas Dan wrth ddilyn y ddefod hon. Gwnai bopeth mor ddidrafferth nes ei bod yn anodd meddwl nad oedd wedi gwneud hyn ddwsinau o weithiau o'r blaen.

Tu ôl i'r mwgwd teimlai Stephen ddryswch ac ofn. Er hynny, roedd rhan ohono'n mwynhau'r profiad, yn enwedig pan ddechreuodd Dan droi handlen y chwaraewr gramoffôn, a'r miwsig craclyd yn llenwi clustiau Stephen er gwaetha'r masg. Dechreuodd ymgolli'n llwyr yn y profiad o ymweld â'r ddinas hon, er ei fod o dan y ddaear, efallai o dan draed Gwydion a Geraint, hyd yn oed. Dechreuodd rhyw oleuadau fflachio wrth i Dan gysylltu cyfres o oleuadau bychain wrth gadwyn o fatris. Yn ei feddwl, gwelai Dan oleuadau Times Square, a pan ddechreuodd y goleuadau ddisgleirio'n wyrdd, glas, porffor ac oren, dechreuodd yr hen ŵr chwarae nifer o gyrn ceir. Dawnsiodd yn araf o gwmpas y siambr gan agor ambell dap er mwyn gadael i'r mwg o'r sigaréts lenwi'r siambr hefyd, a throi handlen y gramoffôn o bryd i'w gilydd. Dychmygai oleuadau Times Square yn hysbysebu gwahanol bethau. Cracker Jack Snacks. Dutch Boy Paint. Campbell's Soup. O! Roedd e'n dwlu ar y lle, yn ei garu fwy nag y gallai fyth esbonio. A nawr, lawr y siafft 'ma, yng nghrombil y ddaear, gallai nid yn unig fynd yno pryd bynnag y mynnai, ond nawr gwyddai y gallai wahodd rhywun dieithr i ymuno ag e, hefyd. O, am le!

Dechreuodd Stephen besychu oherwydd y mwg. Aeth Dan ato a thynnu'r masg oddi ar ei wyneb.

'Beth ti'n feddwl? Nid pob pwll glo yng Nghymru sydd â dinas o America lawr wrth y ffas!'

Pesychodd Stephen eto, yn galetach y tro hwn, cyn

dechrau symud ei ben o'r dde i'r chwith ac yn ôl eto, fel petai'n methu credu'r hyn a welsai yn hen waith glo yr Empire.

Rhyfeddai ei fod yn medru anadlu yma, heb sôn am fedru gwibdeithio i'r ddinas anhygoel hon, lle dawnsiai'r goleuadau ar draws wynebau'r adeiladau enfawr, a'r aer yn blasu o nwy monocsid. Ac i goroni'r cyfan, tynnodd Dan len fechan i'r naill ochr. Daeth cerflun o'r Statue of Liberty i'r golwg, ond mai wyneb Bopa Lil oedd ganddi. Roedd Bopa Lil yn perthyn i Dan, a dyma'r ddau ohonynt yn chwerthin a chwerthin, oherwydd hurtrwydd y sefyllfa a dyfeisgarwch yr hen ddyn hwn, a oedd wedi dotio cymaint ar America nes iddo adeiladu ei ddinas Americanaidd ei hun. Heb yn wybod i neb.

Yng nghhornel y siambr, diffoddodd cyfres o oleuadau'n dawel ar hyd Lexington Avenue. A daeth y miwsig i ben, gan adael sŵn y nodwydd yn troi a throi ar yr hen record i dorri'r tawelwch yn ninas Dan.

Mor ddisymwth y mae bywyd
yn gallu newid

*U*N DIWRNOD, dywedodd mam Gwydion wrtho am stopid bygitan â'i dad, a rhoi llonydd iddo am ei fod yn teimlo'n anhwylus. Drannoeth, roedd Macs yn cael profion yn yr ysbyty, lle na allai'r holl ddoctoriaid – er gwaetha'u cotiau gwynion a'r peiriannau ar gyfer mesur hyn a'r llall – ddweud yn union beth oedd o'i le arno. Ond ar ôl rhagor o brofion, a pharêd o gotiau gwynion, cafodd y newyddion fod lwmp yn ei stumog a bod yn rhaid cael gwared arno cyn gynted â phosib. Roedd y lwmp yr un maint â grawnffrwyth ac yn debygol o dyfu i faint melon.

Aeth Gwydion ar ei union at Mrs Lazarus.

'Mae wedi bod yn amser hir ers i mi dy weld di, Gwydion. Roeddet yn teimlo tamed bach o ofn, efallai, ar ôl gweld beth ddigwyddodd i'r hen Ebenezer. Mae pwerau gwrach, hyd yn oed un wen, yn ddigon effeithiol.'

'Dyna pam dwi yma, Mrs Lazarus. Mae Dad yn sâl. Maen nhw'n sôn am gancr, er nad y'n nhw bron byth yn defnyddio'r gair a dwi eisiau ei helpu fe. Allwch chi fy helpu i? Fi'n cofio chi'n sôn unwaith am yr arsenal o feddyginiaethau roeddech chi wedi'u hetifeddu gan eich hen fam-gu, a'ch mam-gu, a'ch mam. Oedd 'na rywbeth yn eu plith allai fod o help?'

'Y canri goch yw'r peth. Does dim byd gwell na hwn i ddechrau triniaeth. Fydd e ddim yn lladd y cancr, ond bydd dy dad yn medru ymladd y bwystfil oddi mewn yn well. Dere, awn ni allan i chwilio am beth ohono. Dwi'n gwybod yn iawn ble i fynd.'

Gwenodd ei gwên arferol.

Rhaid cyfaddef, teimlai Gwydion ychydig yn hunan-ymwybodol wrth gerdded drwy'r pentref yng nghwmni Mrs Lazarus, ond ymresymai ei fod yn dipyn o ffrîc ei hunan, rhwng yr holl astudio a fu arno, y profion seicolegol, yr asesu di-ben-draw.

Daethant 'nôl â llond stên o'r planhigyn, a sgrifennodd Mrs Lazarus y cyfarwyddiadau ar ddarn o bapur.

Ac fe wellodd Macs, er bod y cancr yn cael ei ystyried yn un o Grŵp 3, y math sy'n lledaenu fel chwyn. Ni allai'r doctoriaid esbonio beth oedd wedi digwydd iddo, ac roedd un nyrs yn credu y dylai gael ei wneud yn sant. I Gwydion, roedd hyn llawer mwy pwysig na sgrifennu llyfr llwyddiannus, nac unrhyw baragraff o ryddiaith bert, hyd yn oed rhywbeth o waith Annie Proulx, ei ffefryn mawr. Darllenai'r wên ar wyneb ei dad â llawer mwy o bleser na hyd yn oed ei straeon gorau hi, rhai fel *Brokeback Mountain*.

Un diwrnod, mewn gwers Saesneg, a roddid gan ddyn â'r enw rhyfedd Mr Trilby, neu Cap fel y gelwid ef gan y bechgyn i gyd, gofynnwyd i bob disgybl ddewis rhyw agwedd o'i gorff fel sail i stori. Ni chymerodd Gwydion fawr o amser i feddwl am destun. Tra bod ei ffrindiau'n meddwl am esgyrn a dorrwyd wrth chwarae, neu ryw graith a achoswyd wrth gwympo o goeden, wal, neu i mewn i dwll, dymunai Gwydion adrodd hanes y ddraig, heb os. Y ddraig oedd fel tatŵ ar ei groen. A dyna a wnaeth; dychmygodd hanes i'r ddraig, mewn traethawd a blesiodd Mr Trilby'n fawr, nid lleiaf oherwydd ei fod yn awyddus, fel pawb arall, i wybod mwy am yr anifail.

Yn bell, bell yn ôl pan chwyrlïai niwl o gwmpas bob man a'r ddaear yn crynu gan gerddediad traed mamoths a chreaduriaid tipyn mwy o faint na mamoths, ganwyd draig mewn ogof, twll anhysbys, hollt mewn craig.
I gadw'n gynnes anadlai'r ddraig ifanc ar rai o'r cerrig ar lawr yr ogof, oherwydd mae'n bwysig cofio bod draig yn teimlo'r oerfel, hyd yn oed os yw'n medru tasgu fflamau fan hyn a fan draw. Doedd dim sôn am ei rieni, ac yn sicr nid oedd ganddo unrhyw ddraig-ffrindiau, ond doedd y ddraig ddim yn unig oherwydd roedd pâr o eryrod yn byw gerllaw a'r rheini'n mwynhau dim byd yn well na helpu'r ddraig i ddysgu hedfan. Dysgodd sut i wneud lŵps, a sut i ddefnyddio'r aer a godai dros y tir i'w gwneud yn haws iddo hedfan. Un tro, roedd y ddraig mor hapus ar ôl dysgu sut i gysgu yn yr awyr, i fflotian yno fel petai yn nŵr y môr, taflodd neidr hir o fflam allan o'i geg, a bron iddo roi un o'r eryrod ar dân. O'r diwrnod hwnnw ymlaen, dysgodd sut i ffrwyno'r fflamau, a'u defnyddio i bwrpas arbennig yn unig.
Ac osgoi ei ffrindiau.

Nid oedd gan y ddraig enw, felly ymgynghorodd y ddau eryr â'i gilydd a phenderfynu gofyn i'r dylluan – oedd yn enwog am ei doethineb – a oedd ganddi enw ar ei gyfer. Ar amrantiad, awgrymodd yr enw Hedfan, a dyna sut y cafodd y ddraig enwocaf un ei enw.

Ddydd ar ôl dydd, hedfanai'r tri fry uwchben y tir. Byddai Hedfan, a oedd yn medru gweld yn well nag eryr hyd yn oed, yn helpu'r adar i ddod o hyd i'w prae, boed hynny'n sgwarnog, neu sglyfaeth, neu oen bach yn prancio'n llon am y tro olaf ar lethr mynydd. Daeth yr eryrod i werthfawrogi cig rhost, gan y byddai Hedfan yn rhoi fflamiad bach i'r cig, a'r eryrod yn dod i hoffi'r blas, ynghyd â chwmniaeth y ddraig, a oedd yn gallu bod yn ddoniol iawn ar adegau. Er enghraifft, y tro hwnnw y digwyddodd damwain anffodus pan ddododd Hedfan ei gynffon ei hun ar dân wrth geisio arddangos ei sgiliau i ddraig arall oedd wedi crwydro i lawr o'r gogledd. Adroddai'r ddraig hon storïau am gigfran hudol y cwrddodd â hi ar ei drafels, ymhlith rhyfeddodau eraill, fel petai draig oedd yn medru rhostio ffowlyn yn mynd i gael ei synnu wrth glywed aderyn yn siarad. Ond roedd ei gynffon ar dân, a'r boen yn lledaenu. Er mwyn diffodd y fflamau a lleddfu'r boen bu raid iddo ddeifio i mewn i lyn bach.

Ond roedd hen fenyw yn cael ei bath blynyddol yn y dŵr pan laniodd Hedfan a dyma hi'n rhedeg yn gwbwl borcyn i nôl ei gŵr, a oedd yn berchen gwn. Erbyn iddo gyrraedd y llyn doedd dim sôn am Hedfan, a'r ffermwr yn dechrau amau bod ei wraig wedi colli'i marblis. Draig? A'i chynffon ar dân? Cofiai'r ffermwr sut y bu ei wraig yn mynnu iddi glywed miwsig y tylwyth teg lan wrth y tri llyn – Llyn Tarw, Llyn Mawr a Llyn Du – ac roedd hi'n hollol, hollol gyfan gwbl bendant ei bod wedi clywed lleisiau tyner a phibau pêr. Gallai hyd yn oed fwmian ambell felodi fel roedd hi'n eu cofio, ond ni

allai ei gŵr wneud dim byd mwy na dweud drosodd a
throsodd nad oedd y fath beth â thylwyth teg yn bod, ac
y dylai weld doctor os oedd hi wir yn credu bod 'na bobl
bach lan wrth y llynnoedd yn chwarae pibau yn y nos.

A dyna fyddai diwedd y mater, heblaw bod y gŵr
wedi codi fore trannoeth i ganfod bod y lawnt roedd
newydd ei hadu bythefnos ynghynt yn edrych yn
wahanol iawn. Roedd bron yn amhosib gweld y gwair
ifanc oherwydd y cylchoedd o ffwng, ring y gŵr drwg, a
dyfai ym mhobman. A bu'n rhaid iddo dderbyn efallai
bod 'na rywbeth yn stori ei wraig. Ond nid y tro hwn,
pan oedd draig yn y cwestiwn. Ni welodd y ddraig â'i
chynffon ar dân yn plymio i Lyn Tarw, ac felly nid oedd
'na ddraig. Gallai fod yn stwbwrn gyda phethau felly.
Gwallgofrwydd oedd yr hyn a ddisgrifiai ei wraig, a
pheth da fyddai iddi dderbyn hynny.

Ond ddeuddydd yn ddiweddarach, roedd yn mynd
â'r ci am dro ar hyd glan y llyn pan welodd rywbeth
coch yn sgleinio ar Ben Dafad, y graig fawr lle nythai'r
gwylanod penddu. Wrth agosáu, gallai weld taw
rhyw fath o ewin oedd yno, neu efallai gennyn oddi ar
fwystfil megis draig. O diar, meddyliodd y ffermwr, wrth
chwibanu ar y cŵn a throi'n ôl tuag adre. Byddai'n
rhaid iddo ymddiheuro ar ei bengliniau gan wisgo
sachlliain a lludw, ond pan gyrhaeddodd y tŷ doedd
dim siw na miw o neb. Doedd dim golwg o'r gath, hyd
yn oed, ac roedd honno wastad yno, yn cysgu ar ei
hoff gadair tra oedd e bant; heddiw, nid oedd y gath
na'i wraig yno i'w groesawu. Ac ni welodd ei wraig
fyth eto. Roedd pob dydd yn artaith iddo, ac roedd yn

ei feio'i hun am fethu gweld y gwir yn llygaid ei wraig ddiflanedig.

Crwydrai'r ddraig o le i le yn mwynhau'r byd a'i bosibiliadau, yn enwedig gyda'r hen fenyw ar ei gefn, gan chwerthin yn ddidrugaredd, ei diléit yn ddi-stop. Treuliodd fisoedd yn Siapan gyda che'ndryd yno, yn dysgu sut i bysgota am *madai* oddi ar arfordir danheddog ynysoedd Oki a Sado. Gwelodd losgfynyddoedd oedd wedi cychwyn oherwydd cweryl rhwng dwy ddraig, un werdd ac un wen, mewn ogof ddofn. Roedd yr holl dasgu tân gwyllt wedi rhoi hyd yn oed creigiau'r ddaear ar dân, y llithfaen yn toddi wrth i'r ddraig werdd hyrddio peli tân i gyfeiriad y ddraig wen, nad oedd yn ofni unrhyw beth ers iddi guro draig ola'r gogledd mewn brwydr allan ar yr iâ.

Ond daeth tro ar fyd. Un dydd, wrth hedfan dros goedwig hynafol, clywodd lais yn dweud yn glir y dylai fynd i guddio, oherwydd bod Emerald O' Reilly, y Dyn-Sy'n-Lladd-Dreigiau, ar ei ôl, a bod ei sent ganddo. Beth oedd y llais? Pwy oedd y llais? Doedd gan y ddraig ddim syniad, ond gallai glywed y rhybudd pendant yn glir, felly dechreuodd godi'n uwch a cholli maint, nes nad oedd yn ddim mwy o seis na thitw tomos las. O'i flaen gwelodd adeilad o wydr, ac aeth yn syth amdano gan ddilyn ei reddf. I mewn ag e drwy ffenest oedd ar agor, ei gorff yn dal i fynd yn llai a llai, ei wddf yn crebachu'n goler, ei goesau ôl yn llai na rhai cyw byji, ond ymlaen ag e nes hedfan yn syth i mewn i gòt babi bach. Yno, aeth i guddio o dan y croen tyner newydd, gan edrych fel tatŵ i unrhyw un nad oedd yn gwybod bod draig yn

gallu cuddio'n well nag unrhyw anifail arall yn y byd – y
byd hwn na'r byd arall. Bod draig yn medru cwato'n saff
rhag unrhyw beryg, hyd yn oed rhag Emerald O'Reilly,
a oedd yn styfnig o benderfynol, ac yn dal i chwilio am
y ddraig. Mae'r sent ganddo. Bydd hynny'n ddigon,
maes o law. Mae e wastad yn ddigon. Achos fe yw'r
Dyn-Sy'n-Lladd-Dreigiau ac mae e eisoes wedi casglu
un ar hugain o grwyn. Fe yw gelyn gwaethaf Hedfan.
Ond mae croen Hedfan yn tewhau wrth dyfu. Efallai, un
diwrnod, y bydd y ddraig yn hollol saff, yn ei chuddfan
dan y blew bach. Neu efallai y bydd yn gorfod dihuno
a thyfu'n fawr unwaith yn rhagor, yn ôl ei ffawd,
gan ddilyn y llwybr a drefnwyd iddo gan yr hen, hen
dduwiau. Y rhai heb enwau. Y rhai sy'n angof bellach.
Bron.

Creigiau geirwon

ROEDD GWYLIAU HAF cyntaf Gwydion bant o'r pentref wedi'u serio'n ddwfn yng nghof y crwtyn, fel mae craith a drowyd yn las gan lo yn marcio talcen coliar. Aeth i aros mewn goleudy, adeilad oedd wedi sefyll yng nghanol dychymyg Gwydion byth ers iddo glywed am y lle pan oedd yn fachgen. Dychmygai ddyddiau'n llachar 'da llifeiriant golau haul tragwyddol. Cri gwylanod fel gwragedd yn wylofain am eu morwyr coll, y rhai a lusgwyd i lawr i waelod môr, lle mae Defi Jones yn eu cyfrif nhw. Blas crancod wedi'u coginio dros lo mân. A'r tonnau, wastad y tonnau, yn torri'n wyn ar y traeth.

Er pan oedd yn bump neu chwech oed, gwyddai Gwydion fod ei Wncwl Dafydd yn byw mewn goleudy, a bod ganddo ferch yr un oedran ag ef. Roedd Macs wedi adrodd straeon amdanynt droeon, ond pan glywodd Gwydion ei fod am fynd yno i dreulio'r holl wyliau haf gyda nhw, nadreddai nerfusrwydd a hapusrwydd y naill ar ôl y llall drwy ymysgaroedd y crwt. Am sawl blwyddyn, credai mai Ych-a-fi oedd ail enw ei Wncwl oherwydd bod ei fam-gu wastad yn dweud hynny pan glywai'r enw.

'Dafydd? Ych-a-fi!'

Ni fyddai fyth yn dweud rhagor, dim ond grwgnach fel rhywun yn bwyta lemwn cyfan. Ond roedd Pegi bellach wedi marw, felly doedd dim mwy o gwyno am Dafydd.

Wrth i ddyddiau'r tymor ysgol ddirwyn i ben – a Gwydion

wedi bod mewn tair ysgol mewn cyfnod o ddeg wythnos – a'r gwyliau'n agosáu, teimlai bod amser ei hun yn arafu, y munudau'n llusgo'u traed fel oriau cloff, yr oriau'n ymestyn rywfodd, ac yn troi'n ddyddiau hir, hirach, hiraf, yn *felltigedig* o hir.

O'r diwedd, ar ôl aros am gyfnod a deimlai fel wyth can mlynedd, gwawriodd y diwrnod paradwysaidd pan fyddai Gwydion yn teithio ar y bws i Gaerfyrddin cyn newid am fws arall i deithio i'r penrhyn rhyfedd hwnnw yn y gorllewin – y penrhyn â'r enw rhyfedd: Penrhyn y Bwystfil Dano, lle safai goleudy Dafydd a'i deulu bach – ei wraig Miriam a'u merch fach, Dwti. Ni wyddai Gwydion y byddai aelodau eraill o'r teulu yn aros yno hefyd, i helpu i gynaeafu gwymon. Dyna oedd prif waith Dafydd, yn ogystal â chadw'r golau ynghynn wrth gwrs.

Roedd pawb yn clebran ar y bws i Gaerfyrddin, gan mai diwrnod mart oedd hi, a nifer o fenywod yn cario wyau a chabej a ffagots i'w gwerthu yn y farchnad. Roedd yr awyr yn dew o eiriau a straeon wrth iddynt broffwydo faint o arian fyddai'n cyfnewid dwylo, a'r menywod i gyd yn gobeithio am ddiwrnod da o werthu nwyddau, ac efallai am brynu ambell rhywbeth bach neis i'w fwyta ar y ffordd adre. Llenwyd y bws gan leisiau adar, a chan drydar adar, sgwrsio pert paracîts, y lleisiau lliwgar yn wahanol iawn i ddillad syber y menywod. Roeddynt hwy wedi'u gwisgo mewn ffrogiau a hetiau duon, ac ambell siol ddu, fel petaent yn modelu gwisg genedlaethol Albania – lle roedd y menywod hyd yn oed yn fwy syber. Roedd Lettie Leyshon am brynu het newydd ar gyfer cwrdd sefydlu'r gweinidog newydd, Mr Herbert Williams o Bontneddfechan. Roedd hwnnw'n symud i Moriah, ac yn medru taranu pregeth gyda'r gorau, y math o orchymyn moesol a allai beri dychryn heb ei ail – na'i drydydd – ym mrest unrhyw bechadur oedd yn digwydd bod yn y gynulleidfa. Ie, het newydd i fynd 'da'i chot ffwr.

Yn ei chof, gallai Lettie glywed y Parchedig Herbert Williams yn belto mas, 'Chwychwi a losgwch yn nhân tragwyddol yr Arglwydd, a gyda phob sicrwch dan y nen bydd y croen ar eich breichiau'n gwywo a philo cyn llosgi'n gols a bydd eich llygaid ar dân, ar dân meddaf i chwi, ar dân meddaf i chwi ddwywaith a thrachefn, a bydd poen y paratoi i gwrdd â'r Ior yn ddim i'r hyn sy'n eich disgwyl os taw i uffern y byddwch yn mynd. Gwae chi rhag mynd i ogof Belsebwb, lle mae'r picellau tân yn ddirifedi, a phob munud yn artaith bur.

'Y mwg, meddaf i chwi! Yr wylofain! Y drewdod sy'n codi cyfog, nodaf ar eich cyfer. Y llefain diddiwedd, rhestraf i chwi ymhlith yr ofnadwy-bethau, y ffawd greulon, y boen erchyll sy'n disgwyl y celwyddgi, y lleidr, y cenfigenwr, y diogyn, yr anffyddiwr a'r Sais. Eich plant yn boddi'n araf o'ch blaenau. Drosodd a throsodd yn boddi a chwithau'n medru gwneud dim byd i'w hachub. Y plant bach! Yn llosgi fel golosg! Gochelwch rhag mynd yno. Gallwch osgoi treulio byth bythoedd yn uffern drwy weddïo, a chredu yn yr Hollalluog, a rhoi arian digonol yn y casgliad. Unrhyw beth i osgoi y mwg a'r fflamau, a'r plant bach 'na'n boddi ym mhobman. Uffern, meddaf i chwi! Nid yw fan'na yn le i unrhywun ond pechadur gwael, fydd yn diodde tan bod y byd i gyd yn dod i ben. Gwae, gwae a theirgwaith gwae! Ewch i rywle ond uffern! Eich dewis chi yw e. Pechwch, a chwi a losgwch. Mae hynny'n wir fel Lefiticus i chi!'

Ar ôl cyrraedd Caerfyrddin, bu'r gyrrwr bws yn ddigon caredig i dywys Gwydion i'r fan lle roedd y bws nesa'n gadael. Y tro hwn roedd y cerbyd yn dipyn llai o faint a thipyn llai swnllyd, gyda dim ond tri theithiwr arall, a neb yn dweud bw na ba. Wrth iddynt yrru i'r gorllewin go iawn, cyfnewidiwyd y perthi gwyrddion am walydd isel wedi'u codi â cherrig, a thyfiant eithin ysblennydd yn coroni pob modfedd o'r tir. Newidiodd ansawdd y golau hefyd – disgleirdeb o olau pur yn codi o wyneb y môr, adlewyrchiad o haelioni'r haul a dywynnai'n benderfynol ar fryniau'r Preselau, draw sha Mynachlog Ddu ac ochrau Crymych. Teimlai Gwydion yn ysgafn gan hapusrwydd, yn wan 'da edrych ymlaen.

Ymlaen aeth y bws, y brêcs yn gwichian wrth ddreifio heibio i bentrefi gwyngalchog. Roedd Gwydion yn mwynhau edrych o'i gwmpas a nodi'r hyn a welai – cudyll coch yn codi o dwffet o redyn corsiog gyda rhyw anifail druan yn aberth byw yn ei grafangau, ceffylau gwylltion yn sefyll fel cerfluniau yng nghanol corstiroedd diarffordd, ac ambell dractor yn hau gwylanod wrth droi tir ar ôl tynnu tato, a'r caeau'n edrych fel carbord ar ôl iddo gwpla'i waith. Gwelodd wartheg yn sefyll fel fersiynau marmor o wartheg wrth y troad i Groescyffylog, yr un ohonynt yn symud, hyd yn oed i ddisodli clêr â swish cynffon.

Wrth gyrraedd Nant y Brethyn, gwelai Gwydion ddau dincer yn ymladd wrth ochr y ffordd. Gwelwyd fflach, fel cyllell yn yr haul, ond ni feiddiodd edrych yn ôl rhag ofn iddo weld dyn yn gorwedd ar lawr yn gelain farw. Roedd 'na rywbeth i'w weld rownd pob cornel. Tŷ unnos ar dân. Cadno'n hongian ar lein, ei groen yn sychu fel rhywbeth yn yr Aifft. Lleian, a edrychai'n gan mlwydd oed os nad yn hŷn na hynny, yn cripian ar ei phengliniau, ar ei ffordd bererindodaidd i Dyddewi, neu i brynu bara yn y siop.

Disgynnodd y teithiwr olaf ym mhentre clawr-bocs-siocled Solfach gan adael Gwydion ar ei ben ei hun yn gwrando ar y gyrrwr yn chwibanu rhyw gân ac yna'n ychwanegu geiriau, am wylltineb y môr, a disgwyl cariad wrth y cei, a gweld y byd i gyd yn grwn, a mynd rownd yr Horn, a gadael Aberdaugleddau.

Yna daeth y bws i stop am bod yr hewl ei hunan wedi dod i stop, a dyna lle roedd y goleudy yn y pellter, yn sefyll yno fel darn mawr o sialc, y tŵr gwyn yn adlewyrchu pelydrau'r haul gan wneud i wydr y golau ei hun fflachio'n wyllt, semaffor annealladwy, rhywbeth i ddallu'r gwylanod oedd ar batrôl o'i gwmpas.

Gwyddai Gwydion hanes y lle yn barod gan ei fod wedi derbyn llythyr oddi wrth ei wncwl yn rhestru prif ddyddiadau'r cynllunio a'r adeiladu, ac roedd Gwydion, yn hen law ar gofio'r fath bethau, wedi eu dysgu a'u storio yn ei gof trefnus, nesaf at enwau prifddinasoedd y byd, Ulan Bator, Ougadogou a Georgetown.

'Dyna ti, dyna fe,' dywedodd y gyrrwr, gan estyn cês lledr Gwydion a'i osod ar lawr. 'Mi gana i'r corn i adael iddyn nhw wybod dy fod wedi cyrraedd. Maen nhw i gyd i lawr ar y creigiau, yn brysur fel arfer.'

Dilynodd Gwydion fys y gyrrwr a gweld nifer o bobl yn symud yn ôl ac ymlaen yn bwrpasol ar draws y creigiau wrth waelod y goleudy, yn morgruga'n brysur wrth gasglu gwymon cyn i'r llanw ddod i mewn. Pan glywsant gorn y bws, safodd pawb yn stond, yna gadawodd un ei lwyth – basged efallai, roedd yn anodd dweud oherwydd y pellter – a dechrau cerdded i gyfeiriad y graig lle safai Gwydion.

Allan yn y dŵr, torrai llamhydyddion a phorpois drwy wyneb y dŵr, gannoedd ohonynt, er na wyddai Gwydion beth oedd y creaduriaid yma oedd yn corddi'r dyfroedd hallt. Nid oed'd wedi gweld unrhyw anifail tebyg yn nofio yn y dŵr o'r blaen, er bod morfil wedi cael ei olchi i'r lan ger y pentref pan oedd yn chwe mlwydd oed, a'r holl bentrefwyr wedi casglu digon o gig a *baleen* i gadw'r lampiau ynghynn am ddegawd neu fwy. Cofiai Gwydion am y profiad o sefyll dan sgerbwd y mamal tra bod ambell frân ddewr yn dal i bigo darnau o gnawd oddi ar yr asennau anhygoel, yn amcangyfrif bod y bwystfil drigain gwaith yn fwy nag ef. Bwystfil go iawn, felly.

Eisteddodd Gwydion yn ei gwrcwd yn ymyl y cês a dechrau rhestru nodweddion y tirlun. Yr ewyn-don a godai o'r gilfach odditano. Y brain coesgoch yn hedfan gyda diléit yn eu plu. Y morgrug-bobl yn gweithio'n ddiwyd, ddiwyd, eu cefnau'n wargrwm wrth gasglu'r gwymon, ac yn glynu fel llygaid meheryn i'r graig.

Ugain munud yn ddiweddarach daeth pen melyn i'r wyneb dros erchwyn y clogwyn, yn cael ei ddilyn gan y wên hyfryta i Gwydion ei gweld erioed. Bron iddo gwympo mewn cariad â'i gyfnither Dwti yn syth bìn. Gwên fel rhwyd i ddal teimladau dyn. Dannedd gwynion fel cregyn môr. Llygaid yn llawn direidi a bywyd, yn llosgi ag egni merch fach oedd newydd gael hoe ar ôl oriau hir o gasglu gwymon, ei dwylo'n sgleinio fel traciau malwen.

'Helô, Gwydion. Fi yw Dwti. Ti yn teulu fi. Feri gwd. Dilyna fi lawr i'r tŷ. Mae cant un deg ac wyth o steps. Dyna pam fi'n gallu cyfri i gant un deg ac wyth heb drafferth yn y byd. Ond dim mwy na hynny. Feri gwd. Dere â'r peth 'na 'da ti. Allwn ni rannu fe. Fi'n gryf fel Samson. Lawr â ni. Un . . . dau . . . tri . . . Feri gwd!'

A gyda hynny, gafaelodd Dwti mewn un rhan o handlen y cês a dechrau camu i lawr tuag at y grisiau metel oedd yn arwain tuag at bont haearn a gysylltai'r crwban o garreg lle safai'r goleudy â'r tir mawr. Gwyddai Gwydion y byddai'n mwynhau bod yma, yn y cartre hwn ar ben draw'r tir, ar erchwyn y byd ei hunan, gyda'r môr yn bygwth tymestl ac yn erydu'r tir – yn enwedig os byddai Dwti yno i gadw cwmni iddo. Gwenodd wrtho'i hun gan gofio'r ffordd stacato y byddai hi'n dweud pob peth. Feri gwd. Ie. Feri gwd.

Roedd cymaint o glustog Fair yn tyfu wrth ymyl y gilfach o lwybr a arweiniai at ddrws y goleudy nes ei fod yn edrych fel gardd go iawn, lle roedd y garddwr wedi plannu planhigion pinc yn unig. Nid oedd y dringo'n hawdd, hyd yn oed wrth rannu'r cês. Cant un deg a chwech. Cant un deg a saith. Cant un deg ac wyth. Bu'n rhaid i'r ddau aros ar y gris hwnnw tra bod Dwti'n stryglo i agor drws y goleudy – gan mor drwm ydoedd – y math o ddrws haearn solet allai wrthsefyll tymestl neu aros ynghau mewn corwynt.

Cyrhaeddodd ei thwlwth tua'r un pryd, pob un yn gwegian dan faich sylweddol o wymon, pob un yn gwisgo cot o frethyn oeliog trwm a bŵts rwber trymion. Câi Gwydion ei atgoffa o luniau sepia o'r dynion cyntaf i fentro i ddyfnderoedd môr mewn bathysgaff, arwyr arloesol gyda mwstashys mawr tebyg i arloeswyr oes Fictoria, H. M. Stanley efallai, neu Mungo Park. Nid bod gan ei fodryb fwstásh, er bod ganddi gyhyrau fel bocsiwr, a chorff fel dyn oedd yn trwsio hewlydd yn Rwsia.

Arllwyswyd y gwymon i mewn i ddwy stên enfawr a chynheuodd ei fodryb dân o dan y ddwy ohonynt, i ddechrau gwneud bara lawr.

'Bydd yn cymeryd awr neu ddwy, ond gallwn adael i'r fflamau fudlosgi am ychydig bach tra byddwn ni'n paratoi swper,' meddai ei fodryb. Roedd ei hwyneb yn goch ac yn rownd, fel rhyw fath o bwmpen drofannol, ac roedd ganddi wallt fel gwellt wedi'i droi'n felyn dwys gan y gwynt a'r tywydd cyfnewidiol yma ar ddiwedd y tir.

Byddai Dwti'n dweud bod y môr yn colli'i dymer wrth iddo sôn am y gwynt. Rownd fan hyn roedd y gwynt yn fyr ei dymer, ac roedd wastad angen dangos parch tuag ato.

'Shwt mae'n ceibo?' gofynnodd dyn â llygaid direidus wrth estyn llaw dde yr un seis â rhaw, a honno'n rhaw sylweddol. Roedd croen Wncwl Dafydd yn drwchus fel croen môr-grwban, o liw mahogani oherwydd effaith haul a hindda a gwyntoedd chwim yn tasgu i mewn dros Sianel Sain Siôr; gwyntoedd beunyddiol o'r de-orllewin, yn cario tunelli o halen, a newyddion o bedwar ban, dim ond i chi ddeall ieithoedd y gwynt. Clecs o'r Caribî, newyddion o Nofa Scotia.

'Da iawn, diolch, Wnwcl. Ges i antur ar y bws ar y ffordd lawr 'ma achos roedd hi'n ddiwrnod marced yng Nghaerfyrddin a'r bws yn llawn menywod yn cario nwyddau. Yna bu Dwti'n ddigon caredig i ddangos y ffordd i mi.'

'Wel, dyma dy gartre di am y whech wythnos nesa,' dywedodd Dafydd gan rhoi caniatâd i lygaid Gwydion grwydro o gwmpas y stafell dwt. Roedd popeth wedi'i drefnu'n daclus o fewn y walydd crwn, heb sôn am fwrdd crwn a chadeiriau crwn gyda bwa'n gefn i bob un. Safai baromedr enfawr gyferbyn â'r wal oedd wedi'i haddurno â baneri ac enwau llongau a ddrylliwyd ar greigiau danheddog yr arfordir. Y *Boca Nova*, ger Llandudoch, gan golli deg o forwyr a gwraig y capten: roedd y capten yn dal i fyw yn y pentref a gallech ei glywed yn udo fel morlo mewn poen bob hyn a hyn, ei golled yn helaethach a hirach na'r gorwel: 'Marianna! Fy nghariad pur!' Y *Wennol Aur*, a gollwyd ar 13 Mehefin 1903 wrth iddi gludo gwano o Montevideo, ac wyth dyn wedi boddi. Y *Marsano*, allan o Trieste, yn cludo aelodau o un o deuluoedd brenhinol Albania, a ddinistrwyd ar y creigiau reit o dan y goleudy ei hunan. Am eironi! Claddwyd y dywysoges Aferdita Bajrami o Tirana yn Albania yn y fynwent yng Ngwdig: pob blwyddyn, ar ddyddiad ei phen-blwydd, gadawai rhywun dusw o flodau ar ei bedd. Yn rhyfeddach fyth, deuai'r blodau, bob un ohonynt, o fynyddoedd Albania, o rywogaeth y *sideritis*, neu de'r bugail, y dail a'r petalau'n ffres fel tase bugail wedi eu casglu o gopa mynydd Prokletije y bore hwnnw.

Bob hyn a hyn gwenai Dwti ar Gwydion, a theimlai yntau ei hun yn gwrido'n bleserus o gael sylw y blodyn bach, *sideritis* Sir Benfro, yr anwylferch hyfryd oedd yn llowcio'i chawl fel petai'n mynd mas o ffasiwn.

Yn y bore cododd Gwydion gyda'r ehedydd, ac roedd carnifal o ehedyddion eraill yn llongyfarch y dydd am ei haelioni, yn canu mawl i'r gwynt a'r tonnau. Syllodd Gwydion yn hir trwy ffenest ei ystafell – ystafell fechan, fechan fyddai wedi achosi clawstroffobia mewn corrach. Ond roedd yr olygfa allan o'r ffenestr yn fawr. Tir a môr ac ehedyddion a llongau'n mynd a dod, heb sôn am heidiau clochdarus o wylanod. Gwelai effaith amser yn erydu erchwyn y tir, a chwant y gwynt i droi'r clogwyni'n dywod, a metronôm y tonnau fu'n cadw amser dros y milenia yn curo ar y lan. *Dyma ni,* meddai'r tonnau mawrion, *y rhai mwyaf penderfynol o farw ar ôl bwyta; dyma ni, yma i fwyta Cymru. Fe gymerwn ni ein hamser. A dod nôl dro ar ôl tro. I gymeryd ein siâr.*

Tu hwnt i'r ffenest estynnai gardd, er mai dim ond y walydd gwyngalchog ac ambell frigyn o goeden *fuschia* yn dringo drostynt y gallai Gwydion eu gweld. Ychydig yn uwch gwelai ganghennau ywen hynafol, y pren yn llid gymalog, ac uwchben y rheini, golau glas y nen a pherl o haul yn hongian yno, haul ifanc y bore, fel llusern Tsienïaidd. Teimlai Gwydion yr hapusrwydd hwnnw a ddaw o fyw yn y byd hwn, a gobaith yr ifanc yn curo yn ei wythiennau wrth i gysgodion y brigau tu allan ddawnsio ar y walydd o'i flaen.

Pump, yn union, o belydrau'r haul yn hollti'r tirlun.

Gwyddai Gwydion fod pŵer goleudy'n cael ei fesur yn ôl y nifer o ganhwyllau a gymerid i gynhyrchu'r un faint o olau, fel mae gwenwyn neidr yn cael ei fesur yn ôl sawl llygoden y gallai diferyn o wenwyn oddi ar un ffang eu lladd. Roedd golau Pwll y Wrach yn gyfystyr â 1,100 *candela*. Un o'r rhai mwyaf pwerus yr ochr yma i'r Iwerydd. Homar o olau, heb sôn am y 136 o ddrychau bach a adlewyrchai'r golau a'i ffocysu oddi ar y lens. Doedd dim rhyfedd bod gwyfynod yn llifo yno megis sgwadronau gwynion. Ac ambell haid o adar wrth ymfudo, wedi eu drysu'n llwyr gan yr haul anesboniadwy oedd yn eu dallu yn y nos.

Ambell waith byddent yn marw wrth y fil, a Dwti'n casglu'r cyrff bach wrth waelod yr adeilad, yn llenwi'r whilber â drudwns. Roedd y cig arnynt yn denau, ond o gasglu cynifer ohonynt, roedd digon ar gyfer gwledd.

Dyma oedd ei fywyd perffaith, gwireddu breuddwyd Gwydion – bywyd syml, ei galon fel aderyn gwyllt sydd am ddianc o gawell ei frest. Bywyd sy'n blasu o garreg dwym yn yr haul, yn llawn sisial y môr a chân drydanol y jaci jwmpers yn y gwair tal. Mae'r awel yn oer ac yn las. Mae Gwydion yn caru bywyd gydag arddeliad, ac mae e am ddweud hyn wrth Dwti. Mae am rannu rhythm ei wythiennau, am floeddio taw rhywbeth da yw bod yn ddyn ifanc, ac yn fyw, a sut mae modd cwympo mewn cariad 'da eiliad arbennig, a nodi ffan blu adenydd y cudyll wrth iddo godi ar linyn tua'r haul-berl, a sut mae saith bilidowcar yn hedfan heibio ar ffurf tridant ar eu ffordd i sesiwn bysgota.

Roedd rhywun wedi dweud wrth Gwydion unwaith – efallai mai'r hen weinidog, Gwylfa Roberts, pwy a ŵyr – nad oedd unrhyw beth yn dda abwytu bod yn fyw, taw treial oedd e o flaen yr Arglwydd. Ond fan hyn, gyda ffrâm y ffenest yn ei orfodi i syllu ar bob peth, pob manylyn, pob smot o filidowcar yn y dŵr, pob patrwm haul ar rimyn ton, roedd Gwydion yn teimlo'n falch, ac yn herio'r syniad taw treial oedd hyn. Dyma fe. Bywyd da. Yr haul hwn. Y môr mawr. Y galon yn neidio 'da ynni'r ifanc. Blas hallt ei groen. Y tirlun anferthol a'r paled o liwiau ochr y byd yn mynegi dyfnderoedd glas a melyn, a'r ffyrdd y gallai'r rhain gymysgu yn y byd. Mae angen nerth arno fe i amgyffred hyn oll, ond mae'n ddigon dewr ac yn ddigon effro i'r holl bosibiliadau. Mae Gwydion am ddysgu byw yn well, hyd yn oed yn well na hyn, ac mae e am i Dwti fod wrth ei ochr, fel y gall hi rannu'i ddarganfyddiadau, ac y gall yntau yn ei dro wybod am yr hyn mae hithau wedi'i ddarganfod, gan wybod bod eu bywydau'n symlach am nad yw hi wedi darllen cymaint ag ef, er ei bod yn adnabod pethau mwy na llenyddiaeth – fel y môr – yn well.

Mae'r nos yn anhygoel, ac mae'n rhaid i Gwydion edrych ar y golau'n lledaenu a diflannu bob hanner munud. Tywynna'r lamp i guriad metronôm arall gan oleuo un postyn telegraff ar ôl y llall, a rhywbeth tebyg i bỳls yn symud dros y tir, wrth i un postyn droi'n fys gwyn cyn diflannu, ac wedyn postyn arall ymhellach i ffwrdd fflachio'n sydyn cyn mynd 'nôl i fola'r fuwch. Fflach! Delwedd pelydr X. Dacw geffyl, yn pori yng nghanol nos, a bydd yr anifail yn sefyll yno eto, mewn naw eiliad ar hugain union, wrth i'r goleudy ddanfon ei neges hyd at dri deg milltir i ffwrdd. Fflach! Mae'n goleuo'r tir yn ogystal â'r môr, wrth gwrs, ac mae pobl sy'n byw yn yr ardal yn cadw'r rhythm yma hyd yn oed yn y dydd. Mae'n olau sy'n goleuo'u breuddwydion hyd yn oed.

Gwêl y tirlun yng ngolau'r lamp bwerus fel sgerbydau, y goleudy'n dangos effaith y frwydr hir rhwng môr a mynydd, yr erydu diddiwedd, cancr y canrifoedd yn naddu'r garreg, ymosodiadau'r gwynt a thon ar yr arfordir danheddog. Carreg y Wrach yn wyn fel calch. Carreg Onnen, Ynys Deullyn, Trwyn Llwynog, Llech Dafad a Charreg Dandy yn llachar am eiliad cyn i'r nos eu llyncu drachefn. Mae'r crwt yn ceisio cofio ble mae popeth yn y dydd er mwyn iddo edrych i'r cyfeiriad cywir yn y nos, gan aros i'r lamp droi. Tri Maen Trai. Penbwchdy. Pen Brush. Carreg Gerwynau.

Fflach . . .

Fflach . . .

Fflach.

Ar ôl brecwast dangosodd ei anti iddo sut i wneud bara lawr. Rhaid oedd golchi'r gwymon yn drwyadl, gan osod rhidyll dan nant fach fyrlymus a ffrwtiai drwy'r rhedyn y tu ôl i ardd y goleudy cyn cwympo hanner can llath i'r creigiau islaw.

Byddai'n rhaid ei olchi deirgwaith neu bedair gwaith cyn cael gwared ar y tywod i gyd, ac yna byddent yn berwi'r mès gwyrdd am chwe awr nes bod y gwymon yn troi'n slwtsh. Bob yn eilddydd byddai cart yn dod o Lwyn Onn er mwyn mynd â'r bara lawr – hyd at bymtheg stên laeth lawn ohono ar y tro – i'w ddodi ar y trên a fyddai'n mynd â chynnyrch y teulu i Gaerdydd, a pheth ohono i Lundain. Byddai un stên lawn ar ôl ar gyfer y teulu. Rhyfeddai Gwydion nad oedd yr un ohonynt yn blino ar fwyta bara lawr.

Rhyfeddai hefyd at flas y cig moch oedd wastad yn cadw cwmni i'r bara lawr a'r ceirch ar y plât – cynnyrch Llwyn Onn, lle roedd y ffermwr yn bwydo'r moch â mes a chnau ffawydd – a'r teulu cyfan yn cynaeafu'r rhain oddi ar lawr y goedwig fel gwiwerod gwallgo yn yr hydref er mwyn sicrhau bod blas anhygoel ar y cig. Nid yn unig hyn, ond roedd y ffowls yng ngardd y goleudy'n dodwy dau wy ar gyfer pob person bob dydd, ac Anti Miriam yn crasu bara cyn bod yr haul yn codi, ac arogl y toes fel blanced gysurus yn gorchuddio pawb yn y gegin erbyn bod y lleill yn codi, gan rwbio'r cwsg o'u llygaid.

Y prynhawn hwnnw aeth y teulu i gyd i bysgota, gan eistedd fel rhes o wylogiaid ar siliau uwchben yr heli. Roedd y pysgota'n fusnes hawdd iawn. Torri mecryll yn ddarnau a'u gosod ar fachau. Taflu'r bachau i'r dŵr, wedi'u pwyso â darnau o blwm, aros am ychydig funudau'n unig ac yna tynnu'r pysgod byw i fyny. Gan amlaf, byddai morleisiaid yn glynu'n dynn i'r bachyn, ac enfysau bach o liw ar eu croen. Byddai Gwydion yn casáu gorfod bwrw'r pen bach â phastwn cyn dodi'r corff-newydd-droi'n-llipa i mewn i'r fasged wiail. Ond byddai pysgod gyda thatws newydd a phersli o'r ardd yn wledd ddigamsyniol, heb sôn am y llaeth enwyn. Yn ystod swper perseiniai clychau sydyn chwerthiniad Dwti wrth iddi adrodd hanes ei diwrnod, am yr wylan ddaeth i siarad â hi, ac am y trempyn gerddodd i lawr y llwybr gan ddweud ei fod wedi dod yr holl ffordd o Alasca i ofyn am grwstyn. Feri gwd. Feri gwd.

Blasai'r pysgod yn wych. Toddai'r tatws newydd ar flaen ei dafod, bron mor hawdd â'r menyn hallt ar eu pennau. I Gwydion, hwn oedd swper paradwys, ei fersiwn ef o'r ambrosia y byddai'r duwiau'n ei lowcio – paradwys heb ffin na dechreuad, ac yn sicr heb ddiwedd, wrth i'r dydd ddiflannu a golau'r lamp uwchben yn dechrau troi'r byd yn streipiau sebra, gan wneud i walydd yr ardd neidio tuag ato, eu gwyn yn llachar, eu siapiau syml yn gweiddi *dyma ni, dyma siâp yr ardd, 'sdim ots am y tywyllwch! Rydyn ni yma i warchod y persli rhag y cwningod!*

Hudolus.

Ie. Nosweithiau hudolus.

Bob nos, byddai Dafydd yn cynnau'r lampau Tilley, ac arogl y paraffîn yn gwneud i'r gwyfynod ddawnsio'n feddw yn hufenlif y golau. Byddai pawb wrth eu boddau'n gwrando ar Wnwcl Dafydd yn adrodd hanes ei anturiaethau, gan ddechrau bob tro gyda'r Stori Fawr, y stori fwyaf, amdano fe'i hun yn cuddio ar fwrdd llong, ac yntau ond yn bedair ar ddeg mlwydd oed; teithiodd yr holl ffordd i'r Ffindir a thu hwnt, lle roedd y tywydd mor oer fel bod pisho'n rhewi cyn taro'r ddaear. Roedd angen bod yn ofalus iawn nad oedd eich pidlen yn dod yn rhydd yn eich llaw, fel sosej iâ! Byddai'r teulu i gyd yn chwerthin wrth glywed y stori hon, er i'w wraig ei chlywed fwy na chanwaith o'r blaen. Roedd Dafydd wedi teithio'r byd i gyd yn grwn, ac felly roedd ganddo stôr anhygoel o straeon. Y disgrifiadau o'r hwyliau'n stiff â iâ. Y profiad brawychus o orfod rhannu bync â dyn marw am dridiau, nes cyrraedd harbwr ynys Kamishima, lle claddwyd y gŵr ar dir sych, oherwydd mai dyna oedd ei ddymuniad, yn wahanol i'r rhan fwyaf o forwyr. Roedden nhw'n ddigon hapus i fynd ar unwaith i'r dyfnderoedd i alw ar Defi Jones, neu'r enwog forwr Ryuji Tsukazaki, i lawr ar waelod y môr.

Roedd patrwm dyddiau Gwydion yn weddol gyson. Casglu gwymon a berwi'r llinynnau gwyrddion am oriau, hyd at bum awr ar gyfartaledd, a'r gwres a'r stêm yn gwneud i ruddiau ei fodryb droi'n goch fel munudau ola'r math o fachlud oedd yn gysur i'r morwyr. *Red sky at night, sailor's delight; red sky in the morning, sailor's warning.*

Profiad amheuthun oedd pysgota ar ddiwedd y prynhawn, pan fyddai'r aderyn rhyfedd hwnnw, y pâl, yn dychwelyd i'r lan, ei big lliwgar, trionglog yn llawn slywod y tywod. Aderyn comical, pengwin Sir Benfro. Dotiai Gwydion arnynt. Byddai Dwti wastad wrth ei ochr, yn dangos y byd iddo ar ei newydd wedd, gan bod Dwti'n caru, caru, caru popeth. Yn caru pysgota. Yn caru hel gwymon. Ac fel y dywedodd hi un prynhawn pan oedd yr haul yn creu cylchoedd oren a sgarlad uwchben, yn 'caru ti, Gwyd'. Doedd gan y bachgen ddim syniad beth i'w wneud â'r math yna o wybodaeth, felly gwridodd a dweud 'diolch yn fawr' cyn dweud ei fod e'n ei charu hithau hefyd. Geiriau syml, yn syth o'r galon.

Safodd y ddau yn stond ar ben darn mawr o graig yn edrych ar ei gilydd. Yn edrych ar ei gilydd yn syn, fel petaent newydd weld rhyfeddod, neu agor gil y drws ar eu dyfodol. Roedd yn rhaid i Gwydion weld pethau mewn termau o'r fath – oherwydd hi oedd Dwti, ac roedd hi wedi hawlio'i galon, gyda'i gwên radlon a'i chwerthin heintus.

Ond roedd digwyddiadau newydd eraill yn dod i'w rhan, ac oherwydd bod y patrwm yn un tawel a chyson, roedd unrhyw beth newydd, allan o'r cyffredin, yn gwneud i bawb deimlo'n ecseited reit.

Fel y diwrnod y daeth peirianwyr Trinity House i weithio ar y lamp, a Gwydion a Dwti'n cael hawl i eistedd yno'n dawel wrth i ddyn o'r enw Stan o'r Mwmbwls ddatgysylltu pob un o'r darnau bach gwydr a'u glanhau gyda sgwaryn bach o ddefnydd silc. Ystyriai ei hun yn dipyn o ddarlithydd, yn arbenigwr ar oleudai.

'O'ch chi'n gwybod bod sidan yn dod o lindysyn bach sy'n byw ar ddail mwyaren Fair? Er ein bod yn swyddogol yn gorfod defnyddio hwn i lanhau'r gwydr, dwi'n credu bod darn o bapur dyddiol wedi'i ddipio mewn finegar yn dipyn gwell. Ond mae'n rhaid ufuddhau i'r cyflogwyr, achos nhw sy'n gorfod cadw'r holl forwyr 'na'n ddiogel,' meddai Stan, a oedd yn siarad fel pwll y môr, y geiriau'n mynd ffwl-pelt fel locomotif. Dyma ddyn oedd yn amlwg yn mwynhau ei waith. A'i siarad cyhoeddus. Efallai na fedrai weld bod byw o ddydd i ddydd wrth deithio i'r creigiau a'r ynysoedd mwyaf anghysbell yn gyfrifol am y ffordd roedd y geiriau'n dod allan o'i geg ffwl-stîm-ahéd.

'Dew, ma' job a hanner 'da fi, nag y'ch chi'n meddwl? Rwy'n gweithio ar ymyl y byd, ac yn treulio amser mawr ar ynysoedd a chreigiau pellennig yng nghanol y môr, gan gyfro reit rownd Cymru a lan i'r Eil o' Man heb anghofio Cernyw a Dyfnaint. Mae'n batshyn anferth, credwch chi fi. 'Sdim rhyfedd mod i ddim yn gweld 'y ngwraig a 'mhlant yn aml. Wedes i 'tho chi bod gen i ddau o blant? Merch fach bron yr un oedran â ti, Dwti, a bachgen sy'n wyth oed – Annie a Siencyn – ond mae pawb yn galw'r crwt yn Siencs. Sa i'n siŵr pryd ddechreuodd hynny. Ond Siencs yw e bellach, i bawb.

'Prin mod i wedi'u gweld nhw o gwbl eleni achos dwi wedi bod o gwmpas y bali lot ohonyn nhw – Moore Point, Ynys Enlli, Porlock Far Light, Strumble Head, Bailiwick – ond dyna ni, dyna beth ydy bywyd peiriannydd fel fi. Elli di baso'r sgriwdreifer 'da'r handlen felen lan i fi, Gwydion? Diolch yn fawr. 'Na fachan da!'

Un prynhawn aeth Dwti gyda Gwydion i grwydro'r pyllau bach rhwng y creigiau. Dangosodd anemoni môr iddo, yn sownd wrth garreg. Esboniodd wrtho sut roedd y creaduriaid yn defnyddio teclyn fel harpŵn i ddal corgimwch a throellwyr, a bod yr harpŵn yn llawn gwenwyn i barlysu'r creaduriaid. Yna dangosodd iddo sut i osod ei fys yn dawel ar flaen yr anifail a theimlo'r anemoni'n sugno fel babi. Feri gwd. Hwn oedd y teimlad corfforol mwyaf cymhleth roedd Gwydion wedi'i gael yn ei fywyd. Y cyffyrddiad bach yn bleser pur.

Gwawriodd ei ddiwrnod olaf yn y goleudy. Yn bell, bell, bell, bell bant o'r lan, yng nghanol yr Iwerydd, lle roedd y dŵr lliw Bénédictine yn ymddangos yn llyfn, a dim ond cefn anferth rhyw Lefiath yn torri'r wyneb, hedfanai pedryn drycin, aderyn môr du, ychydig mwy o seis nag aderyn y to, yn fflicran uwchben y tonnau wrth fwydo ar blancton, ei adenydd yn creu awel fach. Megis cyffyrddiad pluen anweledig ar wyneb y môr, cusanodd yr awel fach yr heli a chyrliodd y dŵr ychydig, wrth i embryo ton gael ei greu. Dim mwy na hynny. Ond genedigaeth ton, bid siŵr.

Hwn oedd y diwrnod roedd Dafydd wedi trefnu i ffotograffydd ddod i dynnu llun o'r teulu – 'un ar gyfer yr achau' fel y disgrifiodd ef. Cyrhaeddodd y ffotograffydd, Ieuan Davies o Gwm Gwaun, yn blygeiniol.

'Odych chi eisiau'r goleudy yn y cefndir, neu odych chi eisiau rhywbeth plaen?' gofynnodd y gŵr hynaws hwn, wrth iddo osod ei gamera bocs trwm, henffasiwn ar lawr.

'Wel, nid mod i'n deall lot, ond fi'n credu taw'r bobl sy'n bwysig yn y math yma o lun, felly efallai gallwn ni sefyll o flaen ryw ddarn o graig. Fydde hynny'n rhoi cefndir da i chi?'

'Bydde, bydde.' Edrychodd Mr Davies o'i gwmpas, gan chwilio am safle digon gwastad i osod coesau'r camera. Wrth iddo chwilio am ddarn solet o graig aeth Dafydd ati fel bugail i gasglu'r praidd at ei gilydd. Arhosodd y ffotograffydd yn amyneddgar wrth i deulu'r goleudy ddod i gymryd eu llefydd. Roedd pawb yn gwisgo'u dillad gorau, ac yn sefyll yn stiff ac yn ffurfiol, heb wên, dim ond syllu i lygaid y lens fel tase magnet mawr dan y gorchudd du oedd yn cuddio pen Mr Davies.

Roedd y don wedi teithio'n bell erbyn hyn, y ripl yn troi'n grib o ddŵr ac yna'n raddol yn cyrlio ac yn chwyddo'n gawr cyn troi'n tswnami – llofrudd mileinig, pwerus a newynog, roedd arno angen ei fwydo nawr, am lyncu ynys neu hyd yn oed *archipelago* gyfan. Byddai fferi ar ei ffordd i Ganada fel *vol au vent*. Tancyr olew yn ddim ond tamed i aros pryd. Trafeiliai ar ruthr drwy'r Celtic Deeps gan daflu llong pysgota penfras o ogledd Sbaen fry i'r awyr, nes bod y capten wedi'i daro'n fud gan bŵer y dŵr ac yn dechrau cyfri'r eiliadau cyn iddynt fwrw'r wyneb eto. *Seis, siete, ocho . . .*

Dyma gapten oedd, yn ystod ei eiliadau olaf yn y byd hwn, wedi gweddïo ar Boseidon am bâr o adenydd i gael hedfan o'r dec. Roedd yr hen gredoau'n parhau.

Er bod Gwydion wedi cael sawl cynnig i fod yn y llun, gwrthododd gan fynnu taw llun o'r teulu agos oedd hwn i fod.

'Ond mi *rwyt* ti'n agos,' mynodd Dwti. Wrth weld y siom yn cronni yn llygaid y ferch fach, dywedodd Gwydion yr hoffai gael dau gopi o'r llun i'w cadw am byth, i gofio am y boreau a dreuliwyd yn casglu boncyffion a phob math o froc môr, ac i gofio am Dwti, wrth gwrs. Mewn gwirionedd, teimlai na fyddai'n edrych ar y ffotograff rhyw lawer am fod yr atgofion oedd ganddo gymaint â hynny'n fwy byw.

Dechreuodd lenwi'r cês, a'r tro hwn roedd yn llawn atgofion – dannedd siarc o Drwyn y Morlo, darn o focs te oedd wedi dod yr holl ffordd o Tseina i lanio ar lan Traeth Mwsog, a chorff aderyn pâl wedi'i sychu gan y gwynt, yr adenydd yn stiff fel hesg, mymi Eifftaidd o aderyn comical.

Wrth iddo osod popeth yn ei le, teimlai Gwydion ryw dyndra – doedd arno ddim eisiau gadael, ond roedd arno eisiau gweld ei fam eto. Teimlai'r euogrwydd o fod eisiau aros gyda theulu'r goleudy fel picellau bach y tu mewn iddo. Yn y pellter gwelodd ddyn yn cropian ar hyd wyneb un o'r creigiau cyfagos a gallai Gwydion dyngu taw Mr Ebenezer, y ciper ddiawl, oedd yno, ond ni allai fod yn siŵr. Wrth edrych yn galetach roedd hyd yn oed yn fwy sicr taw Ebenezer oedd yno, yn sbio ar y teulu drwy ysbienddrych. Ond beth oedd y dyn drwg yma'n ei wneud yn stelcian yn y fan yma? Dim byd llesol, roedd hynny'n siŵr.

Petai Gwydion wedi medru gweld y wên faleisus ar wyneb Ebenezer, byddai'r gwaed wedi rhewi yn ei wythiennau. Gwên Commandant yn Belsen, dyna'r math o wên oedd ar ei wep binc, hyll.

Ac roedd y môr yn newid nawr, a drama fawr ar y ffordd.

Cythraul o don yn llifo a throi a chyrlio, nawr mor llydan â chan cae pêl-droed, ac yn bwerus, yn medru troi cwch yn llanast o fatsys mewn munud. Grym y dŵr yn ddigon i dynnu'r creigiau i lawr, eu mynnu i'r môr.

Ar y creigiau safai'r teulu'n stond, yn ddiymadferth bron, ond yn ddall i'r hyn oedd yn digwydd mas yn y môr, wrth i Mr Davies newid plât yn barod i dynnu'r llun olaf. Gofynnodd iddynt glosio at ei gilydd, gan geisio cael y goleudy'n gefndir iddynt. Eu cefnau at y don – ac mae honno'n dod, o Iesu gwyn, yn dod! Gan dyfu'n fur gwyrdd, yn symud yn urddasol a thrwblus ar draws yr erwau o ddŵr berw-wyllt.

Wrth i'r bwystfil-don bweru'i ffordd tuag at y lan, roedd yn creu trobyllau ac yn codi ofn yng nghalonnau pawb oedd yn edrych allan i'r môr, wrth i'r awyr ddwyllu'n inc du a'r gwynt godi i ddechrau plygu'r cloddiau, gan chwythu ambell ddraenen wen i'w phengliniau. A'r blaengad oedd hwn. Y gwynt fyddai'n cyrraedd cyn y dŵr, ton o ddŵr cyn uched ag eglwys gadeiriol Notre Dame, pŵer i'w gymharu â daeargryn, yn symud yn ddiwrthdro – ymlaen, ymlaen, yn newynog, yn awchu, ei chwant am ddinistr yn ddi-ben-draw.

Dan ei fantell o ddüwch, teimlai'r ffotograffydd yn ddryslyd gan feddwl bod yr haul wedi diflannu i rywle. Cododd y gorchudd mewn pryd i weld ton enfawr yn golchi'r teulu cyfan i mewn i'r môr. Ond ni chipiwyd y ffotograffydd, gan ei fod yn sefyll ar ddarn o dir oedd jest allan o gyrraedd y don drachwantus.

Crynodd y graig. Gafaelodd Ieuan Davies yn ei gamera a straffaglu'i ffordd i fyny'r graig a'r dŵr ond rhyw ugain troedfedd oddi tano, a phopeth yn wlyb diferol fel petai monsŵn wedi cyrraedd Sir Benfro. Dinistr dyfriol, y môr yn ymosod ar y lan ac yn ceisio'i herwgipio.

Gwyliodd Gwydion hyn oll yn digwydd, gan gadw un llygad ar Ebenezer. Gwelodd y don anferthol yn taro'r creigiau â sŵn ffrwydrad fel bom; gwelodd gawod o ddŵr yn codi i orchuddio'r fan lle safai'r teulu ar gyfer y llun. Rhewodd ei galon wrth edrych ar y peirat o don yn cwympo 'nôl i'r môr, a hwnnw'n tewi'n sydyn, sydyn, cyn i'r haul ddod mas yn ddisymwth.

'Dwti!' gwaeddodd gan ruthro i lawr tuag at y goleudy. A'i wynt yn ei ddwrn, brwydrodd ei ffordd drwy'r rhedyn a'r eithin at y fan lle safai'r teulu ychydig amser ynghynt.

'Aethon nhw i gyd gyda'r don!' llefodd y ffotograffydd, cyn eistedd yn ei gwrcwd a thorri i lawr i feichio crio. 'Golchwyd nhw bant i gyd, bob un ohonyn nhw!'

Cymylodd wyneb Gwydion. Teimlai ei galon yn torri wrth i ddelweddau o Dwti ruthro fel ffilm o flaen ei lygaid, delweddau di-ri ohoni'n gwenu, gwenu, gwenu. Roedd fel rhyddhau tywyllwch, fel petai rhywun yn diffodd llwyth o ganhwyllau yn ei frest, y tu mewn iddo; cannoedd o ganhwyllau wedi'u cynnau gan ei gwên hi. Nawr teimlai dywyllwch yn ei draflyncu, a'r boen a deimlai yn waeth nag unrhyw boen a deimlodd erioed yn ei fywyd hyd yn hyn.

'Dwti!' sibrydodd. Yna dechreuodd udo'i henw a'i weiddi i'r gwynt a oedd bellach yn tawelu'n annaturiol o gyflym. O fewn deng munud roedd rhai o drigolion fferm gyfagos Llwyn Onn wedi cerdded i'r tir uchel uwchben y penrhyn, a ffermwr wedi cynnau tân i ddenu'r bad achub – roedd yr awyr nawr mor llonydd nes bod y piler mwg yn mynd yn syth i fyny. Teimlai pawb taw ofer fyddai chwilio am unrhyw un yn fyw ar ôl clywed am uchder y don, a phŵer y dŵr, a'r ffaith bod y teulu'n gwbl anymwybodol o'r don nes iddi roi coflaid oer iddynt cyn eu taflu i'r dŵr. Cyrhaeddodd môr ddisymwth, heb arwydd, heb roi braw i'r gwylanod, a oedd gan amla'n proffwydo tywydd gwael drwy setlo'n haid baranöig ar y caeau.

'Dwti,' wylodd Gwydion, wrth i boen, dicter, gwacter a chariad drydanu drwy ei gorff. Crynai'n dorcalonnus wrth i wraig fferm Llwyn Onn afael ynddo i'w gysuro. Dymunai fod dan y dŵr gyda'r ferch fach, yn nofio'n bwrpasol i dragwyddoldeb.

'Dwti!' llefodd Gwydion eto i fynwes y wraig fferm, gan ddechrau teimlo colled bur, yn gwybod y byddai'n cario gwacter gydag ef am byth. Gan wybod bod absenoldeb mor real â phresenoldeb, yn rhywbeth i'w gario, fel pwysau'r ymennydd, o le i le. Bod galar yn hallt, a bod blas y gair tswnami fel wermod, y tair sillaf yn sur a gwenwynig, oherwydd ei faich gudd o boen a digofaint. A'r peth gwaetha oedd y teimlad fod a wnelo Ebenezer rywbeth â hyn. Fod ganddo bopeth i'w wneud â hyn.

Tywyllodd bywyd Gwydion y diwrnod hwnnw. Doedd e

ddim yn ddigon cryf i fynd i'r angladd, yn methu wynebu ailadrodd yn ei ben yr hyn oedd wedi digwydd iddo ef ac i'r rhai roedd yn eu caru. Roedd wedi bod mor hapus yn y goleudy. Roedd ei fam yn deall yn iawn y boen a deimlai, gan ei bod yn ymwybodol o'i enaid sensitif ac yn warchodol o'i mab.

✿

Flynyddoedd yn ddiweddarach dychwelodd Gwydion i Bwll Rheibus i sibrwd ei ffarwél. Cydiodd y gwynt o'r de-orllewin yn ei eiriau o gariad tuag at y teulu bach, a'u taenu lan dros y Preselau, a'r parchedig gof amdanynt i bob cyfeiriad – dros Garn Gyfrwy a Maenclochog, tuag Ynys Bur a Phendine – a chwythu'i atgofion chwerw-felys i bob cwr. Cariwyd ei enw hi ar y gwynt fel rhan o udo bonllefus y morloi yn eu hogofâu. Dwti! Dwti fach!

Ac ysgrifennodd Gwydion stori, wrth gwrs, a honno wedi'i lleoli'n bell, bell i ffwrdd o arfordir danheddog Sir Benfro – cofgolofn mewn geiriau i'w gariad.

Un diwrnod, roedd merch o'r enw Farina a bachgen o'r enw Yusef wedi cwrdd mewn pentref y tu allan i Damascws. Safai'r ddau dan ddail hen onnen yn cysgodi rhag yr haul ymosodol. Roedd hi'n Gristion ac yntau'n Fwslim, a doedd gan y naill ddim hawl i siarad â'r llall, heb sôn am gwympo mewn cariad. Byddai ystyried priodi yn arwain at lofruddiaeth, fflach o gyllell yn nwylo brawd cynddeiriog.

Llygaid glas Farina a'i denodd gyntaf: ffynhonnau dyfnion, fel dŵr llonydd wedi cronni mewn lagŵn. Roedd

225

ei llais hefyd yn atyniad, fel murmur cwch gwenyn wedi
tawelu yng ngwres y prynhawn, a'i llais yn felysach na
mêl i'w glustiau ef. Ac roedd y cyfuniad o'i llais suo-
gwenyn cysglyd, a'r clychau bach arian wedi'u gwnïo
ar waelod ei ffrog lliw briallu, a'r llygaid lagŵnau *lapis
lazuli*, fel dangos siâp y dyfodol i Yusef. Roedd wedi
cwympo amdani, ac yn awyddus i drochi'i gorff yn
nyfroedd y lagŵn a gwrando ar y gyfres ddiddiwedd o
symffonïau oedd i'w clywed yn ei llais. Ac nid gor-ddweud
oedd hyn. Roedd hi'n well na pherffaith. Yn brydferthach
na thegeirian gwyllt, neu *cyclamen* lliw fflamingo'n
blodeuo ar lethrau mynydd Hermon ym mis Mai.

Teithiodd y ddau yn bell er mwyn ffoi rhag dicter
eu teuluoedd, gan wybod na fyddai eu rhieni byth yn
maddau iddynt. Byth, byth. Ond heb yn wybod iddynt
roedd brodyr Farina eisoes ar drywydd y ddau, eu
llygaid yn fflachio'n goch gan ddicter. Dim ond gwaed
eu chwaer allai achub enw da y teulu. Dim ond tafod ei
chariad, wedi'i rwygo allan o'i geg, allai fwydo newyn eu
cŵn hela. Sbardunai'r marchogion y ceffylau nes eu bod
yn laddar o chwys. Ond doedd y brodyr ddim yn gwybod
bod y gŵr ifanc yn gyfrwys fel llwynog yr anialwch,
yn dewis y ffordd garegog bob tro yr oedd fforch yn eu
llwybr, ac yn newid ei enw bob yn eilddydd. Roedd wedi
prynu dillad newydd i'r ddau, a byddai'n creu bywydau
newydd iddynt ymhob llety, fel na fyddai unrhyw un yn
gallu dweud yr un gair tebyg amdanynt.

Peth da oedd bod Yusef yn siarad cynifer o ieithoedd
ac eisoes wedi teithio mor eang yn ystod ei fywyd byr.
Ambell waith byddai'n newid enw ei gariad i Bethany,

enw Aramaeg oedd yn golygu 'tŷ ffigys'. Dro arall
byddai'n ei chyflwyno fel Ishtar; seren, neu fel Yalda,
noson hira'r flwyddyn. Ac fel y byddai'n esbonio wrthi,
roedd hi'n bob un o'r rhain a mwy. Y seren ddisgleiriaf,
yn llewyrch i'w lwybr. Noson ddiddiwedd o hapusrwydd
llwyr. Ffigys, ei chyfrinach rywiol, ei hoff swper ef.

Wrth i'r ddau gysgu, clywai Yusef geffylau prowd
yn carlamu trwy'i freuddwydion. Gwyddai fod rhywrai
ar ei ôl, a doedd dim angen bod yn ddoeth fel Solomon
i wybod pwy na pham, a beth fyddai'n digwydd i'r
ddau ohonynt petai ei theulu'n dod o hyd iddynt.
Dienyddiwyd crwt yn y pentref am edrych ar ferch drwy
dwll y clo. Llosgwyd holl dai un teulu gan deulu arall
ffyrnig – am fod bachgen wedi cusanu merch. Cusan a
esgorodd ar gasineb fyddai'n parhau am byth bythoedd.
Gwefusau'n gwasgu at ei gilydd a chnydau'n mynd ar
dân o'r herwydd.

Wedi iddynt fod ar ffo am flwyddyn a hanner,
priodwyd y ddau gan fynach dall mewn cell mewn
mynachdy mewn hollt ar fynydd Gramos yn Albania.
Cynigiodd y mynach stafell ddiaddurn iddynt fel llety
gan fod Farina wedi blino'n llwyr. Pan dynnai ei sanau
ar derfyn dydd, roedd ei thraed tyner-wyn bellach yn
frown, ac mor galed â lledr croen camel.

Ond roedd yna ysbïwyr hyd yn oed yn y wlad wyllt
hon. Ddwy noson ar ôl iddynt briodi, sleifiodd dyn
wedi'i wisgo mewn mantell o gysgodion i mewn i'w
hystafell. Torrodd eu gyddfau â chleddyf *scimitar*, mewn
fflach o arian a ffrwydrad o waed.

Yn y bore daeth yr hen fynach â jwg o laeth enwyn

fel brecwast i'r ddau deithiwr, ond yr unig beth oedd yno'n disgwyl amdano oedd cân hyfryd. Ar silff y ffenest roedd pâr o adar, llinosiaid coch yr anialwch, y gwryw â'i frest yn binc fel fflamingo wrth chwibanu'n browd, ei gymar yn cysgodi dan ei adain wrth iddo wau nodau pêr yn batrwm melodi hudol. Gwrandawodd y mynach ar nentig y nodau fel petai'n gwrando ar anthem yn cael ei chanu gan un o forynion Duw. Byddai'n gallu cysgu heno, am y tro cyntaf ers blynyddoedd. Roedd ganddo rywbeth i lenwi'r tawelwch.

Mewn unrhyw wadi, neu lecyn gwyrdd, o grastir y Sahara i wastadeddau tywod yr Iorddonen, gallwch ddod ar draws y llinosiaid hyn. Ond os taw pinc y gwryw fydd yn dal y llygad, gallwch fod yn siŵr nad yw'r fenyw'n bell i ffwrdd, ychydig droedfeddi'n unig. Mae hon yn rywogaeth sy'n paru am byth. Ac os digwydd rhywbeth i un ohonynt – cwympo'n ysglyfaeth i fflach o hebog, dyweder – bydd y llall yn marw yr un dydd. 'Sdim rhyfedd eu bod wedi tyfu'n symbolau o gariad pur. Cariad yn para tra bo dau. Yusef a Farina, yr adar sy'n canu o fore gwyn tan nos. Hyd yn oed pan fo'r haul yn llosgi'r llygaid.

Dros y blynyddoedd byddai llu o academyddion yn pori dros stori Yusef a Farina, fel gyda'r holl straeon eraill, gan chwilio am ystyr, ac asesu datblygiad techneg y naratif. Byddent yn ceisio llunio darlith ar gyfer cynhadledd yn seiliedig ar waith Gwydion McGideon, wrth i'w stoc godi. Ond dim ond un, gŵr ifanc ym Mhrifysgol Salford, wnaeth ddeall gwir ystyr y stori fer arbennig hon. Daeth Dr Luke Jennings i'r casgliad pendant taw sgrifennu oedd Gwydion am ferch fach gafodd ei boddi mewn damwain yn Sir Benfro. Farina oedd Dwti. Yusef oedd Gwydion. Cariad fel y môr. Cariad a chwalwyd gan y tonnau. Ond yn y ffotograff o'r teulu'n gwenu ar y creigiau, eiliadau cyn i'r don enfawr eu darnio nhw, doedd hyd yn oed Dr Jennings ddim yn gallu esbonio pwy oedd y dyn hyll, gyda phen fel swejen, a safai yn y cefndir gan syllu'n dawel o faleisus ar y teulu bach.

Gwyddai Mrs Lazarus fod rhywun wedi bod yn ei gwylio, yn llechwra lawr ar bwys y riwbob, yn cripian heibio'r cini bêns, yn toddi i'r cysgodion. Byddai ambell arwydd bach – sŵn brigyn yn snapio yn y gwyll, neu ôl troed yn y pridd pan fyddai'n mynd i'r tŷ bach lan ar dop yr ardd ar bwys y cabej. Un noson, bron iddi dyngu ei bod hi wedi gweld y cuddiwr yn symud rhwng y tŷ bach a'r berth, ac aeth Mrs Lazarus allan drwy ddrws y bac i weld pwy oedd yno a rhoi llond pen iddyn nhw. Ond erbyn iddi godi'r latsh a chamu allan i'r oerfel, roedd y lle'n dawel fel y bedd. Tawelwch perffaith. Dim awel o gwbl. Dim hyd yn oed siffrwd un llygoden yn y gwair tal, na phadio pawennau'r cwrcyn ar ei ffordd i garu gyda'r gath yn y Tŷ Mawr, neu unrhyw gath.

Teimlai ofn, ac roedd hynny'n deimlad estron iddi. Gwyddai fod y dyn yma, y *peth* yma, yn werth ei ofni. Wrth iddi gysgu, teimlai fysedd oer ffawd yn cyffwrdd yn ei gwar, ac yn tynnu'r garthen oddi ar ei bronnau ffigys sych.

Ei brawd oedd yno, y diafol wedi'i lapio mewn croen dynol, dyn heb foesau'n agos ato. Ebenezer. Nid ei dychryn hi oedd ei bwrpas. Na'i chadw ar ddi-hun am hanner y nos.

Na, roedd Ebenezer wedi dewis ei ffordd ei hun i uffern: y llwybr syth. Yr un fyddai'n wlyb â gwaed ei chwaer.

Un noson, daeth cnoc ar ddrws y bwthyn, mwy fel rhywun yn bwrw'r pren â phastwn na rhywun yn curo â llaw neu ddwrn.

'Ie?' gwaeddodd Mrs Lazarus, er ei bod yn gwybod ym mêr ei hesgyrn pwy oedd yn sefyll yno, yn heriol ac ofnadwy.

'Fi sy 'ma. Gad fi mewn nawr.'

Gwyddai Mrs Lazarus y medrai ei brawd dorri'r latsh mewn chwinciad, ac annoeth fyddai gwrthod ufuddhau iddo.

Pan welodd ei lygaid, roedd yn anodd iddi ddirnad beth oedd yn digwydd. Symudent o'r naill ochr i'r llall, fel petaent yn methu ffocysu, yn methu setlo ar un gwrthrych.

'Ti sy wedi bod yn cripian abwytu'r lle 'ma, ontefe? 'Na beth mae dy siort di'n ei wneud. Cripian. Codi ofon. Rhag dy gywilydd di, yn codi ofon ar hen fenyw.'

'Smo i 'ma i godi ofon. Fi 'ma i dy ladd di. Munud neu ddwy o dy gwmni, i gael mwynhau'r profiad. Yna dwi'n mynd i dy ladd mewn ffordd, wel, ddychmygus.'

Roedd Ebenezer yn lico'r gair yna – un newydd, un â thamed bach o raen yn perthyn iddo. Gair y bydde rhywun ag addysg yn ei ddefnyddio.

Syllodd ei chwaer arno, gan deimlo trueni'n chwyddo yn ei brest. Gwyddai fod ei brawd yn byw mewn byd heb gariad. Ar ôl yr hyn a wnaeth i'r ferch ifanc 'na, roedd yn rhaid iddo fyw gyda'i gydwybod, a hwnnw'n naddu a suro a chnoi at ei berfeddion. Ac oherwydd y trueni, ni theimlai ofn. Dim sgrapyn o ofn.

Edrychodd i fyw ei wyneb.

'Ife 'na'r peth gwaetha elli di fygwth? Dwi'n barod i fynd, dwi wedi hen flino ar fywyd. Byddi di'n gwneud cymwynas â fi, creda di fi.'

'O, na. Cweit i'r gwrthwyneb. Nid y diwedd yw'r pwynt, ond sut y byddi di'n cyrraedd y diwedd. Dwi wedi byw mewn llefydd gwael, cred ti fi,' meddai'r ciper gyda'r wyneb erchyll, yr erfinen binc a'r tyllau llygaid oedd megis wedi'u llosgi yno â sigaréts. 'Do, llefydd gwael iawn. Stafelloedd llawn chwain, rêl cachfeydd, stafelloedd mewn hosteli'n llawn alcoholics oedd yn fwy mochedd na thoiledau cyhoeddus, llefydd na fyddech yn dymuno bod ynddynt oni bai eich bod yn dlawd iawn, neu'n lico cocrotsys a sgym dynol. Yn driffto o un lle fel 'na i un arall.

'Bues i'n byw yn y dre fwya di-ddim yn America gyfan, Cadi. Brunville. Pan oeddech yn dreifio i'r lle roedd arwydd yn dweud "Os oes gan unrhyw le fan canol, dyma fe. Croeso!" Brunville. Ti'n gwybod beth oedd arwyddair y dre? "Where people stop for gas and shop." Poblogaeth, 218. A dyna fe'r lle iti, yn ei gyfanrwydd ysblennydd. Ond fi oedd rhif 219 am dri mis, yn rhentu stafell mewn sied tu ôl i'r unig orsaf betrol, gyda'r arwydd rhydlyd yn gwichian yn awel y Mojave ar ddiwedd bob prynhawn cyn i'r haul ddisgyn yn chwim.

'Lle perffaith ar gyfer rhywun fel fi, a'm drifftio llofruddgar. Galli di ddrifftio mor ddidrafferth a lladd mor hawdd mewn gwlad mor fawr. Hyd yn oed os oes 'da ti wyneb mor nodedig â f'un i. Ti wedi symud ymlaen sawl gwaith cyn bod unrhyw un yn dod o hyd i'r corff. Mewn gwlad mor fawr mae'n bosib cuddio'r celain yn hawdd mewn llefydd unig, er bod yn rhaid bod yn ofalus o'r fwlturiaid pengoch achos 'u bod nhw'n medru gwynto racŵn marw ar ochr ffordd ddeng milltir i ffwrdd a mwy. Yn medru ffindo corff ugain milltir i ffwrdd, ac arwain unrhyw un at y stiff.

'Cyn bod unrhyw un yn gwybod beth wyt ti wedi'i wneud i'r bodiwr anffodus 'da'r gyllell gig 'na, rwyt ti ar dy ffordd, yn gadael y dre, yn mynd i'r de. Gwd-bei Brunville!

'Laddais i ddyn yn Tucson unwaith: dwi'n credu i mi wneud hynny er mwyn cael dweud "laddais i ddyn yn Tucson". Mae 'na ryw ramant yn perthyn i'r gosodiad. Mae Tucson yn enw clasurol mewn straeon o'r fath, ti'n gwybod? Y drifftiwr. Yr unigeddau. Y stribed hir o darmac hir heb bolion telegraff.

'Cadwais i lun o'r dyn yna, yr un a'r drwydded yrru yn ei waled. Edrychai'n ddigon ffeind, ei freichiau o gwmpas ysgwyddau ei wraig, a'i feibion yn edrych yn reit browd. Llun allan o hysbyseb cylchgrawn papur dydd Sul: dewch i fyw yma, i Lupin Creek neu Bellwether Heights neu Locasta Drive. Swbwrb drud yn rhywle, rhywle, lle gall dyn a'i wraig a'u dau o blant dyfu lan yn hapus yn eu tai mawr plastig. Cadwais ei afal freuant hefyd, fel mae Kurtz yn cadw penglogau yn *Apocalypse Now*. Mae'n edrych fel grawnffrwyth wedi sychu, neu *lychee* efallai. Mewn jar yn y sied.'

Symudodd Lazarus yn bwrpasol at ei chwaer a'i churo i'r llawr, y dwrn fel bricsen yn taro'i gên. Eisteddodd drosti a dechrau gyda'r llygaid. Gludodd ei geg dros yr un dde a dechrau sugno'n ddieflig o galed. Ni stopiodd nes poeri'r jeli mas.

Ar ôl ychydig o funudau stopiodd Mrs Lazarus weiddi, y boen wedi'i thawelu, yr erchyll-boen o gael ei phoenydio gan ei brawd yn drech na hi.

Erbyn iddo orffen, roedd corff llipa'i chwaer yn wlyb o

waed, ei hwyneb yn edrych yn waeth nag un ei brawd, yn un llanast o boen a bwtsiera.

Llusgodd Ebenezer ei chorff mewn hen sach am hanner milltir at geg un o adits yr hen bwll glo, cyn rhoi pentwr o'r hen friciau oedd o gwmpas y lle i mewn yn y sach, a'i thaflu i mewn. Yna aeth 'nôl i'w bwthyn i ddechrau glanhau. Gwyddai ble roedd y clytiau a'r sebon. Byddai'n cael gwared o'r rheini ar ôl cwpla. Roedd wedi cael blas ar y lladd a'r lledaenu poen. Doedd e ddim am i rywun ei ddal a difetha'i sbri.

Un corff arall yn ei hanes ofnadwy, a hwnnw'n cwympo i lawr hen bwll glo gan ddinistrio hanner ynys Manhattan.

Llwyddiant aruthrol

MAM GWYDION gafodd y syniad o ofyn i'r gweinidog, Mr Roberts, a fyddai'n fodlon cyfieithu *Perfedd Gwlad* i'r Saesneg. Gwnaeth hynny â phleser dros gyfnod o chwech wythnos. Yna danfonodd y cyfieithiad, ynghyd â chopi o *Perfedd Gwlad*, at yr Athro Beer, gan ofyn a wyddai am gyhoeddwr i'w gyhoeddi go iawn. O fewn ychydig wythnosau, daeth y newydd bod un o gwmnïau mawr Llundain am gyhoeddi'r gyfrol.

Gwerthwyd deng mil o gopïau o'r fersiwn Cymraeg mewn chwe mis, ond roedd y fersiwn Saesneg yn gwerthu mor gyflym nes y bu'n rhaid ailargraffu o fewn wythnosau. Aeth y llyfr i frig rhestr *bestsellers* y *Times* mewn chwech wythnos, gan ei lordio hi dros lyfrau gan awduron fel Jilly Cooper, Ian Rankin a Ken Follett. O fewn blwyddyn, cyfieithwyd y gyfrol i ddeg o ieithoedd, gan gynnwys gwerthiant rhyfeddol o dda yn Tseina, lle roedd pobl wedi clywed am ddoniau *tai chi* y dyn ifanc.

Yn anffodus, roedd y cyfryngau'n busnesa ychydig bach yn ormod ym mywydau Gwydion a'i rieni, ar dân am fwy o wybodaeth, yn holi pawb yn y pentref, ac yn ffonio rhai o gyn-athrawon Gwydion ganol nos, gan gynnig arian sylweddol am sgŵp o unrhyw fath. *Beth am gariadon? Beth yw'r peth gwaetha ynglŷn â'r dyn ifanc yma?*

Un noson clywodd Macs sŵn y tu allan i'r tŷ. Cododd o'r gwely a mynd allan o'r tŷ, lle welodd newyddiadurwr o'r *Daily*

Express yn mynd drwy'r biniau, yn casglu darnau o bapur, unrhyw beth allai gael ei ddatblygu i fod yn fwy na pharagraff.

Ambell ddiwrnod byddai haid o dros hanner cant o'r *paparazzi* tu allan i'r tŷ. Ni allai Macs na Martha ddeall apêl Gwydion. Oedd, roedd yn llwyddianus, ac oedd, roedd yn dalent annisgwyl. Ond onid oedd yna sêr roc neu chwaraewyr pêl-droed i'w dilyn?

Yn y pen draw, bu raid iddynt droi at rywun i reoli'r wasg a'r cyfryngau, a cheisio delio â'u holl geisiadau am wybodaeth, felly cyflogwyd Max Clifford, dyn allai ddelio ag unrhyw un, a gwneud arian allan o bob sgwrs ffôn.

Bu raid i Gwydion gael asiant hefyd. Oherwydd poblogrwydd ei eiriau, a rhagolygon masnachol solet y gwaith, llwyddodd i gael gwasanaeth un o'r goreuon, sef Ed Ruska. Dim ond y prif sêr llenyddol yr oedd e'n fodlon eu cynrychioli, a hynny ar ddwy ochr yr Iwerydd.

Yn ei swyddfa ddrudfawr yn Belgravia, rhoddodd Ed – dyn tal gyda gwallt pupur-a-halen anffasiynol o hir – air o gyngor i Gwydion tra oedd ei ysgrifenyddes yn paratoi diod o lemonêd ffres i'r ddau ohonynt.

'Don't go chasing money, Gwydion. It'll come chasing after you. Just do your best and write the sort of thing you'd *love* to read yourself. After that, everything else will fall into place. I hear you're thinking of writing a novel next, based on the life of Peter Warlock. Why Warlock in particular?'

Nododd Gwydion y ffordd roedd Ed wedi dysgu sut i ynganu'i enw yn gywir – wel, yn berffaith a dweud y gwir, rhywbeth oedd yn ei blesio'n fawr ar ôl clywed cymaint o bobl yn rhoi'r enw trwy'r mangl. Esboniodd, yn llawn brwdfrydedd ei syniad am y llyfr nesa ac awgrymodd Ed y dylai fynd i rywle tawel, bant oddi wrth bawb a phopeth, i'w sgrifennu. Addawodd Ed y byddai Max Clifford ac yntau'n cadw'r wasg i ffwrdd, gan fwydo danteithion gwybodaeth iddynt bob hyn a hyn i gynnal eu diddordeb, ac yn sicrhau y byddai Gwydion yn cael llonydd i lunio'i gyfrol am y cyfansoddwr hynod.

Hudolwyd America gan y straeon yn *Heart of the Country*, gyda'r gwerthiant ar y cyfandir hwnnw yn y cannoedd o filoedd, yn enwedig yng Nghanada. Dechreuodd pobl gymharu'r gwaith â rhai o'r goreuon megis Alice Munro a William Trevor. Adolygwyd y gyfrol yn hael gan bron pawb. Yn y *Los Angeles Times*, disgrifiodd Margaret Atwood y gyfrol fel 'meistrwers mewn sut i gadw pethau'n syml', tra bod John Updike yn y *New York Times* wedi rhoi un ar ddeg allan o ddeg i'r gyfrol. Gwelwyd rhesi hir o bobl yn aros yn amyneddgar – ac ambell waith heb fod mor amyneddgar – y tu allan i siopau Borders a Barnes & Noble, yn aros yn eiddgar i brynu copi o'r llyfr roedd pawb yn sôn amdano. Roedd y bachgen talentog yma eisoes wedi cael ei gymharu â Charles Dickens. Treuliodd Gwydion a'i rieni wythnos yn Efrog Newydd, gyda'r awdur newydd yn ymddangos ar raglenni trafod megis un Larry King ac ar newyddion ABC a NBC. Bu raid i Martha binsio'i hun fwy nag unwaith wrth orwedd ar y gwely yn ei hystafell ysblennydd yng ngwesty'r Algonquin, lle arllwysai rhywun betalau rhosod ar eu clustogau tra bod y teulu allan yn cael swper.

Yng Ngwlad yr Iâ, sydd â mwy o ddarllenwyr brwd a niferus nag unrhyw le arall yn y byd yn ôl canran o'r boblogaeth ('sdim lot o ddim byd arall i'w wneud yn ystod y nosweithiau hirion, di-ben-draw) codwyd cerflun o Gwydion ar un o brif strydoedd Reykjavik. Bu sôn am gael stamp arbennig gyda'i lun arno. Cafwyd cynnig i gyhoeddi hanes ei fywyd, ac roedd swm sylweddol o arian ynghlwm â'r cynnig.

Cyrhaeddai'r postmon bob dydd gyda gwahoddiadau i Gwydion ddarllen ei waith, ymddangos mewn siopau llyfrau i arwyddo copïau o'i lyfr a darlithio. Bu trafod mawr ynglŷn â chyfrinach llwyddiant *Perfedd Gwlad*. Roedd rhai'n awgrymu symlder y straeon, eraill yn meddwl mai'r mynegiant soffistigedig oedd yn gyfrifol. Ni allai neb ddweud i sicrwydd beth oedd eu prif gryfder. Teimlai rhieni Gwydion fel petaent wedi agor Bocs Pandora led y pen.

Cynhwyswyd stori Yusef a Farina yn *Heart of the Country* – honno gafodd yr ymateb mwyaf syfrdanol. Roedd rhywbeth ynghylch symlder y stori, y cariad ofer, a'r lleoliad yn Syria, a oedd yn taro deuddeg. Cafodd y gyfrol ei chyhoeddi fel cyfres o bytiau bach yn rhai o bapurau swmpus Ewrop ac America. Bu'r cyfieithiad Arabeg yn arbennig o lwyddiannus, oherwydd i'r cyfieithydd – menyw oedd yn digwydd bod yn awdur arbennig o dda ei hunan – gadw'n ffyddlon at naws y gwreiddiol.

Darllenwyd y stori honno gan ddarllenydd proffesiynol oedd yn byw yn West Hollywood. Danfonodd neges i'r stiwdio oedd yn ei gyflogi, gan awgrymu bod deunydd ffilm ynddi, yn bendant. Am unwaith, yn wahanol i'r drefn, ychydig o oedi a fu oherwydd bod y stiwdio, fel pob stiwdio arall, yn chwilio am destun perthnasol i'r oes, rhywbeth i gyffwrdd â'r *zeitgeist*. I un o reolwyr y stiwdio, roedd y stori'n debyg i *Love Story*, gyda chariad a phoen yn gymysg oll i gyd. I un arall, roedd presenoldeb y mynach yn ei atgoffa o *The Name of the Rose*, a gallai ddychmygu llais Sean Connery yn adrodd y troslais . . . 'One day, a girl called Farina and a boy called Yusef met in a small village outside Damsacus . . .'

Gallent ffilmio yn yr anialwch yn Tiwnisia gan ddefnyddio'r un criw â *Star Wars*. Awgrymodd pennaeth adran gerddoriaeth y stiwdio, dyn oedd â sawl Emmy ar y silff-ben-tân draw yn Malibu, y gallai neb llai na John Williams gyfansoddi'r gerddoriaeth, gyda'r Berlin Philharmonic yn ei pherfformio, ond gan ychwanegu ambell offeryn o'r Dwyrain Canol, ambell bechingalw – *oud* – ontefe?

'Dim ond i ni roi amser i John orffen y sgôr ar gyfer ffilm ddiweddara Eastwood,' rhybuddiodd y pennaeth, a oedd yn edmygu Clint hyd at ofn.

Opsiynwyd y ffilm yn brydlon ac am fwy o arian nag arfer – roedd Ed Ruska yn ddyn caled a phenderfynol pan oedd angen iddo fod – a chafwyd trafodaethau bywiog iawn yn swyddfeydd Paramount ynglŷn â phwy ddylai chwarae rhannau Yusef a Farina. Ar ôl i'r adran farchnata edrych ar ffigurau eu ffilmiau diweddaraf, penderfynwyd y byddai Johnny Depp a Wynona Ryder yn gweithio'n dda – roedd rhywbeth ynglŷn â llygaid y ddau, a'r cemeg posib rhyngddynt ar y sgrin. Ac, wrth gwrs, roedd Depp mor sicr â Harrison Ford o ddenu cynulleidfa.

Ymddangosodd gwep Gwydion ar gloriau nifer fawr o gylchgronau, gan gynnwys *Time* a *Newsweek*. Gan amlaf, dim ond arlywyddion a Michael Jackson oedd yn cael y math hwnnw o sylw.

Wrth i'r arian lifo i mewn, penderfynodd Macs a Martha adeiladu tŷ newydd y tu allan i'r pentref, ar fryncyn coediog oedd a golygfa o'r mynydd i'r gogledd a'r foryd i'r de. Costiodd hanner miliwn o bunnoedd i godi'r lle – y palas yma gyda naw ystafell wely, pedair ystafell ymolchi, a gerddi ffurfiol wedi eu plannu'n daclus o'i gwmpas. Y Ponderosa oedd enw'r pentrefwyr am y lle, cyfeiriad at y tŷ yn yr hen gyfres deledu *Bonanza.*

'Ti adeiladodd y lle yma,' meddai Macs wrth Gwydion ar eu diwrnod cyntaf yn eu cartref newydd, 'ti a dy straeon anhygoel. A dwi'n fodlon cyfadde nawr, roedd 'na gyfnodau pan fyddai'n well 'da fi taset ti wedi dysgu rhywbeth mwy ymarferol, dysgu gwneud rhywbeth 'da dy ddwylo. Ond allen ni ddim dy orfodi di, yn enwedig a phawb yn dweud bod dy ddawn di'n un mor sbesial.'

'Ond 'na i gyd dwi wedi'i wneud yw sgrifennu ambell stori. A nawr mae pobl yn fy ngweld i fel rhyw fath o ddewin. Maen nhw'n gofyn cwestiynau i fi abwytu'r economi, beth fydd yn diwgydd yn y Dwyrain Canol . . . pethau y tu hwnt i 'ngallu i.'

'Ond fe ddywedodd Dr Beer y byddai hyn yn digwydd, on'dofe? Dywedodd e fod gan bobl fwy o ddiddordeb yn yr awdur nag yn y gwaith, fel mae 'da nhw fwy o ddiddordeb yn yr actor fel seléb nag fel cymeriad. Ry'n ni'n byw mewn oes fas, Gwydion, ti'n gwybod hynny. Ond sa i'n dweud bod dy waith di'n fas. I'r gwrthwyneb. Mae 'da ti straeon clir a da, wastad.'

Canodd y ffôn yn y gegin. Daeth Martha i mewn ar ôl ateb yr alwad a gwên fawr ar ei hwyneb.

'Ed oedd 'na, yn dweud ei fod newydd werthu hawliau i "Gwyrdd-Iâ'r Gogledd" i gwmni Twentieth Century Fox. A chredi di fyth pwy maen nhw'n bwriadu'i gael i serenu yn y ffilm. Tom Cruise! Meddylia, Tom Cruise, yn chwarae Esgimo!'

Awgrymodd Macs y dylid cael paned o de i ddathlu.

Adar ac Aberdaron

GWRANDAWODD GWYDION ar gyngor Ed Ruska ac aeth i fyw ar ynys er mwyn dianc rhag y newyddiadurwyr a'r ffotograffwyr diddiwedd. Osgoi sylw'r byd i gyd, oherwydd roedd pawb yn mynnu sylw Gwydion wedi i'r llyfr gyrraedd brig y siartiau gwerthiant ar bedwar cyfandir. Ar ben hynny, cynhaliwyd ocsiwn ar gyfer hawliau ffilm pob stori. Gwnaeth Gwydion ffortiwn iddo'i hun ac i'w asiant. Rhoddodd lot fawr o arian mewn dim llai nag wyth cyfrif banc. Ni fyddai'n rhaid iddo weithio fyth yn ei fywyd er nad oedd ond yn ddyn ifanc.

Mynnai'r cyfryngau adrodd pob manylyn am fywyd Gwydion, felly penderfynodd adael y pentref a ffoi rhag y camerâu a'r newyddiadurwyr. Ac os am ei helgu hi, ei heglu hi go iawn!

Aeth Gwydion i Ynys Enlli, y talp o graig siâp brontosawrws sydd y tu hwnt i fraich galed Pen Llŷn. Enlli. Ynys hud, ym marn llawer, yn pwyntio tua'r fan lle diflanna'r haul o dan y tonnau ar ddiwedd dydd. Hwn oedd ei gyfle cyntaf i gael byw ar ei ben ei hun oddi cartre ers y gwyliau haf llawn trasiedi hwnnw pan gollodd y ferch addfwynaf dan y nen.

Penderfynodd Macs a Martha hebrwng Gwydion i'r ynys, gan yrru'r car yr holl ffordd i Borth Meudwy, y bae bychan lle byddai'r cwch yn gadael i groesi i Enlli.

Er bod lot o arian ym mywyd Martha bellach, nid oedd

wedi bod ymhellach i'r gogledd na Llanybydder. Iddi hi, felly, roedd y siwrne mor ffres â phetai'r car yn teithio drwy Provence. Darllenodd mewn llawlyfr fod mynyddoedd y Cambria bron mor hen â'r Alpau. Felly, er mwyn gweld y rheini, penderfynon nhw gymryd yr hewl gefn o Lanidloes i Ddylife, gan oedi o gwmpas Eisteddfa Gurig, a mynd heibio'r llyn oedd wedi cronni y tu ôl i argae Bwlch y Gle. Roedd y dŵr yn ddu dan gymylau llwydion, a chymylau siap mecryll yn nofio'n dawel ar gefndir o awyr lliw llechen.

'Drycha mas am ddeinosoriaid, yn enwedig ar bwys Cwm Ystwyth. Dyna i ti'r lle mwyaf gwyllt dan haul, 'machgen i!' meddai Macs, gan edrych yn y drych wrth siarad â Gwydion ac yn gyrru'n esgeulus braidd, o ystyried y troeon niferus ac annisgwyl yn yr hewl.

Erbyn hyn, roedd Gwydion wedi hen arfer â disgrifiadau'i dad o bron bob pentref diarffordd fel 'y lle mwyaf gwyllt yng Nghymru'. Roedd yn derbyn bod ei dad yn un o'r bobl hynny oedd yn teimlo'n ansicr allan o'i gynefin. Oherwydd bod gyrru mewn llefydd anghyfarwydd yn straen arno, cuddiai hynny drwy ddweud yr un peth drosodd a throsodd.

'Y lle mwyaf gwyllt dan haul! Welwch chi fyth neb ar yr hewl 'ma. Dyma'r hewl fwya diarffordd yn y wlad!'

'Chi'n gweld y pentref 'ma? Y lle mwyaf gwyllt dan haul. Gobeithio bod 'da ni ddigon o betrol, achos ry'n ni'n bell iawn o wareiddiad fan hyn!'

'Dyma'r anialwch gwyrdd yng nghanol Cymru, Gwydion. Paid byth â mynd ar goll rownd fan hyn. Maen nhw'n hoffi unrhyw fath o gig, ac mae ymwelydd o bell yn blasu'n well nag unrhyw gymydog, os ti'n gweld beth dwi'n feddwl! Roedd 'na ganibal yng Ngherrigydrudion un tro wnaeth fwyta teulu cyfan o ffermwyr. Mewn un noson. Chwech ohonyn nhw! Mae'n anodd credu, on'd yw hi?'

Roedd y tri ohonynt wrth eu boddau mewn tafarn yn Ninas Mawddwy lle siaradai'r perchennog Gymraeg rhyfedd, gan lyncu ambell air fel y byddai rhywun yn ei wneud gydag wy wedi'i biclo. Siaradai mewn tafodiaith oedd yn debycach i iaith arall, rhywbeth o'r ochr draw i fynyddoedd yr Wral, rywle tebyg i Circaseg, i glustiau Gwydion. Er taw Cymraeg oedd yr iaith, roedd hi'n brydferth o wahanol. Nid tafodiaith Meirionnydd oedd ar dafod Glan Pierce, ond yn hytrach gyfuniad o hen, hen Gymraeg – ei fersiwn ffonetig ef ei hun o'i ynganu – a Global-lingo, fersiwn o Esperanto roedd Glan wedi'i ddyfeisio ei hunan. Dyna'r math o beth sy'n digwydd yn Ninas Mawddwy, lle mae *mwy* o amser, a'r oriau'n hirach yno nag yn Nhrawsfynydd, dyweder.

Bu raid i Gwydion ofyn beth oedd ystyr geiriau fel 'mundialcup' a 'ffotomibocs' wrth i'r hen foi dymunol ddod â bwyd iddyn nhw. Cymeriad a hanner, a siom oedd gorfod gadael. 'Gwdmibei!' gwaeddodd Glan ar ôl y car.

'Edrych ar hwnna,' medde Martha, wrth iddyn nhw gyrraedd Blaenau Ffestiniog, y tipiau llechi'n heriol, fel planed arall, bron mewn galacsi arall, teimlad a gadarnhawyd gan ei sgwrs gyda menyw mewn becws oedd yn siarad mewn tafodiaith drwchus. Yno, yn ei hacen, codai'r tirlun, rasiai rhaeadrau, llifai'r glaw.

'Roedd 'da honna acen Gogs fel y fenyw 'na ar y TV,' meddai Macs wrth gario cwdyn yn llawn bwyd o'r siop. Roedd un dorth wedi'i chamgyfieithu, neu ei chamddeall, fel tair, ac roedd ganddynt ddigon o gacennau i gadw byddin ar ei thraed, er nad oedd Martha ond wedi gofyn am dair *éclair*.

Doedd Macs a Martha ddim yn siŵr a oedd y ddwy fenyw y tu ôl i'r cownter yn chwarae gêm gyda nhw ai peidio – gêm lwyddiannus i'r tîm lleol. Gogs clyfar Blaenau – 10. Hwntws dwl o'r De – 0.

Bwytasant chwe chacen Eccles rhyngddynt cyn cyrraedd Porthmadog, a Martha wrth ei bodd yn nodi rhai o'r atyniadau a'r lleoliadau wrth iddi ddilyn llawlyfr yr Automobile Association fesul tudalen. Pan welodd fynyddoedd Eryri yn codi'n fawreddog yn y pellter, roedd cystal â gweld Everest neu Kanchenjunga.

'Dyna'r Cob, a gafodd ei adeiladu ddau gan mlynedd yn ôl,' esboniodd Gwydion, fel petai'n siarad drwy feicroffon wrth annerch parti o ymwelwyr o America. 'Gwleidydd o'r enw William Maddocks adeiladodd e, a bu bron iddo fynd yn fethdalwr o'r herwydd. Ond roedd rheol yn dweud na allai aelod seneddol fynd yn fethdalwr, felly fe gafodd e'r arian o rywle.'

'Lawr fan 'na mae pentref Eidalaidd Portmeirion. 'Sdim amser 'da ni i fynd 'na heddi, ond dwlen ni fynd i weld y lle rywbryd. Roedd y dyn adeiladodd y pentref, Clough Williams-Ellis, wedi dadlau yn erbyn cynnwys Blaenau Ffestiniog yn y Parc Cenedlaethol oherwydd bod y lle mor hyll.' Hwntws, un.

Dawnsiai diléit yn llygaid Martha, wrth ei bodd gyda'r ffordd y medrai Gwydion greu'r fath ddiddanwch o ffeithiau moel. Cadwai Macs ei lygaid ar yr hewl, oherwydd roedd wedi bod yn gyrru am amser hir. Roedd y ffyrdd yn anghyfarwydd a'r golau'n dechrau gwanhau.

Arhoson nhw yn nhafarn y Golden Fleece yn Nhremadog, lle roedd y croeso a'r canu'n dwymgalon a gonest. Wrth gwrs, roedd 'na dipyn o dynnu coes, ond roedd Macs wedi dod â'i harmonica gydag e, ac roedd y cyfuniad o hwnnw, ei lais bariton melfedaidd a'i stôr ddiddiwedd o ganeuon a thiwniau yn golygu mai fe oedd canolbwynt y dathlu y noson honno. Teimlai fel dathliad go iawn, er nad oedd gan unrhyw un syniad beth oeddent yn ei ddathlu, ar wahân i'r ffaith ei bod yn nos Fawrth! Dathlai'r perchennog y ffaith bod yr ymwelwyr yn dychwelyd o'r diwedd – bu'n wanwyn tawel ar y naw, a dim ond un cwpwl oedd wedi aros yn y Fleece ers y Pasg. Croesodd ei fysedd taw dechrau llif a fyddai'n dod yn gyson drwy gydol yr haf oedd y tri yma o'r de, a gweddïodd y byddai rhai ohonynt gystal sbort â Macs. Gwyddai am y mab hefyd, ar ôl gweld lluniau ohono yn y papurau ac ar y teledu droeon.

'Reit, 'te. I ganol y mynyddoedd mawr. Maen nhw'n aros amdanon ni,' meddai Macs fore trannoeth. Roedd yn bwriadu dilyn y ffordd bertaf, nid y gyflymaf, er gwaetha'r tywydd.

Roedd y siwrne'n hir, a'r Renault yn gwichian ac yn cynhyrchu ambell sŵn asthmatig wrth ddringo hewlydd serth gogledd Cymru. Cynhyrchodd synau gwaeth fyth – rhyw udo a phesychu emffysemig o grombil yr injan – wrth i'r tir godi'n fwy serth o gwmpas Llyn Ogwen, y mynyddoedd tywyll yn chwerthin am ben y car bach a'i deithwyr bach pitw, pathetig.

Anelodd Macs am yr arfordir, gan fwriadu ymweld â chastell Caernarfon. Roedd y tri wedi dotio ar y ffaith bod pawb yn nhre Caernarfon yn siarad Cymraeg, er ei bod yn anodd eu deall, a'r acen drom yn fur i amddiffyn hunaniaeth y trigolion cyn sicred ag y llwyddodd y muriau Normanaidd i gadw'r bobl leol draw.

Ar ôl cinio, troi am Bwllheli. Roedd golygfeydd ysblennydd i'w gweld wrth yrru drwy Gricieth, fel un o beintiadau Sisley o Benarth, cerdyn post o fôr glas a thywod euraidd. Roedd y siwrne i Aberdaron yn reit dawel, gyda Macs yn dioddef o gur pen – teimlai fel petai rhywun a ddefnyddiai un o'r bwyelli deulaw 'na o Wlad Pwyl wedi plannu darn trwm o fetel siarp yng nghanol ei benglog – o ganlyniad i'r noson yn y Fleece.

Ceisiodd Gwydion ddarllen ei lawlyfr adar yn y cefn: roedd wedi bod yn dysgu'r enwau Lladin am bopeth. Y robin goch. Erythracus rubecula. Y sgiwen fawr. Cathracta skua. Y dryw bach. *Troglodytes, troglodytes, troglodytes.* Bellach roedd wedi dysgu enwau holl adar Prydain, hyd yn oed enwau rhai na fuasai byth yn eu gweld, megis brân yr Alpau, a'r enw fel brigau gwlyb yn cael eu llwytho ar dân glo. *Pyrrhocorax graculus.*

Y bore hwnnw roedd ei fam yn dawelach, er bod llyfryn yr AA yn dal ar agor ar ei harffed. Dyma'r siwrne hiraf iddi ei theithio erioed. Yn ei bywyd i gyd.

Ar ôl gadael Pwllheli, gyda'i wersyll Butlins lliwgar a'r cychod hwyliau'n dawnsio'n uchel ar y tonnau bach yn yr harbwr, roedd y lonydd yn unig. Doedd dim byd ar y ffordd heblaw ambell dractor, a chyn hir roeddent wedi cyrraedd maes parcio Porth Meudwy. Doedd dim sôn am unrhyw un, er i'r tri gael croeso gan gôr dihafal o lwydfronnau oedd yn cuddio yn y tyfiant trwchus ar hyd y nentig fach a arweiniai at y cei. Chwythai'r gwynt gydag arddeliad, gan droi'r môr yn gyfres o donnau bychain ffrothlyd. Chwarddodd Macs wrth edrych ar ei wraig, ei gwallt yn hedfan i bob man yn Orgonaidd, a phan ofynnodd iddo beth oedd yn ei ddiddanu cymaint, penderfynodd fod yn ddiplomat a dweud ei fod yn chwerthin gyda diléit o fod mewn lle mor brydferth a gwyllt. Ddwedodd Martha'r un gair, ond chwythai'r gwynt yn rhy gryf iddi fecso.

Ar waelod y llwybr safai dyn a'i wallt hyd yn oed yn fwy blêr na gwallt Martha, yn canolbwyntio ar y tonnau trwy finociwlars fel petai wedi colli rhywbeth. Gwyddai Gwydion ar unwaith ei fod yn adara, yn chwilio am smotiau bach uwchben y tonnau ac yn ceisio'u hadnabod. Hyd yn oed pan ddywedodd Macs 'bore da' wrth y dyn, ni throdd ei ben: prin y gallai unrhyw un glywed unrhyw beth uwchben blast a brygowthan y gwynt. Canolbwyntiai'r dyn ar ei dasg o ddiffinio'r smotiau, ei wallt yn wyllt fel un Albert Einstein yn y gwynt.

Syllodd y pedwar ohonynt yn fud tua'r gorllewin, lle dychmygai Gwydion yr oedd Ynys Enlli. Hyrddiau'r glaw yn donnau, hen wragedd a ffyn yn disgyn wrth y fil, yn ddigon i orchuddio'r tonnau go iawn. Edrychai'r dyn fel un o gerfluniau Ynys y Pasg, fel petai'n fodlon aros yno am byth nes i rywbeth ddigwydd. Yna, o'r diwedd, sylweddolodd y gŵr fod rhywun yn sefyll yn gwmni iddo. Gwaeddodd Macs arno i ofyn a oedd e'n gwybod pryd fyddai'r cwch yn cyrraedd. Dim ond ambell sillaf glywodd y dieithryn tal a'r llygaid pefriog ac amneidiodd arnynt ddod i gysgod cwt o adeilad er mwyn cysgodi rhag y gwynt a chyfathrebu'n well.

Yng nghysgod y caban bach wrth ymyl y cei, estynnodd y dyn ei law er mwyn cyflwyno'i hun. Roedd y tad a'r fam yn gwybod yn iawn pwy oedd e – bardd enwocaf Cymru, a'r gorau heb os. Llais ac wyneb cyfarwydd ar y teledu, yn protestio gan amlaf – ynni niwclear, tranc yr iaith, tai haf, y pla o fewnfudwyr.

'Prynhawn da. 'Dach chi'n aros am y cwch i fynd draw i'r ynys?'

Ymdrechai pawb i ddeall geiriau'r dyn, nid oherwydd nam ar ei leferydd, ond oherwydd cryfder y gwynt oedd yn cario'r berfau o'i geg i gyfeiriad Rhosgadfan a'i ansodd-eiriau i Aberystwyth, ei briodeiriau yn tasgu cyn belled â Ffos-y-ffin.

'Ydyn. Mae'r mab am fynd draw 'na i sgrifennu. Ga i gyflwyno Gwydion? Fi yw ei fam a dyma ei dad.'

Nid oedd y bardd wedi clywed am Gwydion a'i lwyddiannau; er ei fod ef ei hun yn wyneb cyfarwydd ar y cyfryngau torfol, roedd yn eu hosgoi fel arall. Doedd ganddo ddim set deledu. Doedd e ddim yn darllen papur dyddiol. Roedd yn byw ei fywyd fel meudwy cyfoes, yn llwyddo i fyw yn y byd ond yn byw bant o'r byd ar yr un pryd.

Dywedodd y gŵr rywbeth, ond Duw a ŵyr beth. Mastodon? Ffagots? Rhiwabon? Llyncai'r gwynt bob sŵn. Cwpanodd ei ddwylo, gan greu corn siarad er mwyn gwneud ei neges yn glir.

'Ddaw o ddim. Y cwch. Ddim heddiw, yn bendant. Does dim gosteg i fod heddiw.'

'Sori?' dywedodd Macs, nad oedd yn siŵr beth oedd ystyr y gair gosteg.

'Ddaw o ddim heddiw, nac yfory chwaith. Mae tywydd gwael iawn ar y ffordd – chwip o wynt o ganol yr Iwerydd – ac mae arna i ofn na ddaw'r cwch am ddyddiau, efallai wythnos gyfan, efallai mwy. Ddrwg iawn gen i'ch siomi.'

Cwympodd gwep Gwydion, a doedd gwep ei rieni fawr llawnach chwaith – mygydau stoig yn wynebu her y dymestl.

Cynigiodd y dyn y gallai Gwydion aros gydag e yn y ficerdy i ddisgwyl am dywydd gwell, ac am y cwch. Y gair 'ficerdy' wnaeth berswadio Martha y câi Gwydion aros gyda'r dyn.

Daeth chwa arall o wynt i geisio'u taflu i'r môr, a bu'n rhaid i Macs ddal yn sownd yn ei wraig rhag ofn iddi ddiflannu i gyfeiriad Cricieth. Gadawodd Macs a Martha eu mab yng nghwmi'r bardd, a gyrru'n araf ar hyd y lôn dywyll. Roedd de Cymru'n bell iawn i ffwrdd yn y tywyllwch.

Roedd y tŷ'n debyg i set ffilm ar gyfer *biopic* am fywyd bardd. Yn ei stafell wely, gallai Gwydion ddychmygu taw dyma'r fan lle bu farw Chatterton yn y llun enwog ohono yn gelain. Câi popeth yn y ficerdy ei oleuo gan ganhwyllau wedi'u gosod mewn cynwysyddion rhyfedd – nifer ohonynt mewn penglogau defaid llacharwyn, a rhai eraill mewn penglogau anifeiliaid na fedrai Gwydion eu hadnabod. Blaidd oedd un ohonynt, a gawsai'r bardd ar drip darllen i Ganada.

Tybiai Gwydion fod yr un uwchben y bwrdd yn perthyn i forfil. Wrth edrych yn agosach sylwodd bod y cwyr wedi ffurfio siâp fel ymennydd ym mhowlen y penglog, o ganlyniad i'r cannoedd o ganhwyllau a losgwyd i ddim yn y bowlen asgwrn enfawr.

'Gymerwch chi ddogn o gaws a bara?' gofynnodd y bardd enwog iddo, gan brysuro i baratoi mecryll yn y gegin, y saim yn tasgu'n ffyrnig dros bob man, a'r arogl yn awgrymu bod rhywbeth yn llosgi.

Roedd y pysgod yn blasu'n wych er gwaetha'r ffaith eu bod ychydig yn ddu ac yn eistedd yn unig ar y plât heb gwmni taten hyd yn oed, a'r llygaid bychain, gwydrog yn edrych yn syn ar Gwydion. Dros y cinio hwn cafodd Gwydion y sgwrs fwya llenyddol, diwinyddol a deallus a gafodd erioed yn ei fywyd – gwell na'r un a gafodd gydag unrhyw un o'r academyddion fu'n ei holi a'i astudio. Er y gwyddai fod ganddo eirfa arbennig, a dawn dweud stori, roedd barddoniaeth yn dir estron iddo braidd, ac yntau'n dewis darllen rhyddiaith os oedd dewis. Ond er mai dim ond y stwff amlwg roedd Gwydion wedi'i ddarllen – Wordsworth, Milton, Blake a Dylan Thomas – gallai ddilyn sgwrs y dyn. Siaradai gydag arddeliad am W.B. Yeats fel petai'n adnabod pob llinell o'i waith.

Hoffai'r bardd siarad am farddoniaeth, ac roedd ganddo ffefrynnau amlwg ymhlith y cewri. Nid dim ond beirdd a ganai yn Saesneg, chwaith. Yn wir, dros y chwe noson nesaf, cafodd Gwydion gwrs carlam ar feirdd o wlad Pwyl a Rwmania. Clywodd am rai oedd yn closio at Dduw drwy eu geiriau, pobl fel George Herbert a John Donne. Dysgodd hefyd am rai o'r meistri Cymraeg – Dafydd ap Gwilym, Gwenallt a Waldo Williams.

Bob nos, byddai'r bardd yn dechrau diffodd y lampau'n weddol gynnar, gan adael dim ond un lamp ynghynn, a honno er mwyn gallu gweld y glasaid bach o chwisgi o ynys Islay a ddisgleiriai fel diemwnt ar y bwrdd. Byddai'n dymuno 'nos dawch' ffurfiol i Gwydion, ac yn adrodd cerdd i gadw cwmpeini iddo wrth ddringo'r grisiau. Y noson gyntaf y digwyddodd hyn, esboniodd i Gwydion fod hon yn ffordd dda o weld siâp a rhythm cerdd. Cymhellodd y crwtyn i ddringo i'r llawr nesa i rythm y gerdd.

'Mae pob cerdd yn un i'w cherdded. Mae gan rai gerddediadau urddasol, araf, megis gweithiau Pope a Dryden, ac eraill draed sionc, megis Longfellow.'

Esboniodd y bardd wrtho sut i fesur barddoniaeth drwy guro pastwn, ond esboniodd hefyd am y miwsig gwaelodol oedd ymhob llinell. 'Cân yw pob cerdd, ond nid yw'r miwsig wastad yn hawdd ei glywed,' meddai.

Ar ei noson olaf yn y ficerdy, dringodd y gŵr ifanc y stâr i gyfeiliant llais awdurdodol yn ynganu geiriau megis rhai Cummings wrtho, yn tanlinellu melodi a rhythm.

'Little how lived in a little how town,' adroddodd y llais pwerus, llais craig ac islais daeargryn iddo, wrth ei ddilyn fesul gris tuag at y stafell wely.

Teimlai Gwydion ei fod wedi cwrdd ag arwr. Byddai'n gadael am yr ynys yn y bore gyda chalon drom. Bu siarad â'r hen ŵr yn bleser digamsyniol. Roedd yn perthyn i oes arall, ac eto'n perthyn yn ffyrnig i'r oes hon.

Wythnos ar ôl i Gwydion gyrraedd ardal Aberdaron, gostegodd y gwynt a llwyddodd y cwch i groesi i'r tir mawr. Er bod y gwynt wedi tawelu ychydig, roedd yn dal i chwipio'r môr yn ffyrnig, gan daflu spre i bob cyfeiriad. Wil Lobstars oedd yn llywio'r cwch bach, yn darllen ei ffordd drwy'r ffyrnigrwydd â phrofiad a diléit. Ambell waith, gallai weld y ffyrdd trwy'r dŵr mor glir ag y buasai amaethwr yn adnabod y llwybr at ei fuarth, a hyn ar wyneb y môr! I Wil, nid undonedd oedd wyneb y môr: roedd ynddo batrymau tebyg i gaeau fferm a pherthi'r tir mawr.

Yr adar oedd yn helpu fwyaf i ddeall beth oedd yn digwydd dan yr wyneb. Dewisai'r gwylog aros ar wyneb dŵr llyfn, tra byddai'r llurs yn dewis dŵr oedd yn symud yn gyflymach – yn union fel y byddai llwyd y berth yn cadw at y clawdd ar ochr cae tra byddai'r gornchwiglen yn ei chanol hi.

Uwch ei ben, gwelai Gwydion sgiwen yn dilyn criw o fôr-wenoliaid yn bwrpasol, y peirat aerobatig yn aros am y foment iawn i ymosod ar un ohonynt i gael gafael yn y pysgod roedd wedi'u dal. Yn agosach at y cwch roedd adar drycin Manaw yn edrych fel tasen nhw'n dyrchafael yn hytrach na hedfan. Doedd Gwydion erioed wedi gweld unrhyw un o'r rhywogaethau hyn o'r blaen, ac edrychai ymlaen yn eiddgar at gael nodi'r hyn roedd wedi'i weld yn ei lyfr nodiadau newydd; anrheg gan Mam oedd y llyfr, ac roedd hi hefyd wedi gwau siwmper newydd iddo, un oedd yn morio mewn lliw ac yn gynnes fel toes.

Glaniodd y cwch yn y Cafn, ac roedd tractor yn aros yno i gario bagiau'r ymwelwyr i'w tai. George Jordan oedd enw'r warden, a siglodd law Gwydion mor dynn nes y gallai deimlo'r *carpals* a'r *metatarsals* yn asio'n un. Nododd Gwydion na ddylai gwympo mas â rhywun fedrai droi eich hesgyrn yn galch heb unrhyw anhawster. Roedd acen Rochdale yn gryf yn llais George, a gwynt tybaco'n drwchus-felys ar ei wallt. Esboniodd George y trefniadau ar gyfer y nos. Byddai Gwydion yn cysgu mewn stafell drws nesa i'r fan lle byddent yn modrwyo adar.

Wrth danio Benson & Hedges, awgrymodd y warden y dylai Gwydion dreulio gweddill y dydd yn ymgynefino â'r ynys, gan ei siarsio i gymryd gofal petai'n mynd i ochr bella'r mynydd. Ar y llethrau serth hynny, lle roedd y gwair yn fyr oherwydd dannedd niferus y defaid, roedd y glaw yn gwneud popeth yn lithrig, yn frawychus o llithrig. Dywedodd George fod tri ymwelydd wedi torri coes neu fraich yno eleni, pob un ohonynt yn ffodus i fod ar dir y byw.

Arhosodd Gwydion ar ei draed yn hwyr y noson honno gan yfed cwrw am y tro cyntaf yn ei fywyd gyda'r warden ac Arthur Green, oedd yn ffermio'r ynys. Y bore canlynol, daeth cnoc ar y drws pan oedd cloc larwm corff a meddwl Gwydion yn awgrymu nad oedd ond wedi cael awr neu ddwy o gwsg.

Er bod Gwydion yn aros ar yr ynys i sgwennu'n bennaf, roedd y warden wedi cytuno y câi ei ddilyn wrth ei waith bob nawr ac yn y man. Y bore hwnnw, aeth George – oedd yn edrych yn rhyfeddol o heini o ystyried cwrw'r noson gynt – ac yntau o gwmpas y trapiau Heligoland oedd yn dal adar ac yn eu ffwnelu at focs bach ar ben twndish. Yna byddai George yn eu trosglwyddo i fagiau bychain cyn mynd â nhw'n ôl i'r arsyllfa i osod modrwy fach aliwminiwm ar bob coes, a honno'n gyfystyr â phwysau wats ar arddwrn y warden. Byddent hefyd yn pwyso a mesur yr aderyn cyn ei ryddhau. Erbyn diwedd yr haf, bwriadai Gwydion fodrwyo digon o adar i'w alluogi i ennill trwydded i wneud hyn yn annibynnol. Roedd yn mwynhau'r gwaith, ac yn gwerthfawrogi'r fraint o gael bod yng nghanol natur, yn ceisio'i deall yn well. Meddyliodd ei bod yn rhyfedd bod ynys – craig yn sefyll yng nghanol dŵr – yn medru cynrychioli rhyddid, er bod byw arni'n ryw fath o gaethiwed.

Ond y bore hwnnw roedd meddwl Gwydion yn crwydro

ymhell oddi wrth yr adar bach a'r modrwyo, wrth iddo edrych tua'r nen ac ystyried cyn lleied o enwau oedd gan y Cymry am bethau yn yr awyr. Er eu bod wedi bedyddio pob craig a thwmp, pob coedwig, llannerch a llyn, pob llecyn o ddaear, doedd dim enwau ar gyfer gwahanol fathau o gymylau. Gwir, roedd yna enwau Lladin ar gyfer y cymylau, ond beth am dermau cefn gwlad? Ni wyddai am yr un. Od. Wrth gerdded, lluniai ambell linell o'i nofel am Peter Warlock. Roedd y cyfansoddwr yn dod yn fyw iddo fel cymeriad.

Erbyn iddo ddychwelyd ar ôl yr ail rownd o ymweld â'r trapiau, roedd nifer o deloriaid wedi'u dal y tro hwn, yn eu plith ddau delor yr hesg golygus iawn. Gerllaw, roedd hen fenyw yn plygu wrth ochr y ffordd, yn palu twll yn y clawdd.

'Dacw Sister Mary,' meddai George, ei Gymraeg yn swnio'n chwithig oherwydd trwch yr acen. 'Ei job hi yw cadw'r ffynhonnau sanctaidd ar agor. Oherwydd y gwres a'r sychder – ar wahân i'r storom hir a gadwodd ti ar y tir mawr – mae hi mas bron bob awr o'r dydd. Gawson ni *whip round* i brynu'r twlsyn 'na iddi hi – rhaw dyllu o'r Rhyfel Byd Cyntaf. Mae hi wrth ei bodd ag e, mae'n debyg. Nid ei bod hi'n dweud gair wrth neb, ond gallwch chi weld sut mae hi'n teimlo o ddydd i ddydd yn ôl y ffordd mae hi'n gweithio ac yn cerdded. Dwi wedi'i gweld hi'n dawnsio wrth gerdded drwy wlith y bore at y ffynnon gyfrin ar y creigiau. Ffynnon Beuno maen nhw'n ei galw hi. Dro arall, dwi wedi'i gweld hi'n llusgo'i thraed. Bryd hynny, mae bron fel tasech chi'n gweld claf o'r parlys yn hercian ar draws yr ynys.'

Sylwodd Gwydion fod y ceibio'n egnïol iawn wrth i'r Chwaer brofi ei ffydd gyda phob rhofiad. Ei ffydd yn ddigon cryf i dyllu fel goffer yr holl ffordd i Awstralia.

Y peth mwyaf amhleserus abwytu aros ar Ynys Enlli oedd sawr pwerus y toiledau cemegol, yr Elsans bondigrybwyll, ac roedd yn rhaid i Gwydion gymryd ei dro i'w gwagio pan oedden nhw'n llawn. Nid oedd hyn yn digwydd yn aml iawn yn ystod yr wythnosau cyntaf, ond pan ddechreuodd Cristin, y ffermdy, lenwi ag ymwelwyr, roedd yn rhaid eu gwagio bob tridiau, ac roedd y gwaith yn codi cyfog arno. Ond roedd un peth yn ei synnu'n fawr wrth iddo dorri twll newydd i gladdu'r gwastraff, sef ei fod, yn amlach na pheidio, yn dadorchuddio esgyrn dynol.

'Rhai o'r ugain mil o saint,' oedd esboniad George, gan ychwanegu nad sant oedd pob un, ond pererinion. Doedd hyn yn fawr o gysur i Gwydion, oedd am eu claddu drachefn, gyda rhyw fath o ddefod os yn bosib.

Felly, daeth pawb oedd ar yr ynys ar y pryd at ei gilydd ar gyfer defod syml. Darllenwyd darnau o'r ysgrythur a chanwyd dau emyn. Gosodwyd yr esgyrn nôl dan y pridd, a thaenwyd ambell weddi dawel drostynt.

Y noson honno roedd George a Gwydion yn cerdded i lawr yr A1, fel y gelwir yr unig lôn sy'n cysylltu de'r ynys a'r gogledd. Cerddasant yn eu blaenau heibio i hen gartrefi'r ynys – Carreg, Plas Bach, Nant a Hendy.

Wrth fynd heibio Tŷ Pellaf, dyma George yn gweiddi, gan bwyntio at y ffenest.

'Ffwc! Mae hi wedi croeshoelio'i hunan!' meddai, gan ddangos y fenyw sanctaidd yn hongian yn y ffenest. 'Cer lawr 'na nawr i weld beth sy'n mynd ymlaen ac mi af i'n syth i ffonio am ambiwlans! A'r heddlu! A gwylwyr y glannau! Well i fi ffono'r Pab tra bo fi wrthi!'

Ni wyddai Gwydion sut i ddefnyddio'r ffôn-radio, felly doedd ganddo ddim dewis. I lawr â fe i ddelio â'r lleian groeshoeliedig.

Rhuthrodd drwy'r llidiart rhydlyd, a rhedeg yn syth lawr y llwybr. Taflodd y drws ar agor, ei wynt yn ei ddwrn.

Yno, o'i flaen, roedd y lleian yn noethlymun, ar ganol golchi ei cheseiliau mewn bath sinc. Lleian, yn borcen, o'i flaen! Dyma'r embaras mwyaf iddo'i deimlo yn ei fywyd ac yn wir y byddai'n ei deimlo'n achlysurol drwy gydol ei fywyd. Ni lwyddodd Gwydion i yngan yr un gair, a gan ei bod hithau wedi cymryd llw fel morwynferch yr Hollalluog Ior, doedd hi ddim am ddweud yr un gair chwaith, felly camodd Gwydion yn gwrtais o araf tua'r drws, gan gadw ei lygaid ar y wal. Ni fedrai anghofio bronnau'r lleian yn hongian yn llipa, a pha mor denau oedd hi heb ei dillad. Morwyn sgerbydol iawn i'r Arglwydd.

Rasiodd i ddal fyny gyda George a phan glywodd mai'r hyn yr oeddent wedi ei weld oedd abid y lleian yn hongian yn y ffenest, dechreuodd chwerthin yn afreolus o uchel.

'Rwy ti wedi'i weld e i gyd nawr!' meddai wrth Gwydion, a oedd yn dal yn goch 'da embaras. Cochodd damed bach yn fwy.

Setlodd Gwydion yn ddidrafferth i drefn feunyddiol hamddenol yr ynys. Codai'n blygeiniol i gerdded o gwmpas y trapiau, ac yna treuliai weddill y diwrnod yn helpu'r ymwelwyr, yn enwedig y rhai oedd yn dilyn y cyrsiau adnabod adar. Sgrifennai bennod o'i lyfr pob wythnos. Byddai wedi gwneud tipyn mwy na hynny, ond ildiai i'r demtasiwn o dreulio'i ddiwrnodau'n gwylio'r adar, a dysgu enwau creaduriaid glan y môr.

I'r ymwelwyr lleiaf profiadol, rhoddai Gwydion bortread cyflawn o bob rhywogaeth o aderyn ar yr ynys, gan wneud ei orau i atgynhyrchu cân neu gri'r aderyn hefyd. Cystal oedd ei ddynwarediad o gân corhedydd y waun, byddai ceiliogod o'r rhywogaeth honno'n dod i'w herio ac i gystadlu yn ei erbyn, a cheisio ennill darn o'i diriogaeth. Ambell waith, edrychai Gwydion fel Sant Ffransis o Asisi wrth i'r adar lanio ar ei ysgwydd, wedi eu hudo ato gan ei chwibanu. Un tro glaniodd llinos ar ei drwyn ac aros yno, a'r adenydd yn crynu am eiliad neu ddwy. A gallai Gwydion ddynwared y gornchwiglen, yn enwedig un mewn trwbwl, nes fod haid ohonynt yn ymgasglu o'i gwmpas ond iddo aros yn stond, wedi'i rewi yn yr unfan.

Yn y prynhawniau byddai'n cyfri'r adar oedd yn nythu ar yr ynys, ac yn mentro ar ei ben ei hun i ochr arall Enlli, lle dringai'r creigiau heb sgrapyn o offer dringo, er gwaetha rhybuddion George ar ei ddiwrnod cyntaf. Ambell waith llithrai ar un o'r llwybrau defaid, gan weld y creigiau danheddog islaw yn syllu arno'n newynog – dannedd siarc yn codi o'r môr, eu min yn awgrymu eu bod yn dymuno dim byd mwy na'i larpio a'i grensian.

Nid tasg hawdd oedd cael hyd i nythod y brain coesgoch gan eu bod, wrth natur, yn adeiladu mewn ogofâu a cheudyllau cudd, ond roedd Gwydion yn benderfynol o ffindo pob un. Treuliai oriau'n eistedd yn llonydd yn disgwyl i'r rhieni fradychu lleoliad y nyth, yna chwiliai am ffordd o gyrraedd y lle. Byddai'n gorfod glynu fel gelen, ymestyn fel dawnsiwr bale, a llithro trwy dyllau oedd yn rhy fawr iddo – ond trwy'r holl ymdrechion hyn, cafodd ymweld â llefydd cyfan gwbl hudol.

Un tro, mentrodd i ogof hanner llawn o ddŵr. Roedd morloi yn gorwedd o gwmpas ym mhobman, yn gadael i'w cinio o forleisiaid neu fecryll setlo. Meddyliodd Gwydion am faddon Twrcaidd, y dynion boliog a'u cyrff-llond-saim yn gwneud dim byd ond pesgi yn y gwres, y chwys yn diferu oddi ar eu bronnau mawr jelïog. Ond, yn wahanol i faddon o'r fath, roedd yr arogl yn yr ogof hon yn sur, fel mynd i weld y cathod mawr yn sw Bryste ar hafddydd crasboeth, yr iwrin llawn amonia'n ymosod ar eich ffroenau. Ar silff uchel, o'r ffordd uwchben yr anifeiliaid, gwelodd y nyth.

Ar ôl gadael yr ogof ddrewllyd, meddyliodd Gwydion am un o'r ymwelwyr newydd, Mrs Lockheart, yn torheulo ger y Cafn, a gwynder ei chroen yn cyferbynnu'n llachar â deunydd du ei siwt nofio undarn. Hi oedd ffocws ei ddyddiau, ac yn sicr ffocws ei nosweithiau. A! Mrs Lockheart! Yr un a osododd glo ar ei galon. Nid ei fod wedi anghofio Dwti, ond roedd e mewn cariad rhywiol 'da Mrs L, â'r *syniad* o Mrs L. O, Mrs L!

Roedd Mrs Lockheart wedi cyrraedd yr ynys ddeuddydd ynghynt gyda'r criw diweddara o ymwelwyr canol oed. Roedd ganddi acen Swydd Gaerloyw, y llafariaid yn ffrwythog fel afalau llawn. Winter Pearmain. Winesap. Hembling a Gamlingay. Sudd melys ei siarad hi. Roedd hi'n adarwraig o fri, ac yn ddarllenwraig frwd. Bu Gwydion yn siarad â hi am hydoedd y noson gynta, a'r ail, ei llygaid yn ei ddenu, ei chorff yn ei swyno, ei phresenoldeb yn ei gyfareddu.

Bron yn syth, yn sicr erbyn yr ail noson honno, dechreuodd Gwydion ddychmygu'i hun fel Dustin Hoffman i Anne Bancroft yn y ffilm *The Graduate,* lle roedd dyn ifanc yn cael ei demtio fwy nag y gallai ei esbonio gan fenyw hŷn, dipyn hŷn. Hi oedd Salome Enlli, ei Mata Hari bersonol.

Er ei bod hi'n arbennig o dda am adnabod adar – hi ddaeth o hyd i'r cigydd pengoch i lawr wrth Tyddyn Bach – gwyfynod oedd ei phrif ddiddordeb, a byddai gwrando arni'n rhestru'r gwahanol fathau roedd wedi llwyddo i'w denu i'w thrapiau dros nos fel clywed cerdd sydyn. Bidog y poplys. Gwinnau manog. Ffol y gannwyll. Llewpart y cyrs. Un tro, bu Gwydion mor hy â gofyn iddi ailadrodd y rhestr o'r hyn oedd yn y trap golau un bore, gan smalio ei fod am eu nodi ar gyfer lòg yr arsyllfa adar ond, mewn gwirionedd, blasu ffrwyth ei hacen eto oedd bwriad Gwydion.

Wrth iddi adrodd yr enwau, teimlodd Gwydion ei hun yn tyfu a dechreuodd anwesu'i hun yn gyfrwys drwy ei drowsus. Ond roedd cynifer o lygaid bach pryfedog yn edrych arno, dechreuodd deimlo'n euog bod gwyfynod yn edrych ar ei godiad o dan ei drowsus North Face, felly bu raid iddo feddwl am bethau i leihau ei chwant – mathau o drên stêm ac enwau brwydrau enwog yn Ne Affrica. Maen nhw'n dweud bod dyn ifanc yn ei arddegau'n meddwl am ryw unwaith bob pum munud. Teimlai Gwydion ei fod yn meddwl am ryw yn amlach na hynny, yn sicr ers i Mrs L gyrraedd. Roedd delweddau ohoni – ambell un reit anweddus – yn llenwi'i feddyliau. Cymharai ei choesau â rhai Liza Minnelli yn y poster ar gyfer *Cabaret.* Iddo ef, roedd siâp ei chorff fel Marilyn Monroe, yn feddal ac yn grwn ac yn atyniadol, boi, *mor* atyniadol! A'i gwallt fel hysbyseb ar gyfer siampŵ Timotei. Bron y gallai arogleuo'i chroen – mêl y grug, a melyster dwys rhwng ei phalfeisiau. Diolch byth ei bod yn gadael yr ynys ddydd Sadwrn, cyn iddo chwythu lan, yn bostio â chwant.

Wedi dweud hynny, pan adawodd hi'r ynys ar ddiwedd ei gwyliau, rhoddodd ei chyfeiriad a'i rhif ffôn i Gwydion, gan fynnu y dylai ddod i ymweld â hi rywbryd. Doedd ganddi ddim syniad sut roedd hyn wedi effeithio arno fe, bron yn achosi iddo grynu fel petai'n diodde o ddawns Sant Vitus wrth iddo ffarwelio â hi yn y dingi. Rhuthrodd i fyny'r mynydd i gael cipolwg olaf ohoni'n troi'n smotyn bychan, a hwnnw yn ei dro'n cael ei lyncu gan smotyn y cwch cyn diflannu'n gyfan gwbl, ei groen ar dân wrth ei gwylio'n araf fynd o'r golwg.

Doedd gan Gwydion fawr o brofiad o ferched, ac yn sicr dim profiad o fenywod – ambell gusan letchwith, ambell gyffyrddiad oedd yn ddigon i beri braw iddo yn ei nerfusrwydd. Un tro roedd Mrs Lazarus wedi ei synnu trwy ddweud rhywbeth anweddus wrtho, a bu bron iddo gael ei hala i mewn i'w gragen am byth. Hen fenyw yn awgrymu'r fath beth! Anodd credu!

Byddai croen Mrs Lockheart yn siŵr o flasu o fêl. Gwyddai hynny o edrych ar ei hysgwyddau noeth yn ngolau'r lampau Tilley, cyn iddi wisgo'i siaced a gadael ffermdy Cristin i ddilyn sŵn y canu. Byddai ei chroen yn blasu o hufen a charamel. Ond . . . sŵn y canu! Beth ddiawl?

Yr un digwyddiad yma ddaeth â Gwydion a Mrs L yn agos at ei gilydd. Y canu yn y nos.

Roedd hi'n tynnu am hanner nos, a'r pump ohonynt yn eistedd o gwmpas y bwrdd yn yfed cwrw Ruddles – Gwydion,

Mrs Lockheart (ei chroen yn binc fel un o noethlymun-wragedd Rubens yng ngolau'r canhwyllau byrion yn y potiau jam ar y bwrdd), dau Wyddel o ymwelydd, sef Paul a Ciaran, a'r warden, George. Byddai Gwydion yn gwneud yn siŵr ei fod yn derbyn unrhyw wahoddiad i gymdeithasu gyda'r ymwelwyr oherwydd roedd cael cwmni'n bwysig ar ôl dyddiau o adara ar ei ben ei hunan.

Doedd dim dwywaith bod y criw wrth y bwrdd y noson honno wedi yfed cryn dipyn – mae'n bwysig dweud hynny oherwydd beth ddigwyddodd – ond doedd neb yn rhy feddw i gerdded, nac i gofio'r hyn a ddigwyddodd iddyn nhw, er bod un neu ddau ohonynt, yn enwedig y Gwyddelod, nad oedd yn *medru* nac yn *dymuno* credu. Roedd yn erbyn eu crefydd i wneud hynny.

Roedd y lleuad wedi codi'n falŵn llaethog tu allan ac yn rhoi golau eitha llawn yn yr ystafell fwyta, lle roedd y bwrdd yn llawn poteli gweigion. Yna dywedodd Ciaran, gydag ychydig o fraw yn ei lais, 'Can you hear that, that singing? Can anybody else hear that fecking singing going on out there?'

Am eiliad neu ddwy, wyddai neb am beth roedd y dyn meddw o Donegal yn sôn. Yna clywodd y pedwar y lleisiau, oedd yn debyg i gôr mynachlog yn canu yn y pellter.

'Efallai taw côr yn Aberdaron sy'n ymarfer,' awgrymodd George, 'a'r gwynt yn cario'r sŵn.' Ond roedd pob un ohonynt yn gwybod yn iawn ei bod hi'n rhy hwyr i hynny. Pa gôr fyddai'n ymarfer am hanner nos?

Heb ddweud gair, dyma nhw'n codi eu siacedi oddi ar y bachau ar gefn y drws a mynd allan o'r ystafell. Roedd y nos yn oer ar eu crwyn, ond efallai eu bod yn crynu tu mewn wrth sylweddoli bod lefel y sŵn wedi cynyddu nawr, a'r nodau'n cario'n gliriach ac yn dod o gyfeiriad gogledd yr ynys.

'It's a proper monastic choir,' dywedodd Mrs Lockheart, a oedd yn ceisio adnabod y gân, ond heb lwc. Doedd yr un ohonynt yn ddigon o sgolor i adnabod y gwaith, y 'Te Deum' gan Palestrina, y cydganu'n plethu'r holl leisiau'n gytûn.

Erbyn iddynt gerdded dau neu dri chan llath, roedd y profiad yn debyg i fynychu cyngerdd yn yr awyr agored, lleisiau unigol yn dechrau datgymalu o blethiad y côr o wrando'n ddigon astud, o oedi am ychydig a sefyll yn stond i wrando. Doedd yr un o'r pump yn dweud gair. Roedd fel tasen nhw wedi cael eu hudo yno, yn gaeth i'r sŵn, fel gwyfynod sy'n hoff o ymweld â mathau o blanhigion sy'n arogleuo'n dda yn y nos – gallai Mrs Lockheart ddweud wrthoch chi pa rai yn union – rhai fel siriol pêr y nos.

Gwydion oedd yn arwain y ffordd, gan mai ganddo fe oedd y fflachlamp fwyaf pwerus, felly fe oedd yr un waeddodd, 'It's stopped!'

Ond roedd y lleill yn dal i glywed y miwsig yn glir, er nad oedd Mrs Lockheart yn clywed dim. Od. Od iawn. Ond yna camodd y tri arall dros ryw drothwy anweledig, a doedd dim siw na miw i'w glywed. Camodd Ciaran yn ôl, a dweud, 'Hey, I can hear the music again!'

Dilynodd pawb ei esiampl yn eu tro, nes bod y criw yn gwneud rhyw fath o hôci-côci araf ond gwallgo yng nghanol y nos, ar yr Ynys Sanctaidd gyda chôr anweladwy!

Wrth gerdded yn ôl i'r ffermdy, sylwodd Gwydion yn syfrdan fod y miwsig i'w glywed y tu allan i ffiniau'r hen fynachlog, ond ddim tu mewn. Yn wir, medrai ddangos bod y miwsig i'w glywed tu allan i'r hen, hen le drwy gerdded 'nôl ac ymlaen. Anhygoel!

Dywedodd Ciaran fod croeso i unrhyw un ymuno ag fe am Jameson's neu dri, ac yfodd pawb yn fud, fel mynachod Trapaidd.

'It's the strangest thing that's ever happened to me,' meddai Mrs Lockheart, ac er y gwahaniaeth mawr mewn oedran, gafaelodd Gwydion yn dynn ynddi, gan roi cwtsh mawr o gysur, a theimlodd ei chorff cynnes yn ymlacio ychydig wrth iddi estyn llaw arall i dderbyn Jameson's mawr, mawr. Setlodd i mewn i fantell ei ofal, a chwympo i gysgu yn ei freichiau, fel petai'n gariad iddo. O, am deimlad!

Yn y bore doedd gan neb esboniad da am y noson cynt, a chadwyd y peth yn gyfrinach rhyngddynt. Roedd pob un yn teimlo bod rheswm pam eu bod nhw yno'r noson honno, er nad oedd y rheswm yn glir o gwbwl.

Gwelodd Gwydion hi eto, flynyddoedd yn ddiweddarch, ond stori arall yw honno. Ac fe fydd Gwydion mewn trwbwl aruthrol erbyn iddo gwrdd â Mrs Lockheart eto.

Sgrifennodd Gwydion hanner ei lyfr newydd yr haf hwnnw, a dysgu llwyth o bethau am fyd natur. Beth oedd ffrwyth ei holl ymdrechion yn mapio'r ynys yr haf hwnnw? Llwyddodd i ffindio nyth pob brân goesgoch, a chyfrodd bron pob nyth gwylog a llurs, a'r gwylanod coesddu i gyd. Dyddiau llawn, ac roedd ar Gwydion eu hangen ar ôl i Mrs L fynd 'nôl i Gaerloyw, er mwyn cadw'i feddwl oddi ar yr unig wir destun.

Un o orchwylion Gwydion oedd cerdded o gwmpas y goleudy yn y bore yn chwilio am gyrff adar oedd wedi taro'r goleudy, fel y bu'n gwneud gynt yng ngoleudy Dafydd. Dan rai amgylchiadau byddai cannoedd, os nad miloedd, o adar yn cael eu drysu a'u denu gan y lamp, a nifer yn taro'r gwydr neu adeiladwaith, a'r brics yn aml wedi'u staenio â gwaed adar bach, darluniau Jackson Pollock o berfeddion a sblat.

Er bod nifer o ddyfeisiadau wedi'u defnyddio i leihau effaith andwyol y golau, gan gynnwys goleuo rhannau o'r ddaear gerllaw – fel y gallai'r adar ddisgyn yn dawel i orffwys yn y fan honno – roedd y lle'n dal yn beryglus i rywogaethau ymfudol.

Trwy lwc, bu wythnosau cyntaf Gwydion yn rhydd o unrhyw olion o farwolaeth. Ond un noson, ar ôl clywed manylion y tywydd ar y BBC, roedd George wedi darogan y byddai'r lle'n beryg bywyd i'r pererinion bach y noson honno, ac yn wir, erbyn iddynt gyrraedd, roedd yr atyniad wedi dechrau.

Smotiau bach i ddechrau, fel darnau o ddwst neu blu eira, yn uchel yn yr awyr, bron fel tasen nhw'n wreichion yn dod o'r sêr, ond wedyn byddai siâp adenydd a phen yn ymddangos ac yna, yn dorcalonnus, sŵn y cyrff bychain yn bwrw'r brics a'r adar yn disgyn, wedi'u drysu, neu eu syfrdanu – cawod o gyrff llipa yn glawio i'r llawr.

Cwympodd dim llai na deugant o ddrudwns, y rhan fwyaf ohonynt yn anymwybodol a dim llawer o obaith y byddent yn fyw erbyn y bore. Dododd Gwydion y cyrff mewn bagiau modrwyo gyda'r bwriad o'u claddu yn y bore, ond roedd gan George syniad arall, syniad gwell.

'Allwn ni eu bwyta nhw,' meddai'r warden wrtho. 'Byddai'n drueni gwastraffu cymaint o gig tyner.' Gan ystyried bod ganddo gyffylog a gïach yn ei sach yn barod, roedd synnwyr yn ei eiriau. Ac wrth i'r warden ddechrau glafoerio wrth feddwl am yr holl ddanteithion oedd yn ei gwdyn, cafwyd comosiwn yn yr awyr wrth i aderyn gwyn enfawr hedfan allan o'r tywyllwch a tharo'r gwydr mewn supernofa o adenydd gwynion. Tarodd alarch y goleudy a cherddodd y warden draw at Gwydion i osod y corff yn ei fag mawr yntau.

'Dim ond y Frenhines sydd fod i gael un o'r rhain ar y bwrdd cinio, ond 'sneb yn mynd i wybod, dim ond ti a fi. Felly dyma gyfrinach a hanner. Teimla pa mor drwm yw'r aderyn 'ma. Mae'n fwy na thwrci Nadolig. Mwy na dau dwrci!'

Dyna'r rheswm pam y cawson nhw ginio Nadolig llawn yr wythnos honno, a phawb yn cael gwahoddiad draw i'r fferm. Roedd Aga Mr Green yn ddigon mawr i gymryd yr alarch yn gyfan, a gyda thato rhost, llysiau a hen bwdin Nadolig mewn tun o siop Spar Pwllheli, cawsant wledd a thri chwarter – yn enwedig gan bod George wedi cyfrannu dwy botel o win da roedd wedi eu neilltuo ar gyfer ei ben-blwydd yn hanner cant. Ond beth oedd gwerth aros?

'Dyma'r alarch orau i mi ei bwyta erioed,' dywedodd Gwydion, ei wefusau'n sgleinio â braster. Ac yna, gan ei fod wedi paratoi'n drwyadl ar gyfer y cwrs adnabod adar, esboniodd fod yr aderyn hwn wedi cyrraedd Prydain gyda Richard I ar ôl croesgad, ac y gallai'r gwryw dorri braich dyn petai'n dymuno. Rhestrodd ffaith ar ôl ffaith ar ôl ffaith, a'i gyd-wleddwyr yn chwerthin yn braf wrth i Gwydion brofi y gallai gario 'mlaen drwy'r nos yn rhaffu ffeithiau diddorol, ac adrodd chwedlau am elyrch.

Ar ddiwedd y pryd bwyd, roedd y sgerbwd wedi'i flingo'n

drylwyr. Dechreuodd Arthur Green ddynwared Dug Caeredin ac yn fwy na hynny, Dug oedd wedi cael mwy nag un bach i'w yfed. Credai Gwydion y gallai'r ffermwr talentog hwn ennill ei fywoliaeth yn dynwared y dyn – roedd nid yn unig yn edrych yn debyg iddo, ond medrai siarad drwy wefusau caeedig, a swnio'n grachaidd iawn, iawn. Llais perffaith ar gyfer Sandringham a Balmoral.

'O! rwy'n caru Enlli,' dywedodd Arthur, ei lygaid yn dyfrio wrth feddwl am ei ddefaid a'r cynhaeaf gwair. Rhestrodd enwau'r ynys, fel petai am ailfedyddio'r creigiau geirwon a'r ogofau diarffordd. Ogof Ystwffwl Glas. Trwyn Dihiryn. Trwyn y Fynwent. Traeth Ffynnon. Briw Cerrig. Penrhyn Gogor. Bae Rhigol. Ogof Diban. Ogof Lladron. Diwedd y Byd. Aeth pawb i'w wely'n hapus, gyda'r enwau'n canu'n dawel yn y cof. Ac roedd y cŵn defaid yn hapus hefyd, gan mai nhw ddifethodd sgerbwd yr alarch mewn munud a phedwar deg tri o eiliadau.

Ymestynnai'r dyddiau'n araf o flaen Gwydion, yn dew ag addewid, yn drwm ag arogl eithin. Gan ei fod yn gweithio o fore gwyn tan yr hwyr, ac yna'n cyfri'r adar drycin Manaw yn y nos, fyddai dim yn well ganddo na chysgu am awr neu ddwy yn y prynhawn. Gorweddai'n gyfforddus yn y rhedyn oedd yn dechrau crino, ac ambell waith roedd sŵn clochdar-y-cerrig yn ei ddeffro fel cloc larwm hyfryd, oherwydd roedd ei hoff fan cysgu reit yng nghanol tiriogaeth pâr ohonynt, a'r ceiliog yn browd o'r patsyn daear, er yn oddefgar.

Yma, ar Enlli, roedd Gwydion yn hapus. Yma roedd Gwydion *am fod*. Byth bythoedd ac ar ôl hynny hyd yn oed. Ond gwyddai y byddai'r haf yn gorfod dirwyn i ben, gan adael delweddau o'r ynys megis llongddrylliad emosiynol yng ngheunentydd ei gof. Oherwydd Mrs Lockheart, ysbeilwraig ei galon. Ac udo'r morloi ar y creigiau danheddog. A chwibanu pibyddion y môr wrth setlo i glwydo, wrth i'r goleudy gychwyn ar ei semaffor nosweithiol. Cadwch draw. Cadwch draw. Cadwch draw.

Yr hen ysbyty

*T*RA BOD GWYDION yn mwynhau haf paradwysaidd ar Enlli, roedd ei rieni wedi eu gorfodi i ofidio ddydd a nos oherwydd bod yr heddlu'n galw arnynt yn gyson. Pam? Oherwydd bod Ebenezer wedi newid ei *modus operandi* gan ddechrau gadael marciau arbennig ar gyrff y bobl roedd wedi eu lladd. Ac roedd wedi lladd tri yn ddiweddar, cyn diflannu oddi ar wyneb daear. Naddodd y llythrennau G W Y D I O N â chyllell i mewn i groen y person marw – neu efallai cyn ei bod yn gyfan gwbl farw – a sgrifennodd lythyron od ond damniol at y wasg yn esbonio ble i ddod o hyd i'r cyrff. Ambell waith byddai'n rhagbroffwydo lle y byddai'n lladd nesa, ac er gwaetha ymdrechion yr heddlu byddai'n llwyddo i sleifio i ryw dref ddiarffordd, lladd, a symud ymlaen. Bwgan o ddyn!

Felly, pan ddaeth Gwydion adre o Enlli, roedd yr heddweision wedi awgrymu y dylid ei symud i rywle diogel, ac roedd ganddyn nhw rywle mewn golwg.

Eisteddai darn mawr o blwm yn stumogau rhieni Gwydion wrth iddynt adael y McMaster Deep Research Institute, plasty crand lle roedd pobl a chanddynt sgiliau arbennig yn mynd i aros er mwyn cael eu hastudio. Dawnsiai cysgodion y coed poplys talsyth ar eu hwynebau wrth iddynt yrru ar hyd lôn hir, a allai fod yn y Loire, gan adael eu mab yng ngofal gwyddoniaeth a gwyddonwyr.

Teimlai'r ddau yn hollol dost yn eu stumogau – yr holl blwm 'na, mae'n siŵr – ar ôl gwneud yr hyn roedden nhw newydd ei wneud. Asid hydroclorig yn naddu crwyn tenau eu perfeddion. Roeddent wedi cyflwyno'u mab fel anrheg i wyddonwyr a'u peiriannau sgleiniog. A rhoi eu caniatâd, eu llofnodion ar ddarn o bapur swyddogol. Am nad oeddent yn siŵr beth oedd y peth iawn iddo. Ac oherwydd fod arnynt ofn Ebenezer.

Sut y digwyddodd hyn? Sut y darbwyllwyd Gwydion i adael cartre, ac yntau newydd gyrraedd yn ôl yno ar ôl treulio haf ym mharadwys? Un diwrnod, ymddangosodd yr Athro Beer yn gwbl annisgwyl o Lundain a chanddo gynnig i'w wneud. Cawsai ar ddeall bod un o arbrawfleoedd cyfrin y llywodraeth, lle astudiwyd unigolion â phriodoleddau neilltuol, yn cynnig ysgoloriaethau hael dros ben i bobl ifainc gael mynychu prifysgolion gorau'r byd, a hynny am y cyfle i'w hastudio er mwyn deall eu rhagoriaeth yn well. Byddai Gwydion yn *gorfod* mynd i'r ganolfan ond ar ôl gadael, câi fynd i unrhyw fan y dymunai – M.I.T., y Sorbonne, unrhyw le. Esboniodd yr athro iddo dderbyn galwad ffôn gan un o benaethiaid y ganolfan yn gofyn i Gwydion ymuno â'r garfan arbennig hon o bobl ifainc. Dyna roedd Beer wedi dod i'w ofyn. Cyffesodd nad oedd yn gwybod rhyw lawer am y lle, ond deallai fod y cais yn dod oddi wrth rywun uchel iawn. Uwch na'r prif weinidog, hyd yn oed. Ni allai Macs na Martha ddychmygu rhywun uwch na'r prif weinidog, ac roedd y ddau'n gyndyn i gyfaddef hynny, na gofyn y cwestiwn amlwg. Beth oedd yn digwydd yn y lle yma?

Roedd yn sefydliad rhyfedd, heb os. Ysbyty fel llong enfawr, leiner o beth, fel y *Queen Mary*, nid yn unig oherwydd bod walydd y lle yn rownd, ac wedi eu peintio'n wyn, ond oherwydd bod ynddo ffenestri bach crynion, fel portyllau. Adeilad clasurol o'r 1930au, felly.

Glynai portico hardd wrth flaen yr adeilad – esiampl berffaith o bensaernïaeth y cyfnod. Trowyd y lle'n gartre i rai o seiciatryddion enwocaf Prydain, a oedd yn golygu ei fod yn debyg i wallgofdy, achos mae nifer fawr o seiciatryddion yn nyts. Canran uwch o'r boblogaeth na'r nyts go iawn. Od o beth.

'Ti'n iawn?' holodd Macs ei fab, ond roedd Gwydion wedi gadael y car ar y siwrne, gadael ei gorff tra oedd yn darllen nofel oedd yn dechrau gyda sipsi o'r enw Melquiades yn mynd i chwilio am iâ ac yn troi'n rhyfeddach o hynny ymlaen. Byddai hyn yn digwydd yn aml, a Macs yn gorfod derbyn bod darllen yn cario'r crwt i ganol llesmair, y geiriau megis yn mesmereiddio'r crwt. Er ei fod ef ei hun yn storïwr o fri, nid oedd Gwydion mor haerllug â meddwl nad oedd gwell straeon na'i rai fe yn y byd.

Clywai Gwydion y geiriau'n bell, bell i ffwrdd – cyfandir a mwy i ffwrdd – a dechreuodd ddadrithio'i hun, tynnu'i hun yn rhydd o'r rhwyd eiriau, y brawddegau tyn, y fagl o ansoddeiriau lliwgar, perffaith.

'Iawn, Dad. Mae popeth yn iawn.'

Nid bod unrhyw beth wedi bod yn iawn mewn gwirionedd ers marwolaeth yr angel glan môr. Ers colli Dwti. Nid oedd hyd yn oed y cyfnod ar Enlli wedi llwyddo i gael gwared o'r galar i gyd.

Gwahoddwyd ef i'r ganolfan arbennig hon er mwyn i bobl gychwyn ar y broses o ddeall ei allu i raffu stori at ei gilydd; nid am mai fe oedd y gorau am wneud hynny, ond am mai fe oedd y mwyaf chwim, yn medru meddwl am y ffordd fwya difyr o adrodd stori ar amrantiad. Ond yn bwysicach na hynny, i roi amser i'r awdurdodau ddal Ebenezer, a oedd bellach yn bygwth pethau erchyll drwy'r amser, a negeseuon wedi'u llunio o lythrennau a dorrwyd allan o bapurau dyddiol yn cyrraedd bob dydd, yn disgrifio beth oedd e am ei wneud i Gwydion. Ac roedd rheswm arall hefyd pam fod Gwydion yn y McMaster: oherwydd bod y cwmni ffilmiau mwyaf pwerus yn y byd wedi cyfrannu swm oedd yn cyfateb i Gynnyrch Gwladol Crynswth Albania i'r ganolfan er mwyn dadansoddi beth oedd yn digwydd ym mhen Gwydion. Gallent greu cyfresi o ffilmiau perffaith, gyda'r straeon gorau yn y byd mewn 3-D. Meddyliwch am oblygiadau marchata'r fath fwfis! *Can you imagine the numbers on that?* Fel bydden nhw'n ei ddweud yn Burbank, Califfornia.

Byddai oblygiadau mawr hefyd ar gyfer cyfrifiaduron, er enghraifft, heb sôn am ddeall mwy am yr ymennydd a'r meddwl yn fwy cyffredinol, y diriogaeth gyfrin 'na, y tir newydd mae niwrolegwyr, patholegwyr, athronwyr, biocemegyddion, archesgobion, swffis, a marchnatwyr yn ceisio dod i'w ddeall – beth oedd beth, sut oedd un peth yn cysylltu â'r llall, y cof a ffydd, yr ysbryd a breuddwydion, deall popeth am yr organ sy'n pwyso 1,400 gram ond sy'n bwysicach na'r galon yn ei ffordd; deall yr egni trydanol, deall y genynnau, a sut ddiawl roedd y ffatri ddelweddau a'r gadwrfa hon o hanesion yn gweithio, sut y gorchmynnai'r corff i symud, sut roedd y deunydd llwyd yn llunio brawddegau trwy drydan ac yn cael y tafod i'w mynegi. Hyn oll a mwy, ac roedd astudio Gwydion yn rhan o'r cynllun mawr.

Wrth adael y rhes o goed urddasol ar ôl, pentyrrai'r cwestiynau ym meddyliau rheini Gwydion. Ble oedd y diafol Ebenezer? Oedden nhw newydd adael eu mab annwyl mewn ysbyty'r meddwl am fod ganddo feddwl mwy iachus, heb sôn am feddwl mwy chwim, na'r rhan fwyaf o bobl? Pwy oedd y person pwerus tu hwnt yma oedd wedi gofyn am ganiatâd i astudio Gwydion? Oedden nhw wedi gwneud y peth iawn? Roeddynt yn gwestiynau i'w hosgoi yn gymaint â'u hateb wrth ddreifo'n ôl ar hyd yr M4: heibio siopau sgleiniog McArthur Glen ger gwasanaethau Sarn, lle byddai'r morgrug-bobl yn brysur yn prynu, prynu. Yna ymlaen â nhw, heibio i dwyni tywod Cynffig, y gweithfeydd dur ym Mhort Talbot yn danfon cymylau lliw leim ar hyd Cwm Afan cyn belled â Chwmrhydyceirw, y car yn rhuthro ymlaen heibio i'r ffatrïoedd petrocemegol ym Mae Baglan, a safai fel cestyll tylwyth teg yn y niwl amryliw – niwl roedden nhw'n ei gynhyrchu eu hunain, mwg porffor a magenta fel mae tîmau arddangos hedfan y Red Devils yn ei ddefnyddio. Nôl gartre, ond heb eu mab!

Byddai Gwydion yn y McMaster Deep Research Institute am amser hir, yn dathlu'i ben-blwydd yn ddwy ar hugain a thair ar hugain o fewn ei walydd. Nid oedd Martha wedi bod hebddo am gyfnod hirach na'i ymweliad ag Ynys Enlli. Roedd hynny fel tragwyddoldeb, ond roedd y rhwyg yma'n ddwfn a chyflawn. Byddai pob awr, heb sôn am bob wythnos, yn llusgo'n hir i'w rieni tra bod Gwydion yno, yn destun astudiaethau fyddai er lles iddo yn y pen draw, yn ôl rhai o'r gwybodusion. Roedd Macs yn ddrwgdybus o'u cymhellion, ond pwy oedd e i ddadlau yn erbyn yr holl bobl hyddysg yma?

Eto, i Gwydion, roedd y lle hwn, ei gartre newydd dros dro, yn dro rhyfedd ar gwrs bywyd. Doedd dim arwyddion ffordd i ddangos sut i gyrraedd y lle, a'i rieni ar eu llw i beidio â sôn gair wrth neb am y lle. Y peth mwyaf rhyfeddol oedd nad oedd y McMaster yn bodoli ar fapiau, boed y rheini'n fapiau i yrrwyr neu hyd yn oed fapiau'r Ordnans – yn llythrennol dim ond caeau a ddangosid ar yr OS Landranger, a gallai Macs dyngu bod popeth o fewn rheswm ar y mapiau hyn. Popeth heblaw'r McMaster Deep. Roedd hwnnw fel rhith o le, yn gudd rhag cartograffwyr hyd yn oed.

Byddai gan Gwydion gysur ei atgofion, am Mrs L, ei fam a'i dad, y swnt ger Enlli, a'i lyfrau, wrth gwrs. Wastad ei lyfrau. Teimlai'n nerfus, wrth gwrs, ond yn fwy na hynny teimlai bwysau'r baich a ddeuai o fod yn wahanol. O flaen ei rieni actiai'n ddewr, megis paffiwr pwysau plu yn herio'r byd â'i ddyrnau dur, ond pan fyddai ar ei ben ei hun – yn crwydro glannau aber Gwendraeth, er enghraifft – meddyliai am ei allu fel melltith. Diolch byth am ei ddau ffrind da, Stephen a Geraint – fel arall, gallai ddychmygu'i hun yn treulio llawer iawn o amser fel meudwy yn ei gell.

Er bod llyfrau'n cynnig cynhaliaeth ac ysbrydoliaeth iddo, a ffordd o ddianc i fydoedd gwell neu fydoedd eraill, doedden nhw ddim yn medru cymharu â gwres a chariad rhywun byw fel Mrs Lockheart. Ei gwefusau hael! Ei chorff siwgwr candi!

Byddai'n dda petai Stephen a Geraint yma gyda fe. Ffarweliodd â nhw o flaen y tŷ, gan amau na fyddai'n gweld llawer arnynt eto, a bod eu ffyrdd yn gwahanu. Yma, yn y McMaster Deep, byddai ar ei ben ei hun, yn destun astudiaeth, am ei fod yn medru adrodd straeon. Gwyddai fod straeon yn werthfawr, o ffilmiau Hollywood i gynnwys papurau dyddiol, bwletinau newyddion, a llyfrau eu hunain – ond ni fedrai ddeall pam roedd y bobl yma mor awyddus i'w astudio. Wedi'r cwbl, roedd academia eisoes wedi gwneud jobyn reit drylwyr o fapio terfynau ei allu, gan ddefnyddio ieitheg, semanteg, gêmau cysylltu geiriau croes, a rhestru'r gronfa eiriau yn ei ben mewn ffyrdd cynhwysfawr.

Edrychodd ar ei ystafell, a oedd bellach wedi'i haddurno â'r llyfrau y daeth gydag ef, ac wrth ddarllen y teitlau â phleser penderfynodd y dylai wynebu'r cyfnod oedd o'i flaen â chwilfrydedd; wedi'r cwbwl, byddai unrhyw oleuni iddyn nhw yn cynnig goleuni iddo yntau hefyd. Darllenodd hanner can tudalen o *Zorba the Greek*, ei hoff lyfr erioed, yn llawn ysbryd anhygoel yr awdur, ac oherwydd hud byth-bythol y nofel setlodd Gwydion lawr wedyn i ddarllen rhagor, i deithio i Roeg ar gwch o eiriau: haul lemwnaidd Môr y Canoldir fel petai'n disgleirio ar y dwfe, yr awel gynnes, fwyn yn sibrwd yn dawel, dawel yn y llwyni olewydd tu allan i'r ffenest, mwyalchen felen yn seinio cân o'r cysgodion, a rhywle'n bell i ffwrdd, sŵn *bouzouki* yn chwarae alaw lon, a'r llinynnau'n dawnsio o dan hen fysedd profiadol.

Ar ôl brecwast, gyda dewis anhygoel o ddanteithion – ffigys ffres, wyau Benedict, pedwar math o selsig wedi'u coginio'n berffaith – tywyswyd Gwydion i ystafell foethus ym mlaen yr adeilad i gwrdd â'r prif seiciatrydd a oedd, fel pob seiciatrydd arall y byd yn fwy gwallgo nag unrhyw glaf. Bon-cyrs. Dw-lali. Clîn off.

Safai gŵr rhyfedd ar y naw o'i flaen. Roedd ganddo lensys trwchus, trwchus i'w sbectol, fel gwaelodion poteli llaeth mwyaf sylweddol Unigate, a chot wen oedd yn rhy fach iddo nes bod ei freichiau blewog yn hongian fel orang-wtan o'i lewys tyn. Roedd ei arogl hefyd yn nodweddiadol, gwynt glanhau coridorau, fel petai'n defnyddio Jeyes Fluid fel diaroglydd.

'Helô, fi yw Dr Kramer. Dwi'n hynod falch o gwrdd â ti. Bydd yn bleser dod o hyd i fwy o bethau amdanat. Ac er mwyn gwneud hynny mae gen i gêm bach i'w chwarae, os wyt ti'n fodlon.'

Cyflwynodd ei gynorthwywraig Agatha i Gwydion, a'r wên blastig ar ei gwefusau'n arwydd o rywun oedd yn gwneud ei gwaith yn glinigol-effeithiol ond yn ddi-emosiwn. Roedd hon yn wên ar gyfer unrhyw achlysur, o ddod â baban i'r byd i wisgo'r meirwon. Nyrs mater-o-ffact os bu un erioed.

Ond, i Kramer, hon oedd canolbwynt, trobwynt a ffocws ei fywyd, y fenyw a roddai fodd iddo fyw. O, Agatha! Chwe troedfedd a mwy yn nhraed ei sanau. Gwallt blond, blond yn dresi perffaith fel gwallt Agnetha, lleiswraig Abba, ond bod gwallt Agatha wedi'i dynnu'n ôl yn dynn mewn pelen yn y cefn. Llychlynwraig atyniadol, stwff ffantasi dyn ifanc. A dyn canol oed fel Kramer hefyd. Gallech weld hynny trwy ddarllen ei ieithwedd gorfforol wrth iddo siarad â hi, cymysgedd sytl o embaras a nwyd. Fedrai Kramer ddim cysgu'r nos ambell waith am ei fod yn dychmygu dadorchuddio'i chefn trwy ddatod ei bronglwm. Amharai ar ei waith hefyd, wrth iddo fethu darllen adroddiadau, neu ddilyn llinellau'r dogfennau Excel am ei fod yn meddwl am ei chofleidiau dychymygol, ei chusanau'n blasu o benfras amrwd, mwstard ac *aquavit*.

Gosodwyd pentwr o ddarnau papur ar y ddesg, maint A3 neu fwy, ac ar bob un ohonynt roedd blotyn inc sylweddol. Ni esboniodd Dr Kramer syniadaeth profion Rorschach, rhag lliwio'r hyn y byddai Gwydion yn ei gynhyrchu. Ond gwyddai Gwydion am Rorschach, nid yn unig o achos y ffigur hanesyddol o'r Swistir a ddyfeisiodd y dechneg, ond hefyd oherwydd ei fod wedi gwneud profion tebyg droeon o'r blaen. Hefyd, roedd cymeriad yn ei hoff gomic, *Watchmen* gan yr anfarwol Alan Moore, yn dwyn yr un enw.

'Alli di ddweud wrtha i beth sy'n dod i dy feddwl wrth edrych ar y llun yma?'

Neidiodd siâp ato, ond oedodd Gwydion yn ddramatig.

'Felly . . . beth sy'n dod i'r meddwl?'

Ar amrant, dechreuodd Gwydion esbonio'r ddelwedd neu, yn hytrach, y stori a aeth ar garlam drwy ei feddwl tra oedd yn edrych ar y siâp du. Yn sinema Sensurround ei ddychymyg gwelai Gwydion gath enfawr, gyda chrafangau fel cleddyfau pengam a thafod hir i larpio gwaed ei phrae fesul bwced. Peiriant lladd o anifail, heb os. Ei ddannedd yn sgleiniog siarp, fel teigr ysgithrog. Ei gyhyrau'n dynn dan ei got ffwr.

A dyma Gwydion, y storïwr gorau yng Nghymru, yn dechrau adrodd yr hanes, wrth i'r hyfryd Agatha a Dr Kramer, y pwr dab oedd wedi mwydro'i ben dros y fenyw a safai nesa ato, gymryd nodiadau ar eu clipfyrddau, yn ogystal â recordio'r hyn oedd ganddo i'w ddweud ar gamera bach Panasonic 180-D.

Eisteddodd Gwydion a'i gefn yn syth, ac edrych i fyw llygaid y ddau cyn dechrau. Gwyddai sut i hoelio a hawlio sylw'i wrandawyr. Ambell waith roedd y perfformiad, yr amseru a'r ystumiau, lawn cyn bwysiced â'r naratif. Roedd hwn yn sgìl roedd Gwydion wedi'i ddysgu wrth wylio storïwyr proffesiynol, a oedd yn gyfuniad o actorion a dewinau.

'Nawr 'te, beth weli di yn y siâp 'ma?'

Bron bod trigolion pentref Brechfa wedi dod i arfer byw 'da ofn. Ers y tro cyntaf hwnnw pan ddywedodd Twm Hughes ei fod wedi gweld cath fawr yn croesi Cae Stafell Goch, a Twm, am unwaith, yn siarad yn gall abwytu rhywbeth, oherwydd roedd ar ei ffordd *i'r* dafarn yn hytrach nag ar ei ffordd *o'r* dafarn, ac yntau'n mynd ar goll mewn iaith ar ôl un neu ddau neu bum peint o ddŵr-cwympo-drosodd yn y Farriers' Arms.

'Weles i fe. Roedd e mor hir â cheffyl a whech gwaith yn uwch nag unrhyw gi defaid. Galla i ddweud 'tho chi nawr, nid cadno oedd e achos alla i wynto cadno, heb sôn am adnabod un yn sgwlcan ar ymyl cae dim ond ugain llath i ffwrdd. Pidwch dweud 'tho fi taw cadno oedd e, o na! Na, fi'n dweud 'tho chi'n bendant, cath fawr oedd hon, llewpart neu jagiwar – chi'n gwybod, un o'r pethau 'na sydd wastad yn byta antelop neu gasél anffodus yn rhaglenni David Attenborough, er nagyn nhw byth yn dangos y lladd ei hunan. Ddim ar nos Sul, am wyth o'r gloch, dim gyda'r plant yn gwylio yn eu pyjamas: 'sdim eisiau cyflafan ar y bocs bryd hynny. Ta p'un, s'mo chi eisiau clywed am beth sydd ar y teledu. Chi eisiau clywed am y gath . . .'

Rhaid oedd cymryd y dyn o ddifri: yn ei lygaid roedd canhwyllau o gynnwrf, a chrynai ei lais wrth ddisgrifio'r anifail, nid oherwydd ofn ond am ei fod mor annisgwyl. Cath fawr. Ym Mrechfa. Bant o bopeth, bron.

Esboniodd Twm yn union beth welodd e ac esbonio'r union fan: Blaenrhydw i Rhydw ac ymlaen i Rhydw Fach, heibio'r Pistyll a Llwynpiod ac ymlaen i Groesasgwrn . . .

Ac felly aeth pedwar o ffermwyr dewra'r fro lawr ar hyd yr afon, croesi'r rhyd a mentro draw i Rhydw, cymryd y llwybr tuag at Cae Perllan Borffor. Yno, yn y mwd lle roedd y gwartheg yn casglu i gael eu bwydo, roedd marciau anifail pendant, yn ddwfn yn y llaid. Rhaid oedd iddynt dderbyn mai olion cath oedd y rhain, ond nid tabi nac unrhyw beth felly. Na, doedd yr un ohonynt yn adnabod tabi leol oedd yn pwyso cymaint â'r mochyn 'na enillodd yn shew Llansadwrn. *Champion* y dydd.

Yn y Farriers' y noson honno cynigiodd trefnydd lleol yr FUW, Tal Jones, eu bod yn cyflogi Charlie Fairly, yr heliwr gorau am filltiroedd, heb amheuaeth, i dracio'r anifail. Cytunodd pawb â'r syniad am eu bod yn gwybod bod hela yng ngwaed Charlie – gallai ddilyn draenog drwy ddrain. Felly aeth Tal ar gefn ceffyl i weld Charlie. Roedd yn byw sha Mynydd Crwbin, mewn byngalo roedd ei fodryb wedi'i adael iddo yn ei hewyllys. Fore trannoeth roedd Charlie yn sefyll ger yr olion pawennau, ei sbaengwn yn arogli'n ddwfn ac yn rhedeg mewn cylchoedd oherwydd eu bod yn gwybod taw dyma sut roedd pethau'n dechrau, dyma sut roedd yr helfa'n cychwyn. Ac roedd cath yn eu meddyliau, un oedd yn drewi fel tom, ond un ddychrynllyd o fawr. Ond ta waeth am hynny. Byddai pump sbaniel dewr – Gregson, Manco, Mellten, Hwnco a Spaniard – yn medru delio â llew. Wedi'r cwbwl, nhw ddaliodd y dwrgi gwallgo 'na lawr sha Cenarth, yr un oedd yn lladd Alsatians. Pwy ofni llew? Neu biwma?

Bant â nhw, dros fryncyn a dôl, dros nentig a rownd

y pownd, a Charlie'n stryglo i gadw lan ar ei geffyl, hen
nàg oedd wedi gweld dyddiau gwell, a'r rheini'n bell
iawn yn ôl. Lawr â nhw, y pedolau'n tasgu gwreichion
wrth gyrraedd y ffordd fetal oedd yn arwain i'r fferm
wynt a heibio Pant-y-bara a Lletty Ffwlbert, yna draw
tua Bron Wennol a lawr y dip oedd yn arwain at y
banc wedyn lle roedd y bryn go iawn yn dechrau, y
tyle mwyaf serth am filltiroedd. Roedd Charlie'n rhyw
wybod ym mêr ei esgyrn taw i fan'na y byddai cath yn
ffoi, i dir uchel, neu'r tir mwyaf uchel yn y rhan yma o
Sir Gaerfyrddin, yn enwedig os oedd yn gorfod llusgo
rhywbeth roedd wedi ei ladd. Yna darganfu Charlie gorff
cadno wedi'i flingo a'i reibio, ac roedd y job yn un deidi,
fel petai'r gath wedi hen arfer â thynnu crwyn oddi ar ei
phrae, fel tase'r blydi peth wedi cael gwersi gan fwtsiwr
fel Mr Humphreys, oedd wastad yn gwisgo ffedog wen
heb 'run staen na smotyn o waed i'w weld arni fyth.
Cath a hanner. Cath a thri chwarter. Yn y cyffiniau.

Oedodd Charlie i roi cyfle i'w anifeiliaid ffyddlon
dynnu ana'l ac i yfed dŵr. Roeddent wedi gadael
ddwyawr ynghynt, ac ers hynny roedd y pum ci wedi
rhedeg a cherdded a chwilio'n ofer. Y peth cyntaf i
Charlie sylweddoli oedd cyfrwystra'r bwystfil, gan ei fod
yn gwneud yn siŵr ei fod yn dringo coeden bob hyn a
hyn ac yna'n neidio oddi ar ryw frigyn trwchus i wneud
yn siŵr nad oedd yn gadael trywydd di-dor, bod pos i'w
ddatrys er mwyn cael hyd iddo. Y gath fawr slei.

Ond roedd Charlie'n gyfrwys hefyd, felly aeth â'i gŵn
mewn cylch o gwmpas pob coeden lle roedd tystiolaeth
bod y gath wedi neidio i fyny i'w changhennau. Ond ar

ôl tracio am ddiwrnod, doedd Charlie ddim yn teimlo ei fod yn dal i fyny, ond yn hytrach ei fod yn mynd mewn cylch. Yna, gyda theimlad o ofn ac oerfel yn ei asgwrn cefn, sylweddolodd fod y gath yn ei dracio yntau, a'r cylch yn un llawn. Gorchmynnodd i'w gŵn gadw'n agos ato.

Ond roedd un lle ar ôl i chwilio cyn iddi nosi, sef yr ogofâu ar ochr arall yr afon. Yr union fan lle byddai cath fawr yn mynd i gwato. Wrth ddringo'r llethr, ar ei ffordd i fyny, sylweddolodd Charlie fod y cŵn yn dechrau rhedeg a'u cefnau i lawr, yn nerfus, ac arogl rhywbeth pwerus yn llenwi'u ffroenau. A dyma gyrraedd ceg yr ogof, a Spaniard a Manco'n edrych fel cŵn rhywun arall, bron yn rhy ofnus i gadw'n agos at eu meistr. Ond bu raid iddynt ufuddhau wrth i Charlie ddweud wrthynt am aros y tu allan i un o'r mynedfeydd wrth iddo yntau fynd i mewn drwy'r llall, ei wynt yn ei ddwrn a chyllell hir ei dad-cu yng nghledr ei law.

'Sneb yn gwybod beth yn union ddigwyddodd yn yr ogof, ond trodd Charlie lan yn y dafarn gyda'i fraich dde yn hongian oddi ar ei ysgwydd, ac ochr ei geffyl yn goch, fel tase rhywun wedi arllwys paent drosto fe. Aethpwyd â'r heliwr ifanc yn syth i ysbyty Glangwili, lle llwyddodd y meddygon i achub ei fraich, er iddo golli pob teimlad mewn tri o fysedd ei law dde. A phan gafodd rhywun gyfle i ofyn am y gath a chlywed beth oedd gan Charlie i'w ddweud, cafodd ei ddyrchafu'n arwr. Pan aeth tri dyn lan i'r ogof a gweld corff y bwystfil ar lawr, gyda chyllell tad-cu Charlie'n dal yn sownd rhwng ei asennau, roedd yn amlwg bod y pentrefwyr wedi dewis yn ddoeth wrth ofyn i'r heliwr ifanc ddelio â'r anifail. Charlie Cat oedd ei enw o hynny ymlaen, ac mae cofnod gwyddonol o'r digwyddiad yn yr Amgueddfa Genedlaethol i'r rheini sydd ddim yn credu'r stori, er bod y cofnod ei hun yn sbarduno llu o gwestiynau. O ble daeth y gath? All un dyn â chyllell yn unig ladd y fath fwystfil? Y fath lew. Llew! 'Symo chi'n gael llewod yng nghefn gwlad Cymru . . .

Ewch i Gaerdydd i weld y cas gwydr enfawr yn yr oriel newydd sy'n arddangos 'Mamaliaid yng Nghymru', heibio'r goedwig gyda'i hologramau o wiwerod coch ac ymlaen at y modelau realistig iawn o'r bele, yn sleifio'n ddisymwth drwy'r gwair artiffisial. A dyna fe! 'Llew Asiatig. *Panthera leo persica.* Lladdwyd Brechfa, Sir Gaerfyrddin, 13 Hydref 1974. Credir ei fod wedi dianc o gasgliad preifat yn Ninefwr.' Chi'n credu nawr?

Byddai Gwydion yn hoff o ychwanegu rhyw fath o ffaith ar ddiwedd stori, neu bron ar ei diwedd. Roedd tystiolaeth fel hyn, gydag enw Lladin a phopeth, yn ddyfais wych i ddarbwyllo pobl.

Stopiodd Kramer y peiriant recordio gan feddwl nad oedd e erioed wedi clywed stori mor faith fel esboniad i un o'r blotiau Rorschach. Y manylder! Chwimder y meddwl! A'r addurndro olaf, lle roedd Gwydion yn disgrifio label mewn amgueddfa – dyna'r math o ddyfais fyddai'n lled awgrymu bod y stori yn wir.

A hyn oll yn deillio o flot inc!

Byddai dadansoddi'r ystyr yn job o waith i Dr Kramer, heb unrhyw amheuaeth. Nodiodd at y nyrs i ddiffodd y golau wrth ymyl y gadair gan bod Mr Gwydion McGideon wedi blino ar ôl yr holl adrodd ac wedi mynd yn syth i gysgu. Chwyrnai'n dawel fel cwningen ddof, yn gynnes yn ei ffwr.

Y noson honno breuddwydiodd Gwydion am ddyn ifanc yn hela blotiau inc ar draws tudalen wen ddiddiwedd, ac olion ei draed fel atalnodau ar y darnau gwlyb.

Mewn stafell foethus, yn yfed port, siaradai Dr Kramer ag un o'i gyd-weithwyr.

'Mae gen i un sydd wedi dechrau yma heddiw, ac mae e'n dyfeisio storïau'n gynt na'r gwynt. Mae'n siŵr eich bod wedi clywed amdano. Gwydion McGideon, yr awdur ifanc. Yn y stori adroddodd e heddiw, roedd hi'n lled amlwg i mi ei fod e'n creu *alter ego* i'w hunan. Enghraifft glasurol. Mae e'n ei weld ei hun fel Charlie, anturiaethwr a heliwr.'

Wrth i Dr Kramer sipian ei Taylors No. 1, a blas yr hylif mor ddwfn â'r ogofâu ar lan yr afon yn Oporto lle storiwyd y casgenni port, gallai ddychmygu ei hun yn sgrifennu astudiaeth fyddai'n hawlio tir uchel academaidd iddo, fel ysgrifau Sigmund Freud am Anna O neu'r Blaidd-Ddyn. O ie, gallai weld ei hun yn torri cwys newydd gyda'i ddisgrifiadau o'r bachgen oedd yn medru adrodd stori gyffredin ar ffurf chwedl glasurol. Yn ei feddwl e, Gwydion, mae'n bosib bod pob archeteip yn llechwra. Y stordy perffaith. Llygad y ffynnon. Bwlséi. Atgoffodd Dr Kramer ei hun i edrych ar lyfr Vladimir Propp, *The Morphology of the Folk Tale*. Byddai hwnna'n lle da i ddechrau profi'i ddamcaniaeth.

'Mae 'da ni gasgliad anhygoel o wahanol elfennau o'r ddynolryw yn ein plith,' meddai ei gyfaill, Cecil. 'Efallai y dylen ni agor sw, neu agor y drysau i'r cyhoedd er mwyn iddyn nhw weld y ffrîcs sy'n aros yma.'

'Pobl dalentog y'n nhw, Cecil, nid ffrîcs,' meddai Kramer. 'Mae'r Gwydion yna, er enghraifft, nid yn unig yn ddiddorol oherwydd ei allu i wau stori allan o ddim byd mewn dim amser o gwbl, ond am fod ei feddwl yn gweithio'n chwim. Mae hynny o ddiddordeb i nifer o'n cleientiaid, fyddai'n fodlon buddsoddi'n hael iawn yn y math yma o ymchwil. Meddyliwch petaen ni'n medru rhoi sail iddyn nhw ddatblygu pilsen fyddai'n caniatáu i unrhyw un wneud yr un peth. Milwr sy'n medru meddwl yn gyflym er enghraifft – inffantri sy'n medru penderfynu droson nhw'u hunain – byddai hynny'n werth ugain miliwn o ddoleri.'

'Mae 'na rai sy'n awgrymu bod y bobl 'ma wedi esblygu ymhellach na phobl eraill. Ody hynny'n gywir? Ody hynny'n swnio'n iawn i chi, Kramer? Neu ydw i'n iawn, ein bod ni'n sôn am ffrîcs, y math o beth mae damwain chromosomeg yn ei thaflu lan bob hyn a hyn? Mae'n rhaid i chi gyfadde bod rhai ohonyn nhw, fel yr un sy'n llythrennol yn dringo lan y walydd, yn dipyn o ffrîc. Roedd un o'r doctoriaid yn dweud 'tho fi bod ganddo fe badiau bach ar flaen ei fysedd sy'n cynhyrchu glud o ryw fath.'

'Nawr 'te, Cecil. Beth ddigwyddodd i gyfrinachedd?'

'Pwynt teg, ond fel o'n i'n dweud, nid dyn yw hwnna ond cleren! Kramer, ry'ch chi'n rhedeg syrcas fan hyn. Cyfaddefwch hynny nawr, a wedyn alla i nôl drinc arall i chi. Beth gymerwch chi? Un arall o'r diodydd gwyrdd, cyfoglyd 'na? *Crème de Menthe*, ife?'

'O'ch chi'n gwybod bod y mintys ynddo fe'n dod o Gorsica? Ond ta waeth am hynny, oes 'na ddim terfyn i'ch sinigiaeth chi, Cecil? Beth sy'n eich byta chi'n fyw? Ry'ch chi'n rhy sur i'ch lles eich hunan . . .'

'Well i chi ofyn i seiciatrydd, a 'sgen i ddim syniad lle byddech chi'n ffindo un yr amser yma o'r nos, heb sôn am un da!'

Taflodd y cymal olaf at Kramer fel dyn yn taflu cyllell daflu at darged, neu hand grenêd i mewn i nythaid o filwyr. Y math oedd yn meddwl yn araf.

'Gymera i ddiod fach gan eich bod chi'n cynnig, ac oherwydd 'mod i'n gwybod faint ry'n ni'n eich talu am eich amser amhrisiadwy.'

Pan ddaeth Cecil 'nôl gyda *Crème de Menthe* dwbl i Kramer, a chwisgi drudfawr o ynys Jura iddo'i hun, setlodd y ddau ŵr i lawr i drafod y newydd-ddyfodiad, gan wfftio cyfrinachedd yn llwyr. Clywsai Cecil rywfaint am Gwydion cyn iddo gyrraedd, gan gadfridog yn y fyddin. Roedd hwnnw wedi gwirioni at y syniad o greu milwyr oedd yn gallu meddwl fel mellt, yn enwedig oherwydd nad oedd rhai o'r miwls yn gallu meddwl mor gyflym â malwen fel arfer oherwydd eu bod wedi cael eu recriwtio o drefi llwm – Blaenau Gwent, Middlesborough, Caernarfon, Tottenham – llefydd lle nad oedd y syniad o deithio i wlad dramor i ymladd yn swnio'n ddim tamed gwaeth na mynd am bythefnos i Ibiza. Fyddai'r swyddogion recriwtio yn sôn 'run gair am fanylion megis y gelynion fyddai'n gwneud eu gorau glas i chwythu'ch breichiau neu'ch pen i ffwrdd. O ie. Byddai gan y fyddin ddiddordeb mawr mewn gwybod mwy am gyfrinach y cemegau yn ymennydd y dyn ifanc hwn, i'w galluogi i feddwl yn fwy chwim na'r gelyn.

❧

Y bore canlynol roedd y bwrdd brecwast unwaith eto dan ei sang, a'r tro hwn cafodd Gwydion gyfle i astudio'r gwesteion eraill. Doedd yr un ohonynt yn cael cymdeithasu â'i gilydd, gan fod pob un yma er mwyn arbrofi arnynt. Am nawr roedd angen eu cadw ar wahân.

Dysgodd Gwydion yn gyflym iawn fod y math o ryddid a arddelid yn y lle hwn yn wahanol iawn i'r byd y tu allan. Camerâu'n eich dilyn bob cam, hyd yn oed yn y stafell ymolchi. Y llygaid bach electronig a'r golau coch yn eich dilyn i bobman hyd yn oed ar y tŷ bach. Os oedd rhywun yn mynd i fod yn baranöig – y math o baranoia sy'n gwneud i chi feddwl bod y dŵr yn y tegell yn sgrechian wrth ichi ei ferwi – dyma oedd y lle i chi. Ond roedd Gwydion wedi hen arfer â bod yn destun astudiaeth. Gwyddai fod o leiaf wyth doethuriaeth wedi'u seilio ar ei waith, ar hanes byr ei fywyd, a'i allu i raffu stori. Rhywbeth oedd yn dod yn naturiol a rhwydd iddo. Iddo fe, y peth anodda oedd *peidio* â chreu straeon yn ei ben, i ddod o hyd i le tawel yn ei feddyliau, stafell Zen, gyda walydd lliw leilac tyner, i eistedd am ennyd a meddwl am ddim byd o gwbl.

Estroniaid oedd o'i gwmpas, fel y dyn ifanc â'r gwallt fflamgoch – rhaid taw wìg oedd e, neu liw mas o botel, meddyliodd Gwydion. Cyfansoddwr deng mlwydd oed oedd y crwt, yn fwy cynhyrchiol na Mendelssohn yn barod, ac roedd hwnnw wedi dechrau'n ddigon cynnar.

Yn brydlon am naw o'r gloch, daeth y nyrs at Gwydion a'i wahodd i ddod i lawr i weld Mr Ryan. Sglaffiodd yr olaf o'r ffigys ffres o'r llestr Delft a chymryd un llwnc olaf o de brecwast Gwyddelig, Monihans Number One, te â gafael iddo.

'Mr Ryan yw'r niwrolegydd gorau yng ngorllewin Ewrop,' esboniodd y nyrs wrth gamu'n bwrpasol yn ei blaen. 'Ry'n ni'n lwcus ei fod e yma heddiw. 'Sdim dal ble mae e o un dydd i'r llall. Istanbwl. Seoul. Anchorage. Kyoto. Melbourne. A dim ond yr wythnos ddiwethaf oedd hynny! Mae e'n anfon cardiau post aton ni o bob man.

'Y peth gorau i'w wneud i baratoi ar gyfer cwrdd â Mr Ryan yw gwisgo sbectol haul, neu gogls weldar hyd yn oed, achos bydd y golau sy'n adlewyrchu oddi ar ei ddannedd drudfawr yn eich dallu, 'sdim dwywaith am hynny. Nid gwên yw hi ond sglein – ac nid sglein geiniog-a-dimai chwaith, ond rêl Amex Platinum o wên, gyda'r gwaith orthodontegol ar bob dant wedi costio mwy na chyflog blwyddyn actor opera sebon. Ym Mrasil. Neu Mwmbai.'

Dallwyd Gwydion gan y wên enwog oedd yn debyg i dywod yn yr anialwch dan grasfa o haul canol dydd.

Daeth llais drwy lif-oleuadau'r dannedd blaen.

'Mr McGideon. Rwy wedi clywed llawer amdanoch chi'n barod. Mae'n bleser digamsyniol cwrdd â chi. Nawr 'te, bore 'ma, rwyf am gynnal nifer o brofion syml arnoch chi. Gan eich bod yn ddyn ifanc hynod, y peth lleia y gallaf ei wneud yw esbonio hanfodion yr hyn y byddwn yn ei wneud, gyda'ch caniatâd chi, wrth gwrs. Bydd angen llofnodi'r ffurflen yma. Ry'n ni'n byw dan gysgod y cyfreithwyr y dyddiau hyn, pawb am ddefnyddio unrhyw gamgymeriad meddygol i hawlio pres, Mr McGideon. Er na all neb wneud dim yn ein cylch ni, achos yn swyddogol nid ydym yn bodoli!'

Llofnodwyd y ffurflen ganiatâd. Torrai Gwydion ei enw'n fwy pendant y dyddiau hyn, ei fónicyr yn adlewyrchu'i hyder cynyddol. Meddyliodd am lofnod Mrs Lockheart wrth dorri'i henw mewn ysgrifen luniaidd ar gyfer menyw brydferth.

'Ry'n ni am fesur a mapio y tonnau delta sy'n dod o'ch ymennydd chi. Rhain yw'r tonnau mwyaf yn yr ymennydd, yn symud ar gyflymder o rhwng un a phedwar *hertz*. Tonnau araf, ond erbyn i ni gyrraedd cwsg dwfn, dyma'r unig rai sydd ar ôl, a'r unig ffordd i fesur, felly, beth sy'n digwydd wedi i ni adael byd y corff, ac ymwybyddiaeth golau dydd ymhell ar ôl.'

Aeth y ddarlith ymlaen ac ymlaen, a chollodd Gwydion ei gyfle i ddweud ei fod yn gwybod lot o'r stwff yma'n barod.

'Mae pob mamal yn cynhyrchu'r tonnau 'ma wrth gysgu'n drwm,' ychwanegodd Mr Ryan. 'Pob anifail, efallai, ond megis cychwyn ar y gwaith ydyn ni, ac mae'n faes anodd achos does dim arwydd o unrhyw gynnyrch masnachol posib. Ond mae'n ddiddorol dyfalu pwrpas breuddwydion hir yr anifeiliaid sy'n gaeafgysgu, er enghraifft. Galla i ddychymygu arth yn llunio epig go iawn mewn breuddwyd sy'n para pum neu chwe mis. Ble y'ch chi'n meddwl ry'ch chi'n mynd yn eich breuddwydion, Mr McGideon?'

'Dwi'n mynd i gasglu, yn mynd i gynaeafu.'

'Ateb diddorol, Mr McGideon, diddorol iawn.' Fflachiodd ei ddannedd mewn pleser. Dannedd 800 *watt*, llawer mwy pwerus na bylbiau golau cyffredin.

'Nawr 'te, pan ewch i gysgu heno byddwn yn cysylltu'r monitorau bach hyn wrth eich penglog. Fydd dim poen, dim ymyrraeth glinigol o gwbl. Peiriant clywed yw'r EEG, ond ei fod yn clywed y tonnau a'u disgrifio ar y papur gràff yma. Yr hyn ry'n ni'n ei wneud yw cymharu'r patrymau 'ych chi'n eu cynhyrchu yn eich cwsg â phatrymau pobl eraill.

Mae'n bosib bod gwahaniaethau mawr rhyngddynt. Ry'n ni yn gweld hynny'n aml iawn.'

'Ac os oes rhywbeth gwahanol, oes unrhyw reswm i bryderu?'

Ffugiai Gwydion gonsŷrn, ond gwyddai'n union beth oedd yn digwydd.

'Dim o gwbl. I'r gwrthwyneb. Mae'n cyd-fynd â'ch sgiliau arbennig chi, ac mae'n debyg eich bod yn storïwr di-ail, yn medru llunio stori afaelgar ar amrantiad. Dychmygwch beth fyddai gwerth rhywbeth fel hyn yn rhywle fel Hollywood, lle maen nhw wastad yn chwilio am stori newydd. Ac mae'n debyg eich bod chi bob amser yn creu stori newydd, nid yn ailgylchu hen batrymau'n slafaidd. Roedd fy nghyfaill Dr Kramer yn esbonio bod 'na ffresni'n perthyn iddyn nhw . . .'

Rhewodd gwên Mr Ryan. Gwyddai nad ddylai fod yn trafod Gwydion gyda phobl eraill, yn swyddogol o leiaf. Roedd cyfrinachedd yn bwysig hyd yn oed mewn cymuned oedd yn cydweithio i ddeall rhyfeddodau. Nid bod Kramer yn cadw at y rheolau, chwaith.

'Ymlaen â ni. Dyma i chi lyfr bach. Nodwch ynddo fe unrhyw beth y gallwch ei gofio o'ch breuddwydion. Bydd Dr Kramer yn falch iawn o weld beth ddaw i'r cof, yn enwedig oherwydd bod tystiolaeth sy'n awgrymu bod tonnau delta'n chwarae rhan yn y ffordd mae'r cof yn gweithio, a sut mae'r cof yn ffurfio. Rhywbeth dewisol yw'r cof, cyfres o uchafbwyntiau. Ond am weddill y dydd heddiw, mwynhewch ein cyfleusterau. Mae'r pwll nofio'n demtasiwn ar ddiwrnod braf fel heddiw. Mae'n debyg i un o beintiadau Hockney, on'd ydy?' Nodiodd at lun ar y wal, a gallai Gwydion weld, er nad oedd yn arbenigwr, nad atgynhyrchiad oedd e, ond llun gwreiddiol gan Hockney: awgrym pendant fod arian sylweddol mewn tonnau delta.

Llenwodd Gwydion y llyfr nodiadau hyd yr ymylon ar ôl y noson gyntaf honno o fonitro tonnau delta, ei benglog yn sownd wrth saith o beiriannau mesur trwy gordiau, y padiau bach yn gwrando ar sŵn y môr yn ei ymennydd. Wrth iddo droi a throsi . . .

'Pwy sy 'na? Charlie eto! Cer o 'ma Charlie, mae'n dechrau mynd yn embaras! Pam wyt ti'n fy nilyn i i bob man, hyd yn oed i hanner-byd y breuddwydion, lle mae'r gwirioneddau anodd yn llechwra, yn aros eu tro? Eto i gyd, rwy'n falch o dy weld di eto. Fy nghyfaill rhithiol . . .'

Mae Charlie yng nghanol cors – *swamp* go iawn yn nhaleithiau deheuol America – mwswg Sbaen yn hongian yn llen llwydwyrdd golau o'r cypreswydd, coed sy'n trefnu eu dail yn fflat er mwyn amsugno golau. Yn y *bayou* symudai gars, math o bysgod, eu cegau llydan yn tynnu pryfed o wyneb y dŵr trwchus, a'r brogaod yn symffoni o leisiau bach mecanyddol, filoedd ohonynt yn chwilio am gariad ymhlith y gwyrddni a'r gwlybaniaeth. Nofiai ambell neidr drwy'r dŵr lliw-potel-win, rhai peryglus fel y ceg cotwm a'r mocasin dŵr.

Nid yw Charlie'n hoff o'i *job* newydd, yr un a gymerodd ar ôl colli'i swydd yn pobi *beignets* yn y Café de la Monde yn New Orleans, ar ôl i dri pherson gwyno am ansawdd y cacennau traddodiadol. Nid yw'n jobyn sy'n siwtio dyn nerfus, mae hynny'n sicr, ond wedyn dyw e ddim yn ddyn nerfus, neu ni allai fod yn mynd â'r canŵ yma i ganol y swampddwr ym mreuddwyd Gwydion yn chwilio am neidr enfawr i'w dal ar gyfer cwmni sy'n cynhyrchu gwrth-wenwyn a'i werthu am grocbris. Gwaith unig. Ond gwaith stiwpid i rywun fel Charlie, sy'n diodde o ffobia nadroedd.

Bu sôn yn Lafayette am neidr â naw pen. Gwelodd hen ŵr y neidr ryfedd hon yn codi'i phennau tra oedd yn estyn ei synhwyrydd metel i chwilio am arian o gyfnod y Rhyfel Cartref. Byddai dal un o'r rheini dipyn yn haws na dal naw neidr unigol – syniad oedd yn apelio at Charlie nes iddo logi canŵ a mynd i'r union fan lle gwelodd yr hen ddyn y neidr naw pen. Ai twpdra oedd hyn ar ei ran e? Nage. Mae rhesymeg breuddwyd yn wahanol.

Beth oedd gan Charlie i'w helpu tase fe'n digwydd dod ar draws yr heidra hon? Wel, dim ond ei gefnder Giuseppe, a oedd yn fodlon helpu i rwyfo'r canŵ. Roedd e'n hen law ar driciau cardiau, ac felly'n tybio y gallai symud ei fysedd yn gyflymach nag y gallai unrhyw sarff symud ei hen ben hyll. Ei hen bennau hyll.

Ymlaen â nhw, wrth i'r cysgodion ymestyn fel, wel, nadroedd. Mae pob brigyn sy'n cyffwrdd â'r dŵr yn edrych fel neidr. Mae unrhyw symudiad ar unrhyw ynys fechan yn edrych fel neidr yn dad-ddolennu.

Pleser yw gweld cyhyrau Giuseppe'n gweithio, yn gwthio a thynnu, gwthio a thynnu, oherwydd mae e'n fabolgampwr a hanner. Wrth chwarae pêl-fasged mae'n edrych fel petai'n gallu trechu disgyrchiant, fel petai'n gollwng y bêl *i lawr* i'r rhwyd. Y canŵ yn torri drwy'r dŵr nawr fel tase injan ar y cefn, ond Giuseppe yw'r injan, a 'sdim arwydd fod ei freichiau'n blino. Ymlaen â nhw, i ganol y swamp.

Mae'r hen ddyn yn disgwyl amdanynt, sy'n beth rhyfedd ynddo'i hun, oherwydd mae'n ddall – doedd neb wedi sôn gair am hynny. Sut y gwelodd e'r neidr, felly? Pwy ddiawl sy'n dibynnu ar ddyn dall i fod yn llygad-dyst i bygyr-ôl? Ond pwyntiodd yr hen ŵr ei fys fel asgwrn ffowlyn i gyfeiriad hen goeden gnotiog, a llwyth o dyllau ynddi, lle roedd digonedd o le i gwato.

Allan â nhw o'r canŵ, eu calonnau yn eu gyddfau, a cherdded yn bwrpasol ar hyd hen jeti oedd yn graddol fynd â'i phen iddi. Symudodd rhywbeth, do! Fan'na, yng nghanol yr hen goeden geinciog!

Gyda'i fflachlamp bwerus, llwyddodd Charlie i ddallu'r anifail oedd yn cwato yng nghrombil y boncyff. Gwelodd mai un neidr oedd yno, ond un â phatrwm ar ei phen oedd yn gwneud i rywun feddwl bod rhagor yno. Yn lle bod un diemwnt yn goron ar ei phen, roedd papur wal o ddiemwntau. Dyna'r esboniad!

Roedd Gwydion bellach yn troi a throsi yn ei gwsg, fel petai'r fatres ar y gwely wedi troi'n ffigar-êt. Poenai am Charlie a Giuseppe. Dilynai'r inc ar y gràff fynyddoedd cynnwrf Gwydion wrth iddo gysgu.

Tynnodd Charlie frigyn mawr o goeden gyfagos a'i ddodi yn y twll, a oedd fel drws ffrynt i gartre'r neidr, a'i symud o gwmpas yn gyflym er mwyn cythruddo'r anifail. Gweithiodd y tric, a dechreuodd y pen neu'r pennau dasgu gwenwyn ato, cawod o'r stwff. Dechreuodd rhai o'r dail yn y tyfiant cyfagos droi'n frown ac yna'n ddu o fewn eiliadau o gwrdd â'r hylif clir. Yna tynnodd Charlie y brigyn yn rhydd o'r twll a daeth y neidr mas. A pharhaodd i ddod mas, ugain troedfedd, deg troedfedd ar hugain – wir Dduw, dyma un o'r nadroedd mwyaf yn Louisiana gyfan, efallai un o'r rhai mwyaf yn nhaleithiau'r de! Ond nid ei maint oedd yn peri braw, ond cyflymder ei phen wrth iddi dargedu Giuseppe, a oedd yn dawnsio fel bocsiwr profiadol nawr, yn osgoi symudiadau-fel-mellt y sarff ddig.

Ond tra bod Giuseppe'n tynnu sylw'r neidr, cafodd Charlie gyfle i dynnu'r rhwyd allan o'i fag, rhwyd nad oedd yn ddim byd mwy na rhwyd bysgota siâp cylch gyda darnau o garreg i'w phwyso i lawr. Ond gwyddai sut i'w defnyddio – yr ysgrifbin oedd yn cofnodi'r tonnau delta ar y papur gràff yn sgrifennu mynyddoedd erbyn hyn – a chydag ymdrech arwrol, taflodd Charlie y rhwyd fel nŵs am ben y neidr, ond roedd digon o slac ynddi i'w galluogi i ysgwyd ei phen yn ddieflig. Bu'n rhaid i'r ddau ohonynt dynnu i lawr ar ochrau'r rhwyd tra bod y neidr yn tasgu gwenwyn ac yn hisian fel trên stêm yn gadael gorsaf.

Yn y pen draw, llwyddodd Giuseppe i ddodi'i ben-glin ar ben y neidr er ei bod mewn lle lletchwith, a llwyddodd Charlie i'w dodi mewn sach bost. Cerddodd yn ôl trwy dirlun y freuddwyd gyda sarff wenwynig enfawr yn saff dros ei ysgwydd, yn dal yn hanner gwallgo y tu ôl i'r geiriau 'Property of the US Postal Service'.

Dihunodd Gwydion yn chwys diferol, fel petai rhywun wedi arllwys bwcedi o ddŵr dros ei flancedi, a'r peiriannau bron wedi rhedeg mas o bapur. Y gwely'n llanast o gynfasau. Nyrs yn cerdded i mewn ato yn cario gwydraid o ddŵr oer.

'Ti wedi bod yn brysur. Mae'n amlwg dy fod wedi cael breuddwyd a hanner! Epig, fydden i'n ddweud. Tria roi'r manylion ar bapur, achos bydd hynny o help mawr i'r doctor yn y bore. Bydd e eisiau gwybod popeth fedri di gofio. Mae pob manylyn yn werthfawr, felly gwna dy orau, er gwaetha'r ffaith ei bod yn hwyr iawn a thithau wedi blino'n lân ar ôl dy holl deithio . . .'

Estynnodd y papur i Gwydion. Dechreuodd yntau sgrifennu â llaw oedd yn dal i grynu.

'Mae Charlie yng nghanol cors, yng nghanol *swamp* go iawn . . .'

Y diwrnod canlynol oedd y diwrnod poetha erioed yn ne Cymru, felly bu raid i bawb dreulio amser yn cysgodi yn yr ardd oherwydd roedd yr holl wydr yn adeilad y McMaster Deep yn troi'r lle yn ffwrn. Aeth Gwydion i orwedd i lawr ar bwys coeden *azalea* hardd, y blodau'n ffrwydrad gosgeiddig o araf o dân gwyllt.

'Pssst!'

Clywodd Gwydion lais y tu ôl i'r caets lle teflid bwyd wast, i'w gadw rhag adar ac anifeiliaid. Dilynodd yr hisian a gweld dyn ifanc golygus yn eistedd yn ei gwrcwd y tu ôl i'r biniau, yn smocio Marlboro'n hamddenol ac yn gwenu'n braf. Gwenai fel hyn am ei fod newydd brynu llond trol o dabledi yn y rhan o'r ysbyty oedd yn dal i drin clefydau meddwl go iawn. Roedd y cleifion yno'n diodde o bethau mawr, dybryd, a theg fyddai disgrifio'r lle fel Broadmoor Cymru. Esboniai hyn yr erwau o wifren raser oedd yn amgylchynu'r lle, gan wneud iddo edrych fel Guantanamo. I ychwanegu at y teimlad hwn safai milwyr arfog ar hyd y border blodau, ac roedd dau dŵr yng nghorneli'r sgwâr mawr, fel Colditz neu un o'r Stalags. Estynnodd y bachan ei law dde.

'Mostyn.'

'Gwydion.'

Estynnodd y boi ei law chwith i Gwydion a chynnig sigarét iddo. Dywedodd Gwydion nad oedd erioed wedi smocio, a chynigiodd Mostyn lond llaw o dabledi iddo yn lle sigarét.

'Ti'n iawn i wrthod. Mae ffags yn ddrwg i dy iechyd, a dwi'n mynd i roi'r gorau i smocio cyn bo hir. Ti eisiau un o'r bomars bach 'ma? Gall un ohonyn nhw chwythu dy ben di'n yfflon. Mae gen i . . . wel, ddealltwriaeth 'da un o'r nyrsys. Mae hi wedi bod yn gwerthu tabledi am amser mor hir heb gael ei dal, mae'n fodlon derbyn cardiau credyd! Chredet ti fyth! Rhyw diwrnod bydd yr ystadegau'n troi yn ei herbyn. Mae hi'n bownd o gael ei dal.'

'Dim diolch, mae gen i ddigon o bethau rhyfedd yn digwydd yn fy mhen heb ddechrau cymeryd moddion pobl eraill i 'nrysu i hyd yn oed yn fwy. Ond cariwch chi 'mlaen â'ch "bomio". Mae'n amlwg bod y parti wedi dechrau'n barod . . .'

Fflachiai goleudau disgo y tu ôl i retina Mostyn, a thrwy ei irisau gallai Gwydion weld cyrff yn symud ac yn siglo i fiwsig thympiog.

Wrth edrych yn ddwfn i fyw llygaid y dyn, gallai Gwydion weld criw o bobl ifanc yn dawnsio yng nghegin tŷ mawr crand. 'Firestarter' gan y Prodigy yn blastio allan o sbîcyrs yn rhywle, a phawb yn gorfod symud fel pypedau i guriad milwrol-gwallgo miwsig y ddawns. Gallai Gwydion weld bwrdd yn llawn poteli gwin a chaniau cwrw, a goleuadau disgo'n fflachio ar y lawnt tu allan. Yffarn o barti!

Erbyn hyn, a chynhwysion y tabledi wedi dechrau symud o gwmpas y cylchrediad gwaed, roedd Mostyn wedi gadael cragen ei gorff ar ôl ac yn hedfan yn rhydd – un o sgil-effeithiau'r shrwmps hudol roedd wedi eu cymryd cyn dechrau ar y moddion. Y ffwng bach 'ma, *psilocybin*, a ddefnyddid gan yr hen dderwyddon i ddeall trefn y byd. Neu i greu trefn newydd. Llyncodd ddeugain ohonynt, gan wybod bod angen cymaint â hyn i fynd ag e i'r sinema ffantastig 'na yn ei ben. Ar ddiwrnod crasboeth roedd angen tamed bach o ddianc, o adael fynd. Ond y tro hwn roedd Mostyn yn hedfan uwchben y sinema, tu hwnt i'w benglog, uwchben y tirlun, y cestyll yn troi'n deganau, y mynyddoedd yn troi'n blorod. Wrth iddo fentro bron yn uwch na'r barcutiaid, ni fedrai weld Cymru bellach, gan mor uchel ydoedd, yn edrych lawr ar ei gorff bach pitw oedd fel smotyn bach o ddwst wrth i'w gorff arall, ei gorff serol, etifeddu'r cymylau, a hawlio'r stratosffêr. Lan â ti, gwd boi, hedfana'n uwch eto. Dyma dy gyfle, dyma dy siawns i weld y byd o'r newydd, cyn bod y tair bilsen Mogadon gymeraist ti am 16.48 yn dy lorio, yn dod â hi i lawr fel mae llif yn cwympo coeden gyda chrash i'r ddaear.

Tra bod hyn yn digwydd, roedd Gwydion yn chwarae gêmau geiriau i'w ddiddanu'i hun. Meddwl am eiriau oedd yn tarddu o enwau pobl. Fel *hermeticism*, o Hermes Trismegistus, yr hen ddewin o'r chweched ganrif. Neu Mesmeriaeth. Neu *Freudian*. Rhoddodd y gorau i'r gêm ar ôl iddo gyrraedd cant naw deg ac un o enghreifftiau, ar ôl cyrraedd Stalin.

Syllodd Gwydion ar lygaid ei gyfaill newydd yn symud fel pysgod aur mewn powlen, 'nôl a 'mlaen, fel tasen nhw'n chwilio am allanfa er mwyn ffoi i lyn neu afon neu unrhywblydile lle roedd mwy o le i stretsio asgell. Amser ffarwelio â Mostyn am y tro. Roedd Mostyn yn teithio'n bell ar ei drafels cemegol. Un noson byddai Gwydion yn ymuno ag ef, ond roedd y noson honno eto i ddod, ac i'w hofni hefyd.

Fin nos yn y McMaster, byddai Gwydion yn ymlacio – gymaint ag y medrai rhywun ymlacio mewn ysbyty meddwl yn llawn doctoriaid egsentrig a nyrsys Amasonaidd – drwy ddarllen a darllen. Ymhlith y pentwr blith-draphlith o lyfrau wrth ymyl y gwely roedd cyfrolau gan J. R. R. Tolkien, Italo Calvino, Saul Bellow a Leo Tolstoy. Ond ei ffefryn o bell ffordd oedd cyfieithiad newydd Sioned Davies o'r *Mabinogion*. Porai drwy'r tudalennau hyn fel buwch Jersi yn troi gwair tal yn hufen cyfoethog, yn mwynhau'r newyddiaduraeth am ddigwyddiadau oesoedd yn ôl, y creaduriaid rhyfedd, mor rhyfedd â'r bobl ryfedd. Ac wrth gwrs roedd yn hoffi'r Gwydion arall, y storïwr anhygoel a roddodd ei enw iddo, ac efallai siâr fawr o'i sgiliau dyfeisio stori hefyd. Brawd Gwyddon oedd e, ontefe? Byddai'n rhaid darllen ymhellach . . .

Aeth i gysgu a breuddwydio am waywffyn a marchogion yn carlamu'n ffyrnig, pedolau'n taranu wrth iddynt yrru eu ceffylau ymlaen dros dir caregog. Un noson o haf, gyda'r gwyfynod yn dawnsio'n dawel tu allan i'r ffenest, a'r slumod cegagored yn fflachio fel cysgodion dros y perthi, darllenai Gwydion ar y gwely, ei gorff yn noeth oherwydd y gwres, a hefyd am ei fod yn mwynhau'r eironi o ddarllen llyfr dwstlyd diwinyddol, tra oedd yn gyfan gwbl borcyn.

Eironi arall oedd taw dyna'r union noson y daeth Dwti'n ôl i'w weld am y tro cyntaf. Synnodd wrth ei gweld hi'n eistedd yn dawel ar y gadair, ei breichiau wedi'u croesi o'i blaen. Roedd ei hwyneb, ei dillad, ei breichiau a'i choesau'n llwyd i gyd.

'Dwti!' sibrydodd Gwydion gan dynnu blanced o'i gwmpas.

Edrychodd hithau arno heb ddweud gair i ddechrau.

'Dwi wedi bod mewn lle oer, Gwydion, rhywle heb na haul na golau.'

'Ond ti 'nôl nawr.'

'Dim ond am nawr. Ro'n i am dy weld di un waith eto.'

'Beth yw'r lle 'ma ti wedi bod ynddo fe?'

'O, mae'n lle gweddol, dim ond i rywun dderbyn bod dim goleuni yno, ar wahân i ryw gerrig ymbelydrol sy'n rhoi jest digon o olau i chi allu wneud eich gwaith.'

Nododd Gwydion y gair 'ymbelydrol' – gair na fyddai Dwti byth yn ei ddefnyddio pan oedd hi'n fyw.

'Gwaith? Beth yw dy waith di yn y lle 'na?'

'Gwnïo. Dwi'n gwnïo gweddïau i bobl.'

Gwyddai Gwydion y dylai ofyn rhywbeth arall ond, yn ei syndod, ni allai feddwl am air, heb sôn am gwestiwn. Dwti oedd hi, ond heb goch y rhosod yn ei bochau na direidi yng nghwrens duon ei llygaid disglair. Merch fach lwyd yn eistedd yno'n dawel, ac yn ei astudio'n fanwl, fel tase hi'n gwneud yn siŵr ei bod yn medru cofio popeth amdano.

'Sut wyt ti'n gwnïo'r gweddïau? Sut wyt ti'n gwybod beth i'w wneud?'

'Mae angel yn gwybod popeth am y person maen nhw'n gofalu amdano.'

'Wyt ti'n gofalu amdana i? Ai ti ydy fy angel i nawr, fel o'r blaen?'

'Na, alla i ddim gofalu amdanat ti. Rydw i'n gofalu am chwech o bobl yn barod, ac rwyt ti'n rhy glòs ata i, yn golygu gormod i mi. Gallai hynny wneud i mi golli'r ffordd, neu fethu gweld pethau'n glir. Ond mae gen i un peth i'w ddweud 'tho ti, a dyma'r rheswm pam ddes i yma. Does gen ti ddim angel i dy warchod, felly bydd raid i'r gweddill ohonon ni wneud ein gorau i ofalu amdanat ti. Gwranda'n ofalus iawn, annwyl, annwyl Gwydion. Mae 'na berygl mawr allan yn fan'na, ac enw'r perygl yw Ebenezer. Ti'n gwybod amdano fe, ond ddim efallai am natur y drwg sy'n llechu oddi fewn iddo. Ei unig bwrpas mewn bywyd ydy dy niweidio di, *ac fe fydd yn gwneud hynny.* Alla i mo'i stopid e rhag rhoi loes i ti, a'r unig beth alla i wneud ydy ymbil arnat ti i gadw bant oddi wrtho fe cyn hired â phosib.'

'Dwi'n gwneud fy ngorau nawr. Dyma pam dwi yma.'

'Ond fe ddaw e ar dy ôl di. Pan fydd e'n barod, a phan fydd e wedi dod o hyd i'r arf iawn i'w ddefnyddio yn dy erbyn . . .'

'Arf? Ti'n gwneud i hyn swnio fel oes y marchogion sbel-yn-ôl.'

'Nid marchog yw e, achos does dim moesau 'da fe, dim ond awydd i ddial. Felly bydd yn wyliadwrus. Alla i ddim dy helpu di'n uniongyrchol, cofia hynny, ond bydda i a'r merched eraill yn gwneud ein gorau drosot ti.'

'Does dim angylion gwrywaidd?'

'Nac oes, sa i'n credu. 'Symo i wedi gweld dyn ers cyrraedd y Byd Gorau.'

'Dwti?'

'Ie, Gwydion?'

'Dwi'n dy garu di.'

'Mi roeddet ti'n fy ngharu i o'r blaen, pan o'n i'n ferch fach yn byw yn y goleudy, ond fedri di mo 'ngharu i nawr. Dwi wedi newid. Dwi wedi marw. A dwi wedi cael un cyfle i ddod 'nôl i dy weld di.'

'A rhoi llond bola o ofn i fi 'fyd, gyda'r holl sôn am Ebenezer yn dod ar fy ôl i. Pryd mae'n rhaid i ti fynd 'nôl?' gofynnodd Gwydion, yn edrych ar lwydni ei gwedd, ei hwynepryd llwyd, ei bysedd llwyd.

'Cyn hir. Dwi'n clywed y clychau bach yn canu'n barod.'

'Pa glychau?'

'Clychau petalau'r blodau yn symud yn yr awel. Maen nhw'n canu cân i ni, ond dwi'n gwybod na fedri di eu clywed o gwbl. Ac mae'r clychau'n canu'n uwch pan mae'r wawr yn agosáu.'

'Ond mi fydd hi'n dywyll am oriau 'to.'

'Mae'n rhaid i ni gadw bant o'r haul. A nawr bydd raid i fi fynd. Mae'n flin 'da fi taw dim ond dy rybuddio di am drwbwl wnes i ond dyna ni, doedd gen i ddim dewis. Ro'n i'n dy garu di 'fyd, Gwydion, 'nôl ym myd y byw . . .'

Gyda hynny dyma Dwti'n diflannu, neu'n hytrach yn toddi i'r cefndir, fel tase hi'n colli hyd yn oed yr ychydig o liw llwyd oedd ganddi. A Gwydion yn gorwedd a'i ben ar y gobenyddion, yn syllu ar y gwacter lle bu ei gariad, lle bu'r angel a ddaeth i'w weld ar noson fwyn o haf . . .

Efallai ei fod wedi colli'i bwyll!

Ni lwyddodd i gysgu nes bod stribed o liw tanjerîn yn dechrau ymestyn ar draws y gorwel, wrth i'r blaned droi ar ei hechel tua'r seren agosaf. Ond wrth i'w lygaid gau fe glywodd eiriau pader yn ei ben, a gweld brodwaith ysblennydd, yn amlwg wedi'i wnïo ag edau aur, a lliwiau'r blodau mwyaf perffaith yn y llwyni. Gwyddai taw dyma oedd ei weddi ef, ond ni wyddai os taw Dwti oedd wedi'i chreu iddo. Tybiai, o gofio'i geiriau, nad oedd yr un angel yn gofalu amdano ef yn uniongyrchol, a chredai ei bod wedi gadael hon ar ôl iddo'n bwrpasol, ac efallai'n torri'r rheolau drwy wneud. Cariad fel yna oedd e.

Feistres y Creu,

Diolch am eich cymwynasau di-ri, ac am roi i ni ysbrydoliaeth a dychymyg i geisio creu byd gwell. Diolchaf i chi am deulu a ffrindiau a ffrwythlondeb y byd, yr afalau ar y canghennau, y pysgod yn y môr. Ond yn bennaf oll, diolch i chi am eich gofal tirion, cyson. Am ein tywys drwy'r tymhestloedd. Am ein gwarchod rhag pob cam, ac ar hyd pob modfedd o daith bywyd. Danfonaf i chi chwerwlys, blodyn perffaith y tiroedd unig, er mwyn i chi ei wisgo ar ddiwrnod braf fel heddiw.

Nid geiriau Dwti oedd y rhain, ond hi oedd wedi gadael y geiriau yn ei ben. Roedd yn siŵr o hynny. Yn hollol siŵr. Geiriau wedi'u plannu yn ei ben gan Dwti. Angel ddaeth i eistedd yn y gadair yn ei ystafell wely, a'i adael yn wag megis cragen o ddyn. Suddodd i bwll o iselder am y tro cyntaf yn ei fywyd.

Gyda lwc, byddai Mostyn yn galw heibio, yn torri drwy'r iorwg y tu allan i ffenest stafell Gwydion, ac yn curo'n dawel ar y ffenest, fel dryw yn ceisio torri i mewn â'i big pitw bach.

Ac mi ddaeth.

'Beth hoffet ti wneud heno?' gofynnodd ei ffrind newydd iddo ar ei ail ymweliad.

'Beth am i ti beidio â chymeryd unrhyw beth heno, achos does fawr o bleser na diddanwch mewn edrych arnot ti'n diflannu i mewn i dy fyd bach dy hun. Dim bomars, dim shrwmps, dim tawelyddion, dim byd i wneud i ti fynd lan na mynd i lawr.'

'Ond rwyt ti wedi cael cynnig dod 'da fi!'

'Mynd wrth fy hunan fydde hynny. Bydde'n cyrff ni'n eistedd fan hyn tra bod ein meddyliau'r pererindota. Busnes solipsistig yw cymeryd cyffuriau.'

'Dew! Mae 'da ti eiriau mawr yn dy ben. Fetia i dy fod ti wedi cael llwyth o *"O" levels*. Odw i'n iawn? Cym on, cyffesa'r diawl! Odw i'n iawn?'

Daliodd Gwydion ei fysedd lan. Deg i ddechrau. Yna saith arall.

'Blydi hel! A fetia i dy fod wedi cael rhywbeth neis gan dy rieni am ddisgleirio fel 'na. Ges i fotobeic Kawasaki am baso wyth!'

Gwyddai Gwydion fod yn rhaid iddo ofyn un cwestiwn arall, yr un oedd yn esbonio sut roedd bachan â chyn lleied ag wyth lefel 'O' yn destun astudiaeth yn y McMaster Deep.

'Pam wyt ti 'ma?'

'Yr un rheswm â ti, gwd boi. Achos 'mod i'n wahanol. Ddim yn ffitio mewn yn unman arall.'

'Ym mha ffordd?'

'Y ffordd ryfedda i gyd ...'

'Sef .. ? Wyt ti'n fodlon datgelu?'

'Edrycha!'

Estynnodd Mostyn ei law tuag at y pentwr llyfrau wrth ymyl gwely Gwydion, fel petai am gydio yn *If On a Winter's Night a Traveller*. Ond pan oedd bron â chyffwrdd y clawr, diflannodd ei fysedd, a'i law, a rhan o'i fraich, hyd at lawes ei grys.

'Blydi hel, Mostyn! Rwyt ti *yn* wahanol! Do'n i ddim yn credu bod pobl yn medru diflannu – taw rhywbeth yn perthyn i gomics yn unig oedd hwnna. Mr Invisible, 'chan! 'Na pwy wyt ti.'

'Nid diflannu ydw i. Mae 'na bigment yn fy nghroen sy'n gadael i fi gydweddu ag unrhyw gefndir, yn debyg i gameleon. Edrycha'n ofalus ar glawr y llyfr. Nawr, wyt ti'n medru gweld fy mysedd?'

Syllodd Gwydion. Roedd yn rhaid iddo graffu'n galed i weld beth oedd yn cydio yn y clawr, yn cuddio'r ddelwedd o ddyn wedi'i lapio mewn cot enfawr yn cerdded drwy'r eira mawr uwchben enw'r awdur, Italo Calvino.

A'r noson honno clywodd Gwydion stori oedd yn well nag unrhyw un y gallai e ei chyfansoddi, sef stori Mostyn. Am ddyn a madfall yn gymheiriaid mewn fforest drofannol, 100 cilometr union lan yr afon o Manaus, a sut y ganwyd plentyn .. ! Anaml iawn, iawn, iawn roedd realiti'n rhyfeddach na rhith, ond heb amheuaeth dyma'r dystiolaeth o'i flaen – Mostyn a'i guddliw perffaith. Tystiolaeth yn y cnawd – cnawd od, a dweud y lleiaf. Dim rhyfedd ei fod yn y McMaster Deep. Roedd e'n drysor milwrol, heb sôn am unrhyw beth arall. Dim rhyfedd chwaith ei fod wedi bod yma'n hirach na'r lleill, yn fwy o garcharor nag o westai. Byddai Mostyn yn werth ffortiwn. Rhyw ddiwrnod.

Prin y gallai Gwydion gredu enw'r therapydd a'i croesawodd i Ystafell Gyfweld Rhif 4 y bore canlynol.

'Bore da. Fy enw i yw Dr Loon. Falch iawn o gwrdd â chi. Byddwn yn cwrdd yr un amser bob bore, os yw hynny'n iawn 'da chi. Y cwbl dwi eisiau ei wneud ydy'ch gwahodd i siarad am bethau, a bydda i'n gwrando.'

'Seicotherapydd y'ch chi, felly?'

'Ie'n wir. Da iawn chi am ddeall hynny. Ro'n i wedi clywed eich bod yn ddyn ifanc deallus.'

'Ga i ofyn cwestiwn bach, felly?'

'Bid siŵr.' Gofynnwch, a chwi gewch ateb.

'Sut mae modd cynnal eich proffesiwn, ac enw da Sigmund Freud bellach yn faw? A phawb yn gwybod bellach bod Jung yn chwarae gêmau tra oedd o'n dadansoddi chwedlau. Onid ffug-wyddoniaeth ddi-sail yw hi, Dr Loon? Onid baloni yw seicotherapi?'

'Cwestiynau da a dyrys! Ond mae 'na bobl sydd wedi symud yr astudiaeth yn ei blaen. Efallai nad yw'n golygu mwy na gwrando ar rywun a cheisio deall, ond mae hynny ynddo'i hun yn gallu bod yn sgìl. Ac roedd Freud yn gwybod ambell beth gwerth chweil. Mi fenthycaf un o lyfrau Adam Phillips i chi – dyn o Gaerdydd, fel mae'n digwydd. Mae'n cadw'r fflam ynghynn. Fflam yr hen Freud gyda'i gocên, a'i Anna O, a'r bali lot.'

'Sef?'

'Sut i adrodd stori er mwyn deall hanfod person. Mae modd darllen hanesion ei holl gleifion fel straeon da. Ry'n ni ar dir da, rhywbeth sy'n berthnasol i chi. Felly, beth am ddechrau? Beth y'ch chi'n ei ddarllen ar y foment? Gawn ni ddechrau fan'na, ar dir saff, os liciwch chi.'

'Y Mabinogion, am y pedwerydd tro.'

'A beth y'ch chi'n ei hoffi fwyaf?'

'Wel, a bod yn onest, dwi'n hoffi addasu'r straeon fy hunan. Ychwanegu at y cymeriadau a'u treialon. Fel y Twrch

Trwyth, er enghraifft. Yn fy fersiwn i, does neb yn medru dal y creadur, na mynd yn ddigon agos ato i daflu gwaywffon, na hyd yn oed yn ddigon agos i ddefnyddio bwa a saeth i ddod â fe i'w liniau. Felly, yn fy fersiwn i, mae'r arwr, Charlie . . .'

'Charlie? Oes 'na Charlie yn y Mabinogion?'

'Charlie yw arwr pob stori 'da fi ar y foment. Mae e'n wahanol iawn i fi, yn bennaf am nad yw Charlie'n teimlo ofn o gwbl. Dyw e ddim yn cydnabod bodolaeth ofn, hyd yn oed. Sy'n esbonio pam ei fod yn medru mynd ar ôl y Twrch Trwyth, creadur sydd wedi llorio mwy nag un dyn cryf, a thorri braich un o'r Northmyn geisiodd ei ddal mewn magl, heb sôn am un o helwyr y tywysog, na fydd fyth eto'n medru dal cwpan llawn medd at ei wefusau wedi i'r Twrch ddawnsio dros ei ên ar ei ffordd i Lyn Llech Owain.'

Aeth Gwydion yn ei flaen.

Bu Charlie'n hela'r Twrch ar hyd y dyffrynnoedd, ac ar hyd y llethrau moel ac unig, trwy goedwigoedd deri oedd mor hynafol nes taw'r Duwiau eu hunain oedd wedi taenu'r mes ar lawr i'w tyfu. Ymlaen â fe, ei sbaengwn yn cyfarth wrth glywed cŵn hela pobl eraill o'u blaenau ambell waith, neu sŵn helwyr yn hela cadno yn y tir creigiog lle roedd gan yr anifail siawns oherwydd ei gyfrwystra a'i fap mewnol o'r mannau mwyaf anghysbell, llecynnau oedd yn ddiarffordd hyd yn oed yn nhermau ci hela.'

Edrychodd Gwydion ar Dr Loon, a oedd fel petai mewn breuddwyd, dan gyfaredd y geiriau, yr helfa syml yma oedd ar fin digwydd, sialens rhwng dyn ac anifail enfawr.

Gwyddai Charlie fod y twrch yn meddu ar bwerau hudol, a bod crib a raser rhwng ei glustiau ar gyfer torri gwallt Ysbaddaden Bencawr. Roedd yn anifail ffyrnig, gyda'r ffyrnicaf yn wir, yn fwy sbeitlyd na mamba ddu, yn gyflymach ar dir gwastad na charw ifanc. Roedd Culhwch yn y chwedl wedi ei chael hi'n anodd i ddal ei dwrch ef, felly fyddai Charlie'n synnu dim i'w chael yn anodd gyda'i dwrch yntau.

Byddai Charlie yn gorfod brwydro yn erbyn bwystfil oedd wedi llarpio oen cyfan heb grensian yr un asgwrn wrth i'r anifail druan ddiflannu i lawr ogof ei lwnc mawr du. Ond roedd y twrch y byddai Charlie'n ei ddilyn yn fwy ffyrnig hyd yn oed na'r Twrch Trwyth, ac yn fwy – ei gefn yn codi fel y Migneint, ei gyrn yn medru torri cwys o dir yn haws nag unrhyw Jac Codi Baw, a phwysau ei gorff yn golygu, unwaith y byddai'n cyrchu rhywbeth, y byddai'r momentwm yn aruthrol. Gallai fwrw un o'r deri hynafol ar lethrau'r cwm drosodd fel pluen, neu godi gwrych fel mantell i addurno'i ysgwyddau, neu hyrddio ugain marchog o'r ffordd cyn hawsed â rhoi braw i hen wraig. Beth oedd gan Charlie i'w ddefnyddio i ymladd y mochyn enfawr? Dim ond pastwn a roddwyd iddo gan ei dad yn y garej un tro pan gymerodd hoe o weithio ar Peugeot 307 . . .

'Hwra, cer â hwn 'da ti os wyt ti'n mynd i hela un o'r moch chwedlonol 'na. Bwra fe reit ar ganol ei ben, a fydd e ddim yn gwybod dim byd am yfory. Nawr 'te, heb fod eisiau swnio fel dy fam, oes digon o ddillad twym 'da ti?'

Gwyddai fod ei dad, Charlie Senior, yn credu ei straeon hela, yn enwedig yr un am hela carw yr wythnos ddiwetha – carw oedd yn eiddo i fenyw olygus a welsai ar lan yr afon yn ystod un o lifogydd byrlymus, rheibus y gwanwyn. Nid bod Charlie'n gwybod hyn pan saethodd saeth tuag at y carw wrth iddo redeg at fur o ddrain. Niweidiwyd y carw, ond ddim yn wael, er bod y saeth yn ddwfn yn y croen. Wrth iddo dynnu'r saeth, dyma'r fenyw yn dod i'r golwg gan lefain a gweiddi. Gafaelodd yn dyner am y carw, gan gondemnio Charlie a'i alw'n 'llofrudd llwfr'. Ond wrth iddo osod haen denau o botes ar y briw, sylweddolodd hi nad oedd y carw mewn unrhyw boen fel y cyfryw, a sylweddolodd hefyd taw saethu'n reddfol wnaeth yr heliwr ifanc – gweld rhywbeth yn symud ac yna *swissss*! Bant â'r saeth. Doedd e ddim yn bwriadu ei hamharchu hi, perchnoges y carw, er y byddai wedi lladd y carw chwim, oni bai fod hwnnw'n medru rhedeg fel y gwynt, ac yn fwy cyfarwydd â'r goedwig na hyd yn oed y tylluanod a'r brain. Cofleidiodd y fenyw y carw, a maddau i'r heliwr, gan ei wahodd i fwyta cawl gyda hi.

'Nid cawl carw yw e, wrth gwrs,' dywedodd gan wenu, a chwarddodd hi a Charlie tan ddiwedd y stori wrth i'r dyn yn y garej lanhau ei ddwylo gyda Swarfega i gael gwared â'r olew, oherwydd roedd yn bryd iddo yntau gael cinio hefyd.

Ymlaen â'r stori. Ymlaen â Charlie! 'Sdim oedi i fod!

Carlamodd Charlie ar hyd llethrau Cefn Siôn Cwilt yn ei got Berghaus orau, gan wybod y byddai ei fam yn hapus ei fod yn glyd a chynnes. Roedd y cŵn wedi'u bywiogi gan arogl solet y mochyn gwyllt, ac ôl ei draed fel tyllau o'r Rhyfel Byd Cyntaf. Bron na allai un o'r sbaengwn ddiflannu i'r twll am byth. Teimlai Charlie ei fod yn agosáu at y cawr-anifail, yn rhannol oherwydd y sawr rhyfedd yn y gwynt, fel basged yn llawn dillad rygbi wedi'i hanghofio mewn cornel dywyll am dymor. Gwynt dynion caled a ffwng.

Ymlaen, ymlaen! Draw heibio Coed-wallter-fawr a lawr at Flaenrhydw, y cŵn yn rhedeg fel milgwn nawr, eu hysgyfaint fel megin, ymlaen i Cloigyn Fach a Llechwedd-dderi, heb oedi dim yn Ffynnon Berw, Coed y Brain na Rhyd-y-Ceirts, eu hanadl fel tarth erbyn iddynt ddringo eto hyd Birbwyll, Blwch-chwythain a Maen-sant, a Charlie'n dal y ffrwyn yn dynn wrth i'w geffyl deimlo'r straen. Ymlaen ac ymlaen ac ymlaen. Cilfeithdy-isaf ar y chwith, Park Matho ar y dde. Bron y gallent deimlo'r pridd yn crynu, fel dilyn trên i mewn i dwnnel.

'Dewch mla'n, bois bach, mae e 'da ni nawr!' Nid bod Charlie'n gwybod beth fyddai e'n ei wneud – fe a'i bastwn a'i gŵn blinedig – petaent yn cornelu'r mochyn. Ond roedd e'n ddewr, ac roedd hynny'n gyfoeth yn y fath sefyllfa.

Taflwyd cysgod dros yr helfa, a phan edrychodd Charlie lan gwelodd yr anifail, fel bryncyn wedi'i adeiladu o gasineb a braster, y llygaid yn pefrio â chwant a difaterwch, y math o chwant a difaterwch a ddangosodd pan fwytodd ei blant ei hunan, y perchyll bach yn hanner brecwast iddo. Bu bron i Charlie deimlo braw, ond ffrwynodd y teimlad gan ei fod yn profi gwendid ynddo, ac roedd angen math arbennig o gryfder arno wrth edrych i lygaid emrallt y mochyn godidog. Yr her-anifail!

'Lawr, Hwnco, Manco a Spaniard! Sa'n dawel, Gregson – a ti, Mellten!' Ufuddhaodd y cŵn ar unwaith, pum pâr o lygaid yn syllu ar eu gwrthwynebydd ac yn gobeithio na fyddai eu meistr yn gweiddi, 'Ewch amdano!' oherwydd roedd y gynffon ynddi'i hunan yn edrych fel petai'n ddigon i'w hyrddio i ganol mis Mai. Cynffon i'w sgubo i ebargofiant, fel brwsh câns.

'Arhoswch, bob jac wan ohonoch,' meddai Charlie wrth y cŵn, eu hochrau'n chwyddo ag aer wrth gael eu hanadl nôl.

Daeth Charlie i lawr oddi ar ei geffyl a chamu tuag at y twrch. Daliai hwnnw ei dir, gan wahodd un dyn ifanc i ddod i gwrdd ag e, a marw heb ormod o ffws.

Ond, o unlle, daeth fflwch o eira, efallai'n ateb i weddi, neu efallai'n un o'r pethau annisgwyl 'na sy'n digwydd ym myd natur, ond o fewn munud trodd y fflwch yn gwymp eira llawn. Cwympodd nen wen o eira, fel arllwys cynnwys carthen enfawr. Prin y gallai Charlie weld ei wrthwynebydd mileinig; bellach nid oedd yn ddim ond siâp du yn dechrau diflannu wrth i'r eira anhygoel gwympo.

Mae gan yr Inuit nifer o enwau gwahanol am eira, a chwympodd yr eirfa gyfan mewn llai na dwy funud ar ben Park Matho a Choed y Brain. *Qanuk*, pluen eira. Kannevluk, eira mân. *Natquik*, eira'n ddrifft. *Nevluk*, eira sy'n glynu. *Pirta*, storom eira go iawn, un all gladdu esgimo o'i gorun i'w sawdl. *Cellallir*, storom fwy,

un i gladdu pentref cyfan. Dyma nhw'n dod i lawr i gyd,
yr holl enwau rhyfedd, fel conffeti gwyn, fel darnau o
bapur gwyn i droi'r tirlun yn dudalen lân.

Bu Charlie'n ddigon effro i blannu'i bastwn yn yr
eira i nodi lle roedd y cŵn yn graddol ddiflannu. Yna
bant â fe i gyfeiriad y mochyn hud, a oedd yn gaeth i'r
eira, ei bwysau'n ei dynnu i lawr i ganol y drifft. Dim
ond ei ben oedd yn y golwg bellach a hyn ar ôl tair neu
bedair munud ar y mwyaf. Ni allai deimlo trueni dros yr
anifail; byddai hynny'n gam gwag. Ac eto, roedd golwg
ddiymadferth yn y llygaid mawr fel soseri, a'r rheini
bron wedi'u claddu o'r golwg gan y troedfeddi o eira
a gwympodd mewn llai na phum munud. Rhaid oedd
lladd y twrch. Dyna oedd ei ffawd. Fe, Charlie, lladdwr
y twrch, arwr ei lwyth, mab i fecanic. Cododd ei gyllell
boced a thrywanu'r twrch yn y darnau sbwnglyd o dan
ei aeliau ac uwchben ei lygaid. Dechreuodd y bwystfil
lefain dagrau gwaed, fel stigmata.

Cerddodd Charlie i ffwrdd yn syth i chwilio am y
cŵn a'i geffyl. Yn ffodus gallai weld y pastwn, jest,
a gweddïai y byddai'n medru torri drwy'r eira – gan
ddefnyddio'i ewinedd pe bai angen. Ond dechreuodd yr
eira ysgafnhau, daeth yr haul allan, a dechreuodd yr
holl wynder oer ddadmer. Erbyn iddo gyrraedd y pastwn
roedd yn sefyll mewn mwd a dŵr, a'r cŵn druan yn
crynu o oerfel, ond roedd gan bob un ddigon o nerth i
siglo'i gynffon – hyd yn oed Spaniard, nad oedd byth yn
edrych yn hapus.

'Adre amdani, bois. Bydd angen dod â nifer o
ddynion lan i baratoi'r twrch 'ma ar gyfer y bwrdd

swper.' Meddyliodd am Humphreys, y bwtsiwr lleol, oedd yn hen law ar baratoi mochyn. Wyth munud o ddechrau bwtsiera mochyn newydd ei ladd, i gael popeth yn barod, hyd yn oed y ffagots. Dychmygodd ei wyneb pan welai faint y blydi mochyn 'ma. Iesgyrn tost, am fochyn sybstansial! Efallai erbyn hyn y byddai'r anifail wedi gwaedu i farwolaeth, ond gwyddai fod mochyn yn cymryd amser hir i farw. Ond ni allai Charlie edrych 'nôl, am fod angen bwyd a gwres ar ei gŵn ffyddlon. Y pum ci arwrol oedd yn haeddu swper mêr-esgyrn a chael eu mwytho am naw dydd a nos. Ie, am adre â nhw. Un ymdrech olaf cyn iddi nosi. Y ceffyl yn flinedig dros ben, yn wan dan ei bwysau ei hun, ond yn llwyddo i weld trwy'r llen o flinder, yn gwybod bod stabal ar y gorwel a ffid dda o wellt yn aros amdano cyn iddo gwympo'n farw ar ei garnau. Ie, un cam arall, ac wedyn un bach arall, sŵn crensian y gwellt yn ei glustiau, sŵn cysurus, fel suo gwenyn.

Ni ddeallai Gwydion pam bod cymaint o'i freuddwydion am anifeiliaid, a'r rheini'n aml yn ymwneud â hela neu ladd yr anifail. Ac yntau'n naturiaethwr ac yn adarwr gwerth chweil! Rhesymeg ar ffo, yn sicr.

'Pam wyt ti'n adrodd cymaint o straeon am anifeiliaid?' oedd cwestiwn cyntaf Dr Loon, fel mae'n digwydd.

Oherwydd bod Gwydion wedi bod yn ystyried yr un cwestiwn yn union jest cyn mynd i gysgu, cafodd y doctor ateb cynhwysfawr, a dweud y lleiaf. Sgwennodd Loon yr atebion, a blaen y beiro'n cynhesu wrth iddo sgrifennu mor gyflym. Llenwodd bum darn o bapur sgrifennu A4 gyda nodiadau manwl ar yr holl anifeiliaid, a'r ffaith fod y dyn ifanc yn teimlo ei fod yn defnyddio chwedlau fwyfwy y dyddiau hyn, oherwydd bod chwedloniaeth yn esbonio'r byd mewn dull mor delynegol, ac mewn ffordd hyfryd o ddiddorol.

Larwm! Larwm yn y nos! Nid larwm ling-di-long fel car heddlu, ond yn hytrach un â sŵn uchel, di-dor, fel gwenynen feirch fyr ei thymer. A'r rheswm? Roedd un o'r dynion mwyaf milain, dieflig a llofruddgar wedi dianc o drws nesa, sef y nyt-hows go iawn, ar ôl lladd un o'r giards. Nawr roedd Harry Watts, gyda'i ddwylo tagu a'i sgìl â chyllell, yn rhydd yn rhywle, a heddlu o bedair ffôrs gan gynnwys Gwlad yr Haf ar eu ffordd, a phawb wedi eu rhybuddio bod Harry'n beryglus iawn, iawn, iawn. Dyma ddyn oedd wedi berwi'i fab ei hunan mewn padell tsips. Ac roedd hynny cyn dechrau bod yn fwy dychmygus wrth ladd. Fel y fenyw sha Resolfen gafodd ei choginio mewn parseli pêstri gyda llwyth o fintys, a'i gweini i bobl ddigartre fel gwledd Nadolig.

'Ma gormod o fintys yn y blydi pêstris 'ma, gwd boi,' dywedodd un o'r anffodusion, gan lyfu'i wefusau. Roedd wedi cael mwy na'i siâr, er gwaetha'r mint. Gwenodd Watts o wybod beth oedd wedi mynd mewn i'r cymysgwr KitchenAid mawr, gwaith tridiau o dorri, blendio a choginio. Fel yr ymresymai ag ef ei hun: pam bod rhaid i ganibaliaeth fod yn rywbeth cyntefig, di-flas? Onid oedd ffordd well, fwy gwaraidd o fwyta cig ffres eich cyd-ddyn? Dull mwy pleserus na dim ond rhwygo stribedi cig amrwd oddi ar yr asgwrn?

A fe, Harry Watts, cŵc y diafol, oedd yn rhydd – ar y

prowl, yn chwilio am ffordd i ddianc, a'r awdurdodau'n gwybod bod ganddo siswrn yn bendant, oherwydd dyna roedd e wedi'i defnyddio i ladd y giard, Tom Williams, 47 mlwydd oed, a thad i ddau o blant.

Lledaenodd ofn fel niwl gwlyb drwy bob ystafell yn y McMaster Deep, ac ymgasglodd nifer o bobl yn y cyntedd i glywed y newyddion diweddara, neu i ffindo mas beth oedd yn digwydd, neu jest i fod yn un o dorf yn hytrach na bod yn eu stafelloedd eu hunain gyda dim ond eu hofnau i gadw cwmni iddynt. Dyma un o'r llefydd saffa i fod, yng nghanol pob math o systemau diogelwch. Ond roedd Watts yn ddrwg ac yn glyfar, ac yn medru dianc drwy ddur.

Daeth yr ysbrydoliaeth yn sydyn i Wallace Williams, y dyn oedd yn gyfrifol am seciwriti – fflach o ysbrydoliaeth fel pelen dân. Gofynnodd i Gwydion McGideon adrodd stori i dawelu nerfau pawb, gan ofyn yn benodol am stori nad oedd yn cynnwys hela, na dioddefaint, na phoen – ac yn sicr, dim gwaed na lladd. Rhywbeth tawel, stori a digon o fynd ynddi, ond heb fod â ffwlcrwm moesol iddi, na gormod o gysyniadau ynghlwm â hi. A fyddai hynny'n bosib? A fyddai Gwydion yn medru tawelu'r staff a'r gwesteion drwy adrodd stori – rhywbeth fyddai'n gweithio fel hwiangerdd, efallai – a chael pawb 'nôl i'w gwelyau?

Er ei fod yn synnu at fanylder y cais, cytunodd Gwydion. Fe'i tywyswyd i swyddfa gerllaw, a honno'n llawn monitorau teledu. Ar ddesg fahogani gadarn safai meicroffon braidd yn henffasiwn yr olwg – y math o declyn swmpus y byddai Radio Free Europe neu Lord Ha Ha yn ei ddefnyddio adeg y rhyfel. Eisteddodd o flaen y meicroffon, a derbyn gwydryn mawr o ddŵr.

'A-hym,' meddai Gwydion gan glirio'i lwnc a meddwl yn glir y dylai osgoi unrhyw sôn am Charlie a'i anturiaethau. Defnyddiodd un o'r technegau ymlacio roedd bron pawb yn y McMaster yn eu harddel, gan gymell pobl i feddwl am bethau cysurus – llond côl o gŵn bach, Labradors o bosib, traethell unig gyda'r môr yn sugno'n dawel ar y graean, mwmian y durtur mewn coeden olewydd . . .

'Gyfellion annwyl, hoff. Ar noson oer, a nifer ohonom wedi dihuno oriau'n rhy gynnar, rwy am sôn 'tho chi am wlad y breuddwydion. Armoricwm, i ddefnyddio'i hen enw, y lle ry'n ni i gyd yn mynd iddo yn ein breuddwydion. Ac fe deithiwn yno nawr, i gyd gyda'n gilydd, ar daith fythgofiadwy i rywle lle mae pob lliw yn fwy lliwgar nag unrhyw liw arall yn y byd, pob blas yn fwy blasus, pob cusan yn fwy melys, a phob arogl yn fwy byw. I gyrraedd yno, rhaid mynd ar gwch sy'n gadael hen harbwr Porth-gain, cilfach yng nghreigiau Sir Benfro, hollt mewn carreg. Ond rhaid aros am yr amgylchiadau iawn – dim ond pan mae'r lleuad fel rownd o gaws Caerffili, achos honno yw'r lleuad lusern, yr un felen sy'n tywys yr hen gapten a'i griw o ddihirod o dir sych i fyd y rhyfeddodau di-ben-draw. Allwch chi eu gweld nhw – y cwch fel yr un yn *Peter Pan*, y lleuad fel hanner llusern? Da iawn chi. Bant â ni. Cyn cyrraedd y wlad hudolus hon, yn llawn o bersawr y blodau trofannol sy'n hongian o bob coeden, bron, rhaid teithio'n bell. Ond nid yw amser yn bod ar y daith hon, diolch byth, er bydd y dynion yn y criw wedi tyfu barfau llaes erbyn cyrraedd y lle – oherwydd mae barf yn tyfu hyd yn oed yng ngwlad y breuddwydion. Bydd y menywod ar y fordaith yn syllu i mewn i ddŵr croyw'r ynys pan fyddant yn glanio, i weld eu hadlewyrchiadau ac yn nodi eu bod wedi heneiddio ychydig bach. Dim digon o newid i godi braw, ond digon i brofi eu bod wedi bod yn teithio'n hir, ac mae amser yn arafu ar y teithiau hyn. Ond unwaith ry'ch chi wedi cyrraedd, does dim salwch, dioddefaint, poen na blinder.

'Dewch gyda mi, felly, i wlad sydd well. Teithiwch gyda mi, gyfeillion . . .'

Adroddodd Gwydion ei stori, gan wneud yn siŵr ei bod hi'n cynnwys digon o fanylion i wneud i'r llefydd swnio fel rhai go iawn, ond dim gormod fel bod y gwrandawyr yn methu uniaethu. Roedd yn bwysig iddynt lenwi ambell fwlch yn y stori yn eu meddyliau eu hunain. Gwyddai Gwydion i sicrwydd mai'r peth pwysicaf oll wrth adrodd stori oedd gadael digonedd o le i ddychymyg y gwrandawyr weithio drosto fe. Felly plannodd bethau – cliwiau, os liciwch chi – i helpu pawb yn y gynulleidfa, y gynulleidfa ofnus ac oer, y gynulleidfa oedd yn hanner-llygadu'r ffenestri rhag ofn bod cysgod llofrudd yno, y gynulleidfa oedd yn sefyll yn eu dillad nos yng nghyntedd hen ysbyty meddwl a drowyd yn ganolfan ymchwil flaengar i helpu i leddfu eu nerfau, a chael gwared ar ofn fel niwl y bore.

Rhywle y tu allan i'r adeilad roedd y carcharor boncyrs, seicopathig, newydd lwyddo i faglu plisman, gan sleifio y tu ôl iddo a'i fwrw'n galed iawn, iawn ar ei ben â sosban roedd wedi llwyddo i'w chuddio yn ei ystafell. Yn araf iawn, iawn, â diléit anatomegol, roedd wrthi'n ei baratoi ar gyfer carpaccio, y math o fwyd Eidalaidd lle ry'ch chi'n torri cig amrwd yn sleisys tenau.

Dyna'r math o syniad roedd Gwydion yn ceisio'i ymladd gyda'i stori fach.

I'r cyfansoddwr ifanc, plannodd y storïwr hedyn syniad fod gwlad y breuddwydion yn lle tawel iawn, ambell waith heb unrhyw sŵn o gwbl, ac ar y gorau dim ond sŵn yr adar yn canu. Gallai'r cerddor disglair setlo'n hawdd i freuddwydio am y fath le, oherwydd teimlai fod y byd hwn yn rhy swnllyd o bell ffordd: yn aml byddai'n dyheu am gael dianc oddi wrth yr holl nodau yna oedd yn chwyrlïo o gwmpas yn y gofod rhwng ei glustiau. A rhywfodd, deallai Gwydion hynny a dyna pam yn union y soniodd am y tawelwch hollol – anrheg i'r cyfansoddwr o fri. A chyda hyn dyma'r pianydd yn gwagio'i feddwl o'r holl felodïau, y symffonïau, y sonatas, y pedwarawdau, y pumawdau, y llu o weithiau perffaith gan Chopin a Lizst, Mussorgsky a Rachmaninov yr oedd wedi eu hastudio'n drwyadl; cafodd ei orfodi i ddysgu cymaint mewn cyn lleied o amser nes bod ei ben yn llawn o ddüwch yr holl nodau, y miliynau o nodau roedd wedi gorfod eu dysgu a'u hastudio a'u troi'n symudiadau bysedd ar allweddfwrdd.

Gwyddai fod rhai pobl yn gweld y nodau'n setlo'n dawel ar y llinellau, fel gwenoliaid yn cymryd eu lle ar wifren, ffyrch ei cynffonnau'n pwyntio i lawr tuag at waelod yr erwydd. Byddai ei nodau yntau, ei adar ef, yn fflachio'n wyllt, yn ffrwydro drwy'r awyr fel gosod bom yng nghanol criw enfawr o frain. A doedd dim setlo i fod, jest yr awyr yn llawn dop ohonyn nhw, ac yntau heb wybod o ble y deuai'r haid nesaf o nodau.

Lle tawel iddo fe, felly, a phan ganodd aderyn yng ngwlad y freuddwyd, dim ond un aderyn oedd yno – eos yn llafarganu emyn o fawl i'r lloer, a phob nodyn yn rownd ac yn berffaith – perlau soniarus – a phob un o'r rheini'n sgleinio yn llifolau hufennog y nos.

Ac roedd yr un peth yn wir am bob un o'r trigolion eraill

yn y McMaster. Tra bod y cogydd canibalistig yn sleifio o gwmpas yn y gerddi tu allan, plannwyd hedyn ffrwythlon ym meddwl pob gwrandawr. Soniodd Gwydion yn sydyn am ferched hardd yn torheulo ar y traeth. Awgrymodd fod gan un ohonynt wallt melyn, a dechreuodd Dr Kramer freuddwydio'n syth am Agatha. Yn y freuddwyd, tynnodd ef ei ddillad ar lan pwll nofio Hollywoodaidd ac ni wnaeth hi chwerthin wrth weld ei gorff gwelw, fel y teimlai Dr Kramer yn siŵr y byddai'n ei wneud yn y byd go iawn. A dyna a wnaeth Gwydion, rhoi i bob un yr hyn roedd arnynt ei eisiau. Gwyddai Gwydion fod hynny'n rhan o grefft dweud stori ond, iddo fe, roedd plannu'r math yma o syniadau'n dod yn naturiol.

Gwyddai fod yna stori berffaith ar gyfer pob gwrandawr. Wrth iddo sefyll yno, yn disgrifio hanfodion y wlad newydd hon, gwnâi ei orau glas i blethu digon o elfennau i mewn i'w brif stori fel bod ffrwd atyniadol yn llifo drwyddi. Wrth iddo adrodd ei stori i'r dorf ryfedd hon, plethodd yr elfennau hynny i gyd yn un stori fawr, gan greu'r wlad newydd hon, ei phentrefi a'i chestyll euraidd, ei choed palmwydd ar lan y môr, reit hyd at ymylon y corsydd mangrof, môr *turquoise*, asur a gwyrddlas – sef lliw y môr mewn breuddwyd – lle does dim mwy nag awel fwyn i greu conffeti o lwch y môr ar y tonnau bach.

Yn raddol, bob yn un cwympodd pobl i gysgu – yr hen rai'n gyntaf, a'r nyrsys yn medru eu cario nhw'n dawel fach i'w stafelloedd. Pan gaeodd llygaid Dr Kramer, roedd Gwydion yn gwybod ei fod wedi hala pawb bant i Wlad Nod, ac i ganol breuddwydion dymunol. Am ennyd sydyn, teimlodd bŵer ei allu, fel Mr Sleepmaker, y creadur yn y comics *Marvel*. Gallai hwnnw ymladd y Rwsiaid trwy hala pawb yn Moscow i gysgu, neu hyd yn oed bob aelod o'r Fyddin Goch, o fynyddoedd yr Wral yr holl ffordd draw i Siberia – hynny yw, os na fyddai ei elyn penna, The Living Nightmare, yn drech nag e. Dim rhyfedd efallai bod The Nightmare, yn ei siwt gladdu a chyda'i ewinedd metel, yn edrych yn debyg i Mr Ebenezer, a Gwydion yn ofni'r dyn oherwydd pydew diwaelod y creulondeb oddi mewn iddo.

Cysgodd pawb yn hwyr y bore wedyn, ac yn ystod y bore llwyddodd yr heddlu a'u cŵn i ddal y carcharor coll, ond nid cyn iddo gnoi clust un o'r heddweision eraill i ffwrdd yn y frwydr i'w gael i mewn i'r fan. Pan ddeuent o hyd i gorff y plisman arall, byddai'r cŵc yn cael ei rostio, go iawn.

Teimlai Gwydion awydd cael diwrnod o hoe i ffwrdd oddi wrth yr holl arbrofi, ond yn syth ar ôl cinio daeth doctor newydd i'w weld, Dr Jerry Mngela, a'i dechneg ef oedd ymchwelyd, sef mynd 'nôl yn y cof i'r dyddiau cynharaf oll. Byddai'r doctor yn hala Gwydion 'nôl i'r gorffennol i weld pwy oedd e cyn bod yn Gwydion, gan esbonio bod popeth mae unrhyw unigolyn wedi ei deimlo neu ei wneud yn cael ei gadw rywle yn systemau'r meddwl, gan osod patrwm a sail i'r cymeriad sydd i ddod.

'Tra bod eich meddwl ar y foment yn dweud wrthoch beth i'w wneud, mae'r is-ymwybod yn dweud 'tho chi pwy y'ch chi. Chi'n cytuno?'

Allai Gwydion ddim cytuno'n hollol. Credai fod angen i ni anghofio nifer fawr o bethau; fel arall, byddai injan yr ymennydd yn chwythu lan wrth geisio storio gormod, ond dywedodd wrth y doctor bod ganddo feddwl agored.

'Nawr, cyn ein bod ni'n dechrau, dwi am sôn ychydig

wrthoch chi am y dechneg hon, oherwydd mae llawer o bobl yn meddwl ei bod hi'n nonsens llwyr. Galla i weld eich bod chi, Gwydion, yn amau'n fawr a oes unrhyw sail i hyn. Wel, mae'n rhaid derbyn bod popeth sy'n digwydd i ni'n cynnwys rhywfaint o emosiwn, boed yn dda, yn bositif, neu beidio. Chi'n cytuno?'

'Wela i ddim rheswm arbennig i anghytuno, Doctor,' meddai Gwydion. 'Maen nhw'n dweud bod walydd yn medru recordio emosiwn a'ch bod chi'n gallu clywed poen y tywysogion bach gafodd eu carcharu yn Nhŵr Llundain, neu Gwenllïan yn Sempringham. Mae'n rhyfedd meddwl am adeiladau, am furiau o garreg, fel peiriannau recordio, ond mae 'na lefydd trist yn y byd, sydd wedi amsugno poen a galar. Does dim adar yn canu yn Auschwitz, meddai rhywun unwaith. Aeth menyw o'r pentref i ymweld â'r lle dieflig unwaith, a dywedodd hi nad oedd yr un aderyn ar gyfyl y lle. Rhyfedd, ontefe? Ai dyna'r math o beth ry'ch chi'n feddwl, doctor?'

'Sylwadau cyfoethog, astrus a doeth, Gwydion. Mae 'na lawer o wirionedd yn perthyn i'r gosodiadau 'na. A'r emosiynau pwysicaf yw cariad ac ofn . . .'

'Nid cariad a chasineb? Dyna'r ddeuoliaeth y bydden i'n ei dewis.'

'Ond mae casineb yn tarddu o ofn. Mae hiliaeth yn tarddu nid o gasineb at hil arall, ond o ofn tuag ati.'

'Digon teg. Sori am dorri ar draws.'

'Nawr, mae bod dan hypnosis ar gyfer y profiad atchwelu – mae'n flin gen i swnio fel geiriadur – yn awgrymu bod emosiwn a phersonoliaeth yn bresennol pan y'n ni'n cael ein geni. Wrth i ni dyfu – hyd yn oed yn y blynyddoedd cynhara oll – ry'n ni'n ailbrofi'r emosiynau yma. Yn wir, erbyn i ni gyrraedd pum mlwydd oed, mae'r rhai negatif yn medru bod yn broblem, oherwydd os y'n ni'n teimlo rhywbeth negatif ddigon o weithiau, mae'n dechrau effeithio arnon ni'n gorfforol, er bod llawer o dystiolaeth sy'n dweud bod hyn yn cymryd hyd at ddeng mlynedd ar ôl y profiadau gwael. O diar, dwi wedi dechrau rhoi anerchiad i chi . . .'

'Tystiolaeth? Beth yw'r dystiolaeth go iawn am hyn oll?'

'Am y tro, bydd yn rhaid i chi dderbyn fy ngair i. Ond y math o beth sy gen i mewn golwg yw bod tymer yn achosi pennau tost, a bod ofn ac ansicrwydd yn arwain at broblemau 'da'r galon a'r frest. Mae'n bosib dangos y cysylltiadau 'ma i gyd, ond does dim amser nawr. Mae lot 'da ni i'w wneud bore 'ma, ond dwi eisiau i chi ddeall yn union pam y byddwn yn mynd ar y siwrne yma – wel, pam y byddwch *chi* yn mynd ar y siwrne yma.

'Mae'r meddwl yn storio gwybodaeth ac emosiwn yn union fel recordydd tâp, ond ta p'un, pan fydd y meddwl yn ailchwarae digwyddiad, mae'n gwneud hynny gyda'r emosiynau gwreiddiol yn chwarae'n ôl yr un pryd – galla i weld o'r ffordd mae'ch aeliau wedi codi eich bod yn ddrwgdybus o hyn. Ta waeth, os oes gennych chi'r mymryn lleia o ffydd yn yr hyn dwi'n ei ddweud, dylai hynny fod yn ddigon i ddwyn perswâd arnoch chi erbyn diwedd y sesiwn. Nawr 'te, ble o'n i? O ie, ro'n i'n esbonio'r cof. Yn yr un ffordd â'i bod yn amhosib newid yr hyn sydd ar y tâp, mae'n amhosib hefyd newid y cof gwreiddiol na'r atgof. Dim ond ei symud sy'n bosib, ei gladdu, efallai yn yr isymwybod. Nawr 'te, ry'ch chi wedi clywed am fywyd rhywun yn fflachio o flaen ei lygaid, efallai eiliadau cyn iddo farw . . .'

'Dwi wedi darllen am y ffenomen.'

'Ffenomen . . . gair da . . . wel mae hynny'n digwydd, fel ffilm o'r holl uchafbwyntiau a'r isafbwyntiau mewn bywyd. Eto, bydd yn rhaid i chi dderbyn fy ngair i am hyn, ond trwy hypnoteg mae'n bosib creu'r un ffenomen . . . ie, gair da iawn . . . a chreu bywyd cyfan, y cymhlethdod oll i gyd, o fewn eiliadau. Ie, eiliadau!

'Nawr, does dim rhaid i chi gael gwared o'r emosiynau hyn. Mae nifer yn dewis eu cadw, ond yn dysgu sut i'w rheoli. Hanner y frwydr yw sylweddoli eu bod yno. Mae rhai pobl yn *licio* dioddef – yn wir, mae rhai'n mynnu diodde, gan fod y *via dolorosa* yn well ffordd o fynd, yn eu tyb nhw. Y traed yn noeth ar y cerrig siarp . . .'

'Y *via dolorosa*?'

'Y ffordd sy'n arwain at y Groes. Yr un gerddodd Iesu.'

'O ie, digon o *doloroso* yn y fan honno . . .'

'Ond – ac mae'n ond mawr – os nad oes newid, does dim gwellhad. Nawr 'te, byddwch chi'n mynd yn ôl i'r hyn oeddech chi pan gawsoch chi'ch geni, oherwydd dyna un o'r profiadau mwyaf yn eich bywyd. Dyma'r un mae'n rhaid i chi ei ystyried wrth wneud y math yma o therapi. Ry'ch chi wedi byw o'r blaen, Gwydion, a gall y bywydau hynny frigo i'r wyneb. Mae'n sioc fawr i rai, yn ergyd i'w cred, neu i'r ffordd maen nhw'n deall y byd. Gawn ni ddechrau?'

Ystrydeb oedd yr hen wats efydd yn pendilio 'nôl a 'mlaen o flaen llygaid Gwydion i gyfeiliant miwsig Oes Newydd, yn llawn telynau a seiniau morfilod, a'r holl elfennau eraill sy'n gwneud y math yma o gryno-ddisgiau mor boblogaidd gyda hipis a phobl yn gwisgo crysau-T clymliwiedig.

'Ry'ch chi'n teimlo'n gysglyd iawn,' llafarganodd y doctor, ac roedd hyn yn hollol wir, oherwydd roedd Gwydion wedi bod ar ddi-hun hanner y nos yn dodi pum deg saith person i gysgu. Dywedodd y doctor fod ei ddwylo'n drwm fel plwm a bod ei lygaid yn gorfod cau nawr.

'Mae'n amser mynd i gysgu. Mae clustog gyfforddus o dan eich pen, ac ry'ch chi'n mwytho clustiau'r tedi bach 'na oedd yn rhannu gwely gyda chi bob nos pan oeddech chi'n iau. Mae'n amser mynd i gysgu nawr, Gwydion, a gadael popeth ar ôl ond chi eich hun. 'Na ni, cysgu'n ysgafn i ddechrau, a nawr bydd fy llais i megis yn dod o bell, ond er hynny rhaid i chi wrando'n astud arna i, oherwydd fi fydd yn eich tywys chi o hyn ymlaen. Chi'n gallu fy nghlywed i?'

'Gallaf.'

'Beth y'ch chi'n ei weld ar y foment?'

'Dim byd.'

'Siŵr? 'Sdim byd yn y pellter yn denu'r llygad?'

'Mae 'na rywbeth. Draw yn y pellter, rhyw hanner can llath i ffwrdd.'

Siaradai Gwydion drwy lond ceg o gwsg.

'Allwch chi ei ddisgrifio? Allwch chi fynd yn agosach i weld beth yw e?'

'Stribed o olau, fel llinell ar y llawr . . . fel golau'n dod o dan ddrws.'

'Oes drws i'w weld? Y'ch chi'n medru gweld drws, Gwydion?'

'Dwi'n credu 'nny. Drws mawr pren, bron fel drws castell. Fel castell Caernarfon.'

'Oes ffordd i fewn? Oes modd i chi fynd drwy'r drws? Cerddwch yn bwrpasol tuag ato. Oes handlen ar y drws?'

'Rwy'n credu bod. Mae 'na fwlyn, a galla i agor . . . Iesu gwyn!'

'Beth sy, Gwydion? Beth y'ch chi'n ei weld? Defnyddiwch yr holl eiriau sydd yn eich pen. Rhowch bictiwr clir i mi. Mae'n bwysig . . .'

'Goleuni anhygoel. Mae'n fy nallu i. Prin y galla i weld unrhyw beth ond y golau mawr 'ma yn boddi pob peth . . .'

'Y'ch chi'n cerdded, yn cerdded drwy'r golau? Oes 'na bobl eraill yno? Gwedwch beth sydd yno. Gwedwch wrthon ni.'

'Ydw, dwi'n mynd yn fy mlaen ac mae 'na siapau nawr, ond alla i ddim gweld yn union beth y'n nhw.'

'Cerddwch, cerddwch tuag at unrhyw beth sy'n denu eich sylw, unrhyw beth sy'n edrych fel petai'n werth ei archwilio. Mae'n bryd i chi ddilyn eich greddf nawr. Dim ond chi all gerdded y llwybr hwn, Gwydion, ond fe ddown ni ar eich ôl.'

'Mae 'na ddrws arall, i'r chwith. Dwi'n mynd draw ac yn agor drws i stabal . . .'

'Stabal, myn diain i! Ody e'n lle dymunol? Beth sy'n byw yn y stabal 'ma? Oes 'na anifeiliaid yno? Cwestiwn dwl: mae'n rhaid fod 'na anifeiliaid os taw stabal yw e. Pa anifeiliaid? Rhestrwch nhw. Cyfrwch nhw.'

''Sdim anifeiliaid. 'Sdim anifail ar gyfyl y lle, ond mae 'na ddigonedd o dystiolaeth eu bod wedi bod yma. Mae'n lle ffiaidd, arogl pisho ceffylau fel amonia yn yr awyr, a does dim arwydd bod unrhyw un wedi glanhau'r lle am hydoedd. Dyw'r bobl sy'n gofalu am yr anifeiliaid hyn ddim yn gofalu amdanyn nhw'n arbennig o dda. Maen nhw'n llac iawn eu gofal, a dweud y lleia. Fydde'r RSPCA ddim yn lico gweld y math yma o le. Gallech chi dynnu llun du a gwyn o'r bryntni a'r llanast yma, a'i ddefnyddio ar gyfer poster ymgyrchu yn erbyn y fath ddiffyg gofal.'

'Ond does 'na ddim anifeiliaid yn diodde? Dyna fyddai'n gwerthu ymgyrch o'r fath. Oes ceffylau i'w gweld? Cariwch ymlaen, Gwydion: chi yw ein llygaid ni. Disgrifiwch! Disgrifiwch!'

'Nid ceffylau sy'n byw yma, ond gwartheg. Ond dy'n nhw ddim tu mewn. Mae 'na filoedd ohonyn nhw tu allan. Mae'r lle fel ransh yn Nhecsas, a'r gwartheg i gyd wedi'u corlannu'n barod ar gyfer taith bell. Dwi'n cofio gweld rhaglen ddogfen abwytu un o'r rhain, y cowbois fel cacwn o'u cwmpas, wrth fentro'r holl ffordd i Montana. I gysgodion y Bitterroot. Dyna oedd teitl y rhaglen. *To the Shadow of the Bitterroot.* Mynyddoedd yw'r rheini.'

'Deall i'r dim. Ond am y tro, ife yn Nhecsas y'ch chi?'

'Na, yng Ngwlad Groeg, cyfnod y brenin Augeas.'

'Groeg? Diawl, mae'n anodd cadw lan. Y brenin beth? Beth oedd ei enw fe 'to?'

'Augeas, un o'r brenhinoedd hollbwerus 'na sy'n swnio fel petai'n gymeriad chwedlonol yn hytrach nag un hanesyddol. Mae ganddo fwy o ddefaid, gwartheg, teirw, ceffylau a geifr na neb arall yn y byd. Prin y gallwch weld gwelltyn ar eu meysydd pori. Mae cymaint o stoc ar y tir yma . . . O! Dyma nhw'n dod!'

'Pwy sy'n dod?'

'Y bugeiliaid a'r hwsmyn, wedi dod o rywle'n ddi-ffws a heb unrhyw rybudd i yrru'r gwartheg dan do am y noson. Cannoedd o ddynion yn trin yr anifeiliaid yn well nag y byddai dyn yn ei ddisgwyl, ac yn eu symud nhw yn eu blaenau.

'Maen nhw'n edrych arna i, ac mae'n amlwg eu bod yn disgwyl i mi lanhau'r lle. Fi! Dyna fy ngwaith i, glanhau'r cachu sydd dros bob man, wrth i'r anifeiliaid setlo a chael eu bwydo. Mae'n waith diddiwedd a diddiolch, bydda i yma tan Ddydd y Farn yn ceisio glanhau'r ddaear 'ma, sy'n llenwi â budreddi'n gorwedd ar ben yr hen fudreddi, a does neb arall yma i helpu. Ond galla i weld sianel draw fan 'na, rhywle i wthio'r holl gachu 'ma ond mae'r cyfan yn solet ar ôl blynyddoedd o ddifaterwch – sut gall y bobl yma wynebu'r fath ddrewdod? Mae'n anodd anadlu – ond os galla i lanhau'r sianel, yna bydd y stwff 'ma'n medru llifo i ffwrdd, fel afon werdd. O, petai gen i rywun, unrhywun i'm helpu . . !

'A nawr mae rhywun yn dod i'm helpu, fel petai rhywun wedi bod yn gwrando ar fy meddyliau ac yn ateb yn syth bìn. A dyma ni'n glanhau'r ffosydd, y ddau ohonom . . . O diar mi! Fe yw fy mab, Iesu pur! Mae gen i fab sy'n edrych fel fersiwn iengach ohona i – ac ry'n ni'n ei lanhau, yr holl dir 'ma, am y tro cyntaf ers hydoedd, ac mae'r budreddi a'r mochyndra'n dechrau llifo mor araf â lafa o losgfynydd, i lawr tua'r afon. Ond gallwn ni gyfeirio llif yr un afon ar hyd y gyfres o sianelau 'ma, ac mi all ddod i mewn i'r iard a sgubo hyd yn oed mwy o'r cachu i ffwrdd. Mae'r mab – 'na chi air rhyfedd ar wefus dyn sy ddim yn disgwyl dweud y fath beth – yn gwenu arna i fel tase fe'n browd o'i dad . . . ydy, mae e *yn* browd o'i dad, sy'n glanhau'r stablau.

'Arhoswch! Beth sy'n digwydd? Nawr mae'r brenin ei hun yn dod, yn wên o glust o glust, ond gwên ffals yw hi achos 'sdim bwriad yn y byd 'da fe i'n talu ni yr hyn sy'n ddyledus am ein holl lafur caled. Ry'n ni'n gwybod ei fod e'n talu hyd yn oed y bugail mwyaf hynafol, sy prin yn medru cerdded mwy na cham oherwydd cyflwr ei esgyrn. Roedden ni i fod i gael ein gwobrwyo. Rwy'n gwybod ein bod ni i fod i gael ein gwobrwyo am y gwaith rywsut. Dwedwyd hynny gan rywun, rwy'n siŵr o hynny. Ac mae'r brenin rhwysgfawr ddiawl yn dweud, os ydyn ni'n anfodlon â'r sefyllfa, y gallwn fynd gerbron barnwr a gall hwnnw benderfynu. Fel petai 'da ni arian i dalu am wasanaeth dyn y gyfraith!'

'Oes ffordd i ddatrys hyn heb gwympo mas â'r brenin? Rwy'n deall ei fod yn bwerus,' meddai'r doctor, ei lais yn swnio'n bell iawn i ffwrdd erbyn hyn.

'Ry'n ni yn y llys eisoes. Ni sy'n cynnig tystiolaeth gyntaf, ac mae'r barnwr yn gwrando ar ein hachos. Mae mab y brenin yn cynnig tystiolaeth hefyd, ac mae'n dweud wrth y barnwr bod ei dad wedi cytuno i dalu swm hael i ni am lanhau'r stablau.'

'Felly does dim achos bellach. Y'ch chi'n teimlo eich bod wedi ennill rhywbeth?

'Na. Dwi wedi colli'r brenin fel ffrind . . . fydd e byth yn ffrind i mi nawr.'

Er bod nifer o bobl yn y McMaster wedi ceisio esbonio'r ymweliad â'r stabal ryfedd, a stori Gwydion am y brenin a'i anifeiliaid, rhaid oedd disgwyl i'r Athro Jeremy Kruger ddadansoddi'r cyfan. Wrth iddo annerch cynhadledd flynyddol naratolegwyr America ym mhrifysgol Princeton yn 2011, dywedodd Kruger – a oedd erbyn hyn yn Athro Emeritws yng Nghaergrawnt – fod yn rhaid darllen y stori yn yr un ffordd â thasgau Ercwlff: 'It is only by seeing this story as essentially a retelling of one of the Herculean tasks that one can begin to get a sense of how deeply ingrained some of these myths were in the McGideon mind. He had read them as a young boy in the small library in his home village, where the resourceful librarian, Priscilla Evans, acted as an important tutelary spirit, introducing him to Greek, Roman and Celtic myths. If myth is, as one French writer put it, only very old gossip then Gwydion had listened to an awful lot of it, and learnt a great deal of this compelling gossip by heart . . .'

༄

Un noson, ymddangosodd Mostyn yn ystafell Gwydion gyda themtasiwn ar ffurf tabled borffor fechan yng nghledr ei law.

'Mae'n amser i ni adael fan hyn!'

'Ond gallwn ni adael unrhyw bryd ry'n ni eisiau . . .'

'Dyna beth maen nhw'n ei ddweud, ond allwn ni ddim gadael go iawn. Mae'r lle 'ma yn gymaint o garchar ag yw e o westy. Beth fyddai'n digwydd tasen nhw ddim yn medru gorffen eu hastudiaethau? A hwythau wedi derbyn symiau mor hael gan lywodraethau ym mhedwar ban byd. Beth am yr holl bapurau academaidd hynny i ledaenu'u gwybodaeth a bloeddio'u clyfrwch? Beth am yr arian dychrynllyd sy'n arllwys mewn i'r lle 'ma o goffrau cwmnïau mawrion fel SmithKline Beecham, a chewri fel Glaxo? Beth fyddai'n digwydd i'w cyfraniadau hael iawn nhw petai dim modd rhoi addewid i gyplau sy'n ceisio cael plant y gallen nhw gael rhai â thalentau anhygoel? Beth wedyn, Gwydion? Nawr, mae gen ti ddiddordeb mewn gwybod beth sy'n digwydd yn dy ymennydd di, lawn cymaint â'r holl glowns 'ma sy'n ein hastudio ni.'

Lot fawr o gwestiynau heb atebion, digon i ddrysu dyn, ac roedd Gwydion yn ei chael hi'n anodd deall beth oedd pwrpas yr holl gwestiynu a'r holl astudio.

Efallai mai oherwydd nad oedd Gwydion wedi gweld ei fam ers amser hir iawn, neu efallai oherwydd bod rhywfaint o galon rebel yn curo yn ei fron, neu o ran chwilfrydedd, neu jest oherwydd bod Mostyn wedi gofyn ar yr eiliad iawn – ond fe gymerodd Gwydion y bilsen a'i llyncu.

'Fydd dim byd yn digwydd am ychydig. Efallai y byddai'n syniad da i ti fynd am wâc fach cyn iddi dywyllu.'

Yn yr ardd, roedd y llwydni'n amsugno lliwiau'r blodau yn y borderi bach a amgylchynai'r lawnt. Canai mwyalchen yn rhywle, ei nodau arian pur yn swnio fel gof coblynnaidd yn taro morthwyl ar einion miniatur. Roedd pilipalod yn fflytran o gwmpas yn stumog Gwydion wrth iddo sylweddoli beth roedd e wedi'i wneud. Beth oedd ar fin digwydd.

Siaradai Mostyn yn dawel ag e, mewn llais isel, cysurus. Gwyddai fod y pethau hyn yn medru codi braw. Y tro cyntaf iddo fe'i hun gymryd LSD, roedd y profiad yn un annymunol, a dweud y lleiaf. Gwelai ei freichiau'n troi'n nadroedd ac yna'i ddwylo'i hun yn ceisio ymosod arno wrth iddynt droi'n ffangiau gwenwynig. Yna, ar ôl i'r ofn yma bylu, aeth Mostyn i lawr at lan yr afon yng nghwmni ei ffrind Matt, lle dechreuodd y ddau siarad ag ellyll oedd yn byw dan y dŵr.

Dywedodd y dyn bach rhyfedd y gallai'r ddau ohonynt ddod i weld ei gartref dan wyneb yr afon, gan ddangos iddynt y grisiau aur oedd yn arwain i lawr dan y llinad crythog a'r planhigion dŵr eraill i isfyd y shilgots a'r crethyll, lle roedd y corrach a'i fath yn byw ymhell oddi wrth ddynoliaeth.

Bu bron iddynt dderbyn ei wahoddiad a boddi'n sydyn

dan effaith y cyffuriau, ond roedd Matt yn hen law ar gyffuriau ac yn gwybod pryd i fod yn wyliadwrus. Gwyddai beth oedd yn rhith a beth oedd yn realiti.

'Awn ni o 'ma nawr, cyn bod y corrach yn cael ei ddymuniad a'n temtio ni i mewn i'r dŵr.'

'Ond mae'r dŵr mor glir a glas a chynnes. Byddai fe fel ymdrochi yn y môr ger Mawrisiws, oni fydde fe?'

'Na, jest ffordd oer o adael y bywyd hwn. Dere 'mlaen, Mostyn. Mae gen i un o hen albyms Captain Beefheart i wrando arno fe, a spliff bach i'w smocio. Gawn ni dreulio oriau digon pleserus yn gwneud dim mwy na hynny a bwyta Rolos.'

Oherwydd iddo gael nifer fawr iawn o brofiadau tebyg, roedd Mostyn yn medru gofalu am nofisiaid wrth iddynt ddechrau ar eu siwrneiau. Fe oedd meistr y profiad cyffuriau, wastad yn fodlon croesawu prentisiaid newydd i'w ddefodau seicedelig. A hyn er gwaetha'r ffaith ei fod mor ifanc.

Erbyn i Mostyn a Gwydion gyrraedd y *gazebo* lawr ar bwys y llyn hwyaid, roedd pethau'n dechrau edrych yn siarp. Popeth yn glir iawn, popeth yn eglur. Eisteddodd Gwydion a dechrau astudio'r gwenoliaid duon yn nyddu tapestri anweladwy uwchben y dŵr, yn casglu clêr a phryfed bach yn eu cegau, y trapiau agored oedd yn torri drwy'r hwyrddydd fel rhwyd. Y sgrechian dieflig wrth iddynt basio, crymanau eu hadenydd yn gwneud sŵn cythymau bach. Clywai Gwydion bob peth. Sŵn y pryfed bach yn cael eu tynnu i ogofâu y cegau bychain, eu sgrechiadau diwedd oes. Telor yr ardd yn canu cân fach dyner i ffarwelio â'r goleuni draw mewn rhyw lwyn, y dail ar dân gyda golau diwedd dydd, rhimynau o arian a choch-lliw-mefus, ac aur a gwyrdd metalig. Machlud

Fujicolor, ond y lliwiau ddim cweit yn iawn, a thamed bach gormod o gemegau yn y mics.

'Beth am eistedd fan hyn am ychydig? Bydd y machlud yma'n *sensational*, cred di fi.'

Ac *roedd* e'n anhygoel, yn enwedig pan ddechreuodd Gwydion fedru blasu'r hyn roedd yn ei weld. Blas licoris y cymylau duon yn dod i mewn o gyfeiriad Exmoor a Dyfnaint, blas cwrens duon y tonnau bach ar y llyn a aflonyddwyd gan Lefiathanau o garpiaid yn swpera – pysgod a gyflwynwyd i'r llyn yn nhridegau'r ganrif ddiwetha ac a fu'n pesgi'n braf fyth ers hynny, gan dyfu nes eu bod gymaint â sybmarîns.

A gallai Gwydion weld y synau hefyd – y pysgod yn torri wyneb y dŵr wrth fwydo mewn cylchoedd Olympaidd o bob lliw, wedi'u cysylltu â'i gilydd. Hawdd fyddai defnyddio'r gair 'rhapsodi' am yr hyn oedd yn digwydd yma. Teimlai fel petai carpedi'n cael eu codi o'i feddwl, a chyn hir roedd wedi gadael ei ffrind ar ôl yn y *gazebo*, wrth i'w gorff lwyddo i goncro disgyrchiant a hedfan yn rhydd, fel balŵn lliw lafant. Codai'n sicr nawr, gan adael Cymru ac Ewrop a thorri drwy'r stratosffêr a'r sêr – heibio Upsilon, Ori a Thabit, enwau'n blasu o sherbet a lemwn ac yn ei ddallu i ddechrau, gan bod cymaint ohonynt yn disgleirio ac yn pefrio yn y ffurfafen ddi-ben-draw. Ond, yn anffodus, roedd Siriws hefyd i'w gweld yn amlwg, seren y pla. Arwydd o bethau gwael i ddyfod.

Dechreuodd fwrw glaw, er nad yn y rhan bell o'r bydysawd lle roedd Gwydion yn pererindota. Ond gallai glywed o bell, hanner cant o flynyddoedd goleuni i ffwrdd, lais ei ffrind yn awgrymu cysgodi rhag y glaw oedd wedi dechrau disgyn yn drwm wrth i'r cymylau lliw llusi duon bach groesi'r tir mawr i arllwys eu cargo gwlyb.

Yn y *gazebo*, cafodd Gwydion gyfle i edrych ar ddynion bach mewn siwtiau rwber yn syrffio i lawr y dafnau glaw, a gwelodd ambiwlans yn troi i mewn i ddreif yr ysbyty gyda'i deiars ar dân, a'r gyrrwr wedi'i wisgo fel Siôn Corn – priodol iawn, gan mai ceirw oedd yn tynnu'r ambiwlans. Blydi hel, am dabledi!

Gan fod ei ffrind Mostyn yn brysur ei hun, yn teithio mewn sampan rywle yn y dŵr ger nendyrrau Hong Kong yng nghwmni Barbra Streisand, doedd gan Gwydion neb i rannu'r profiadau hyn gydag e. Doedd ganddo ddim syniad pa mor hir y bu ar y trip, ond roedd yn ymwybodol bod rhywbeth yn newid: ei ymwybyddiaeth ohono'i hun, efallai.

Setlodd pethau i ryw fath o normalrwydd unwaith yn rhagor. Daeth y pili-palaod yn eu holau, i gorddi'n nerfus y tu mewn iddo, ac fel mae'n digwydd roedd ei ffrind cyffur-brofiadol yn dechrau ei gym-down yntau. Teithwyr yn cyrraedd gartref heb fynd i unman. Brodyr mewn profiad. Asid-wyr gyda'i gilydd.

Cysgodd Gwydion yn ddwfn y noson honno, er bod ei freuddwydion yn llachar, a byddent yn parhau'n fwy llachar am fisoedd i ddod. Ambell waith byddai'n cael profiad annaturiol o liwgar, ac yntau'n hollol effro.

Pan gafodd Gwydion ei alw i weld Kramer yn y bore, teimlai'n syth fod a wnelo hyn rywbeth â'r cyffuriau. Yn wir, pan aeth i mewn i'w stafell roedd golwg ddifrifol iawn ar wyneb y doctor.

'Mae gen i newyddion gwael i ti. Mae'r cythraul sydd wastad yn gysgod i ti wedi gwneud rhywbeth ofnadwy.

Ac mae 'na deimlad na allwn ni dy gadw di'n saff yma, yn enwedig ar ôl i'r dyn gwallgo 'na ddianc o drws nesa a lladd plisman a cheisio bwyta un arall. Felly ry'n ni am dy symud di, er mwyn dy ddiogelwch dy hunan. Mae'r *powers that be* yn credu y bydd yn haws cadw llygad arnat os wyt ti'n ôl adref. Dwi ddim yn cytuno 'da nhw o reidrwydd, ond rhaid imi dderbyn yr hyn maen nhw'n ei ddweud. Cadwa dy hun yn ddiogel, Gwydion, a dos i ddweud ffarwél wrth Mostyn. Bydd e'n gweld dy eisiau di. Yn enwedig nawr, ac yntau wedi dod o hyd i ffrind newydd ar gyfer ei hobis bach e . . .'

Aeth Gwydion draw yn syth i weld Mostyn, ond roedd e'n dal ar daith, ac nid o reidrwydd yn y bydysawd hwn. Sgrifennodd Gwydion nodyn bach syml iddo gan addo y deuai'n ôl i'w weld. Yna aeth i bacio'i ges, a mynd at y car fyddai'n ei gludo adref. I gwrdd â'i fam, ei dad, a'i nemesis.

Manhunt

YN EU PENCADLYS yn Washington DC, roedd rhai o swyddogion mwyaf profiadol yr FBI yn gweithredu cynllun Total Net, oedd yn debyg i roi All Points Bulletin mas yn yr hen ddyddiau: neges i fynd i bobman, at bob asiant, heddwas a gweithiwr i'r llywodraeth. Gwifrau o densiwn yn hymian yn ddi-stop. Paneidiau o goffi du yn bwydo'r nerfusrwydd. Mynnai rheolau TN fod pob asiant ym mhob talaith yn rhoi blaenoriaeth i ddal y person dan sylw. Gan amlaf, byddai'r gorchymyn i ddefnyddio'r TN a'r holl adnoddau dynol oedd ynghlwm ag ef yn dod o rywle uwch na hyd yn oed pennaeth yr FBI. A'r targed dan sylw? Roedd y negeseuon a fflachiai ar sgriniau o Alasca i Albuquerque yn cadarnhau bod yr FBI yn bwriadu canolbwyntio ar ddal un Reginald Ebenezer, Cymro chwe deg pum mlwydd oed, a'u bod yn fodlon defnyddio pob grym a gwybodaeth yn eu meddiant i ddal y llofrudd. Yn yr hen ddyddiau byddent wedi defnyddio'r geiriau 'Shoot to Kill', ond y dyddiau hyn roedd yn rhaid iddynt aralleirio'r hawl. 'Maximum Force Permitted'. Ie. 'Maximum Force'.

Pam felly? Pam mynd ar ôl yr un llofrudd arbennig yma, a digonedd o lofruddion eraill ar hyd y lle? Nid aeth yr FBI cyfan ar ôl Son of Sam, Jeffrey Dahmer na Ted Bundy. Hawdd oedd ateb y cwestiwn wrth edrych i lawr draen storom a redai wrth ymyl Parc Grant yn ninas Chicago. Yno, ymhlith y budreddi, tu ôl i'r tâp Crime Scene ac o dan y tarpolin plastig, gallech weld bwndel o ddillad, y math o beth y byddech yn ei weld wedi'i adael tu allan i ddrws siop Goodwill. Ond roedd y bwndel yma'n wahanol gan fod pob dilledyn yn shwps diferol o waed, a'r bachgen bach oedd wedi'i lapio yn y dillad yn gelain, fel lindysyn mewn cocŵn marŵn. A nai yr Arlywydd oedd hwn.

Fe ddewisodd Ebenezer y truan hwn yn bwrpasol oherwydd ei fod wedi teimlo'i bŵer yn cynyddu, yn gwybod ei fod yn fwy cyfrwys na jacal, yn gryfach nag unrhyw feidrolyn, yn medru arogleuo plisman o hanner milltir o ffwrdd, ac wedi lladd dau gop ifanc yn Elk River, Minnesota jest er mwyn profi ei fod yn medru gwneud rhywbeth felly'n ddidrafferth, heb unrhyw obaith o gael ei ddal. Man a man iddyn nhw geisio dala gwlith y bore, neu faglu'r haul. A hyn er gwaetha'r ffaith fod gan Ebenezer y math o wyneb na ellid ei guddio, er gwaetha'i farf drwchus a'i wallt hir fel hen hipi. Byddai rhai yn y cyfryngau'n ei gymharu â Leatherface, un o'r teulu canibalistig yn y ffilm *Texas Chainsaw Massacre*, yr un oedd ag wyneb a edrychai fel petai rhywun wedi gwnïo darnau o grwyn anifeiliaid at ei gilydd.

Ym mhob porthladd yn America, o Searsport ar Fae Penobscot, i San Diego, o New London i Longview, tynnwyd rhaffau'r rhwyd yn dynn. Ym mhob maes awyr, gan ganolbwyntio ar y rhai yn ardal Chicago – O'Hare, Midway, Rockford, Aurora, Clow a Waukegan – roedd swyddog arfog yn archwilio manylion pob teithiwr yn ofalus. Er bod pawb yn gytûn y byddai'n hawdd iawn adnabod rhywun mor hyll ag Ebenezer, rhaid oedd cofio ei fod wedi llwyddo i ddianc o'r motel wrth ymyl y Carefree Highway y tu allan i Phoenix, er bod y lle wedi ei amgylchynu gan lu o heddlu lleol, hofrenyddion yn brysur fel gwenyn yn yr awyr uwchben y lle, a thimau SWAT ar bob to cyfagos.

Yn y Tŷ Gwyn, cerddai'r Arlywydd yn niwrotig o'r naill ochr o'r Oval Office i'r llall gan deimlo fel y dyn mwyaf unig yn y byd. Yn sicr doedd ganddo ddim pŵer. Na, roedd y pŵer hwnnw wedi diflannu, ac yntau'n gorfod helpu'i frawd i gladdu'i fachgen bach.

Erbyn hyn, roedd y nifer o gyrff a adawsai Ebenezer yn gelain wedi cynyddu'n ddychrynllyd, ac roedd ei afael ar y dychymyg cyhoeddus yn ffynnu.

Byddai rhieni gwael yn dweud pethau fel, 'If you don't go to sleep right now, Ebenezer will come to see you.'

Bloeddiai tudalennau blaen papurau dyddiol fel *USA Today* benawdau megis 'Devil Stalks America', tra bod rhai wedi ceisio bathu enw iddo. The Ghost Killer. The Welsh Death. World's Most Evil.

Penodwyd sawl gohebydd arbennig ar y sianeli cêbl, i gwmnïau fel Bloomberg, ac i asiantaethau casglu a dosbarthu newyddion megis Reuters, i wneud dim byd ar wahân i roi sylw i bob sgrapyn o wybodaeth ynglŷn ag Ebenezer. Doedd dim rhyfedd, felly, bod nifer ohonynt wedi teithio draw i Gymru i geisio olrhain hanes y ciper.

Gwelwyd lluniau o farmor drylliedig bedd ei chwaer, Mrs Lazarus, ar deledu oriau brig. Darlledwyd cyfweliadau rhwng Larry King a phlismyn o Heddlu Dyfed Powys oedd wedi ymchwilio'r llofruddiaethau cyntaf – y nyrs yn y coed, a'r chwaer a gafodd ei bwtsiera. Roedd hyd yn oed newyddiadurwyr hynod brofiadol, rhai oedd wedi gweld erchyllterau'r Congo neu Irác, wedi chwydu'n ffyrnig wrth weld tystiolaeth o'r hyn a wnaeth y dyn yma i'w chwaer.

A daeth ambell un i'r casgliad nad dyn oedd e, ond bwystfil o ryw fyd arall, oherwydd doedd dim byd i esbonio pam fod y dyn yma'n rhydd, ac yn medru lladd mewn ffyrdd . . . wel, mor greadigol, heb arwydd o gwbl y gallai rhywun ei ddal. Cysgod oedd e. Rhith. Hunllef ar y ffordd.

Ambell waith byddai Ebenezer ei hun yn darllen un o'r papurau 'ma, gan wenu'n ddieflig. Doedd yr un o'r newyddiadurwyr pathetig yma'n sylweddoli beth oedd yn mynd trwy'i ben tra oedd e'n lladd. Wastad, wastad, wyneb Gwydion. Bob tro y byddai'n poenydio ryw pwr dab, a gwrando arno'n sgrechian yn uchel, byddai Ebenezer yn gweld wyneb Gwydion McGideon o'i flaen.

Ond roedd holl waith yr FBI ac Interpol, y chwilio dyfal, y sgrinio, a'r plismyn yn y porthladdoedd – heb sôn am y paranoia cyhoeddus – yn ofer, oherwydd roedd Ebenezer wedi mynd ar ei wyliau. Roedd yn treulio chwech wythnos yn dod ato'i hun ar ôl sesiwn ddeugain awr soled o lawdriniaeth dan ofal Dr Eugenio Morales, y llawfeddyg cosmetig gorau yn America. Roedd hwnnw wedi gorfod gwneud ei orau glas i greu wyneb derbyniol i Ebenezer am fod y cnaf wedi herwgipio'i ferch, Mabel.

Ar ôl gwneud y trefniadau ar ffôn symudol, a daflwyd yn syth i'r afon wedyn, aeth Ebenezer â chasgliad o luniau o'r actor Burt Lancaster gydag e i glinig Dr Morales, lle crand yn y mynyddoedd uwchben Denver, Colorado. Bu raid i Morales feddwl am esgus da i roi i'w staff – doedd hyd yn oed yr anaesthegydd ddim yn gwybod pwy oedd dan y gyllell – pam na fyddent yn cael gweld y claf yn iawn.

Ar ôl wyth awr o waith diflino, dechreuodd trwyn tebyg i un Burt Lancaster yn y cyfnod pan oedd e'n ymddangos

mewn ffilmiau megis *Gunfight at the O.K. Corral* gymryd
siâp.

Grafftiwyd croen o rannau eraill o gorff Ebenezer, y pen
ôl a'r coesau, ac am y trydydd tro mewn hanes, defnyddiwyd
croen oddi ar racŵn byw ar y gên a'r bochau, gan roi'r dewis
i'r claf fedru tyfu barf drwy'r croen newydd pe byddai'n
dymuno, er bod y blew yn wydn iawn, ac roedd angen
defnyddio raser newydd sbon bob bore.

Pan dynnwyd y rhwymau oddi ar wyneb Ebenezer, roedd
golwg syfrdan ar wyneb y doctor. Dyma Burt Lancaster yng
nghyfnod *Elmer Gantry* a'r *Birdman of Alcatraz*, wyneb actor
hyderus, corfforol. Roedd yn rhaid i Dr Morales gyfaddef,
er bod ei gorff yn crynu o flinder a phryder ynglŷn â'i ferch
fach, ei fod wedi gwneud rhywbeth gwyrthiol gydag wyneb
Ebenezer.

Am y tro cyntaf yn ei fywyd, gadawodd Ebenezer i ferch
Dr Morales fynd yn rhydd, ond nid cyn gwneud yn hollol,
hollol siŵr na fyddai Morales yn sôn gair wrth neb. Torrodd
ddarn bach o glust y ferch – fel nod dafad – gan addo y
byddai llawer mwy o dorri'n digwydd petai Morales yn
gadael y gath o'r cwd.

Ac yna dychwelodd i Gymru, gyda chynllun pendant yn
ei ben.

Petai e'n lladd y storïwr gorau yn y byd, yna *fe* fyddai'r
stori. Fe, Ebenezer, fyddai'n berchen y stori fawr. Ei stori e,
hanes bywyd Ebenezer, fyddai'r un i oroesi. Byddai drwg
wedi concro'r da, a'r strygl Manicheaidd ar ben ar ôl yr holl
ganrifoedd.

Felly, hwyliodd dyn a edrychai'n debyg i Burt Lancaster,
circa 1960, ar fwrdd llong gan gadael Bridgeport, Connecticut

ar ei ffordd drwy Rotterdam i Felixstowe. Roedd ei enw newydd yn ei basport ffug yn swnio fel un Fflemaidd, jôc fach ddieflig ar y byd. Gwas Yves Diafol, morwr ar ei ffordd adref i Ghent. Wedi'i fedyddio gan Beelzebub.

Bu raid i'r morwr ffug weithio ar y fordaith, a dŵr y môr yn chwarae'r diawl â'i hen esgyrn. Bob hyn a hyn teimlai chwant lladd, yr hen newyn yn llenwi'i ysbryd â gwacter, ei galon fel llyn oer, neu bydew du. Un noson aeth ei reddf yn drech nag e, a bu'n rhaid iddo drywanu un o'r morwyr Ffilipino y tu ôl i un o'r cychod achub a'i dagu'n dawel ac yn hir, cyn llusgo'r corff a'i daflu i'r siarcod. Bellach, roedd ebychiadau marw rhywun yn fath o fiwsig yn ei glustiau, a'r boen yn felodi.

Penderfynodd y llwynog aros yn Rotterdam am ychydig ddyddiau i gynllunio'i gamau nesa. Danfonodd gerdyn post gyda llun o un o'r pontydd mwyaf dros y Niewe Maas at rieni Gwydion, gan wybod bod hynny'n ffordd dda o gael y neges ato, a rhoi llond bola o ofn i'r tri ohonyn nhw yn y broses. Byddai wedi hen symud ymlaen cyn bod y garden yn cyrraedd a dim cyfle 'da'r heddlu i'w ddal.

Yfai Ebenezer goffi sur, cryf bob bore wrth gynllunio sut y byddai'n lladd Gwydion. Cyflymai ei galon dan effaith bob *espresso doble*. Yn ystod yr wythnos lawn a dreuliodd mewn gwesty syml ar stryd dawel ar Noordeiland, ystyriodd sawl posibilrwydd. Un dydd ffafriai *garotte*, darn o wifren debyg i'r hyn y byddech yn ei ddefnyddio i dorri caws, a allai dorri trwy wddf hyd at yr asgwrn cefn yn chwim a disymwth. Ond byddai'n anodd gwneud hynny ac edrych i fyw llygaid Gwydion ar yr un pryd, gan mai o'r cefn y defnyddid y *garotte*, ac i Ebenezer roedd hynny'n lleihau'r pleser a gâi wrth ladd.

Gweld yr ofn yn cronni yn y llygaid. Y sylweddoliad bod y gêm ar ben. Taw Ebenezer oedd wedi ennill y dydd.

Crwydrai'r ddinas bob nos, yn cael ei ddenu i'r ardal golau coch, at y menywod oedd yn edrych fel pryfed rhyfedd yn eu lledr a'u rwber. Un wedi'i gwisgo fel lleian. Un arall fel merch ysgol. Un yn gwau, yn ddi-hid o'r dynion tu allan, yn aros i un ohonynt ganu'r gloch gan obeithio y byddai ganddi ddigon o amser i orffen y sgarff cyn bod hynny'n digwydd.

Gwenai rhai o'r menywod yn optimistaidd ar Ebenezer, ac ambell waith anghofiai ef ei fod yn edrych dipyn yn iau, ac yn sicr yn fwy deniadol gyda'i wyneb newydd. Wedi'r cwbwl, roedd Burt yn rêl 'ladies man', on'd oedd e? Ond roedd e bellach yn rhy hen ar gyfer y sothach carwriaethol yma a cherddodd ymlaen yn bwrpasol, ei ben i lawr, yn meddwl yn freuddwydiol am sut i achosi'r boen fwyaf, a gwneud yn siŵr bod y boen honno'n para'n hir, a diwedd bywyd y storïwr yn digwydd yn ddramatig ac yn araf. Gallai Ebenezer ei hun farw wedyn, yn hapus o'r diwedd, er y gwyddai nad hapusrwydd oedd y gair cywir. Byddai wedi llwyddo i fwydo'i chwant am falais am unwaith.

Lwcus nad oedd 'na adolygydd ffilmiau, neu rywun oedd yn ffan o'r hen ffilmiau Americanaidd, yn gweithio ar Passport Control yn nociau Felixstowe y diwrnod hwnnw. Doedd neb, felly, wedi sylweddoli bod dyn gydag wyneb Burt Lancaster wedi glanio ym Mhrydain, na neb chwaith wedi sylweddoli taw pasport ffug oedd ganddo. Ni sylwodd neb chwaith fod ganddo farc ar ei law fel yr un oedd gan y llofrudd roedd pawb yn America yn ceisio'i ddal – yn enwedig nawr bod nai yr Arlywydd wedi'i gladdu, a'r teulu truenus wedi ymddangos ar bob gorsaf deledu yn gofyn am help i ddal y diafol oedd yn gyfrifol am wneud y fath erchylldra i'w mab bach.

Llwyddodd Ebenezer i gael lifft gyda gyrrwr lorri oedd yn mynd cyn belled â Telford. Roedd y dyn yn berffaith hapus i rannu'i gab gyda rhywun oedd mor dawel â mynach. O Telford, bodiodd Ebenezer ei ffordd i'r Trallwng, lle penderfynodd ddanfon neges arall at Macs McGideon. Y tro hwn anfonodd gath farw – a'r perfedd ar wahân mewn jar wydr – mewn bocs, Next Day Delivery. Jest arwydd bach.

Darllenodd Macs y geiriau ar y cerdyn i'w wraig. Ceisiodd osgoi gorfod dangos beth oedd yn y bocs.

'Yn dod cyn hir. Peidiwch â dweud gair wrth neb. Mae hyn yn bersonol, rhwng Gwydion a fi.'

Dim llofnod. Doedd dim angen llofnod.

'Beth ar ddaear y'n ni'n mynd i wneud nawr, Macs?' gofynnodd Martha, ei stumog yn sur ag ofn.

'Mae'n rhaid i hyn ddod i ben unwaith ac am byth. Allwn ni ddim gadael y byd 'ma yn becso y bydd y bwystfil yn troi lan un diwrnod ac yn lladd ein mab ni. Galla i ei helpu fe nid yn unig i wrthsefyll, ond i orchfygu ac i fod yn orfoleddus. Mae'n rhaid cael gwared ar yr ofn. Mae'n rhaid cael gwared ar Ebenezer.'

'Ond Macs, Macs, ry'n ni wedi clywed pethau mor ofnadwy am y dyn 'ma, os allwch chi ei alw fe'n ddyn. Mae 'na rywbeth anifeilaidd abwytu fe, rhywbeth . . . wel, tu hwnt i'n hamgyffred ni. Efallai taw fe yw'r Diafol.'

'Os taw e, mae angen dysgu gwers i'r Diafol.'

'Ond Macs, sut gall dyn sy wedi ymddeol o'i waith ar

y rheilffordd ers deng mlynedd, a dyn ifanc fel Gwydion, ddelio 'da fe? Dyw gallu adrodd straeon yn dda i ddim ambell waith. Yn dda i ddim.'

'Drwy ffydd. Ffydd . . . a lot, lot fawr o ymarfer.'

Yna gwelodd Martha beth oedd wedi cyrraedd yn y post, ynghyd â'r garden.

'Iesu gwyn! Beth yw hwnna?' Syllodd ar groen gwaedlyd y gath farw, ei llygaid ar goll, ei horganau'n swp lliw marŵn yn y pot jam oedd yn y bocs carbord.

Ceisiodd Macs wneud jôc o'r peth, ond heb fawr o lwyddiant.

'Roedd yn rhaid i fi arwyddo am hwn 'da'r postmon,' meddai Macs, gan siglo'i ben mewn rhyfeddod at yr hyn oedd yn digwydd i'w fyd bach tawel.

Ar un adeg, yr unig beth roedd yn rhaid i Macs fecso yn ei gylch oedd beth i'w wneud petai'r trên i Aberdaugleddau'n rhedeg yn hwyr, neu bod olwyn ar un o'r wageni ar y ffordd lan i Gwm Gwendraeth wedi mynd yn sownd. Ond nawr roedd seicopath yn hala darnau o gathod ato drwy'r post ac yn dweud ei fod am ladd ei unig fab. Byddai Macs yn berffaith fodlon marw ei hunan, aberthu'i hun dros Gwydion, ond gwyddai na fyddai hynny'n ddigon i Ebenezer. Byddai'n rhaid i Gwydion ei hun ei wynebu fe, a gwyddai Macs y byddai hyn yn digwydd cyn bo hir. Roedd hynny'n amlwg iddo gan fod y negeseuon wedi bod yn cyrraedd yn llawer mwy aml. Yr unig beth y gallai ei wneud nawr oedd hyfforddi Gwydion. Ei baratoi. Dyna'r unig ffordd y gallai helpu ei fab.

Ond roedd gwaeth i ddod yn y post. Drannoeth, cyrhaeddodd amlen fach frown yn cynnwys trwydded yrru dyn canol oed o'r enw William Frith, a dim byd arall.

'Mae'n rhaid i ni wneud rhywbeth – dweud wrth yr heddlu abwytu hyn. Mae'n siŵr ei fod e wedi lladd y Mr Frith 'ma. Allwn ni ddim cadw hyn i ni'n hunain. Allwn ni ddim!' Roedd Martha wedi dod i ben ei thennyn.

Edrychodd Macs ar y llun bychan ar y ddogfen dan ei sêl blastig: gên dan haen o fraster, sbectol ac iddi ffrâm drwchus. Wyneb y dyn oedd yn gorwedd mewn ffos y tu ôl i'r gwasanaethau 24-awr y tu allan i Telford. Gwyddai Macs y dylai wneud rhywbeth, ond er mwyn rhyddhau Gwydion o gadwyni ofn byddai'n rhaid iddo edrych i fyw llygaid y Diafol. Roedd hwnnw bum deg a thair o filltiroedd i ffwrdd, yn gyrru ar gyflymdra o chwe deg milltir yr awr, a goleuadau'r car yn fflachio semaffor wrth iddo yrru trwy goedwig drwchus.

Pum deg a thair milltir i ffwrdd oddi wrth Gwydion. Fi'n dod, gwd boi. Wytsha di mas, er mwyn yr Arglwydd, wytsha mas.

Byth ers i'r gath farw gyrraedd, roedd Gwydion wedi bod yn dysgu sut i edrych ar ei ôl ei hun.

Prin bod Macs yn medru cerdded heb help ffon, ond roedd yn fodlon treulio oriau bwygilydd yn sefyll allan yn Cae Top yn rhoi cyfarwyddyd i'w fab ynglŷn â sut i ddelio â'r dyn dieflig oedd yn dod i'w niweidio. Gwyddai Macs na allai wneud dim mwy na hyn.

Dechreuodd trwy ddangos sut i ddefnyddio gwiail reis *nunchaku*, ac unwaith roedd y pâr o brennau wedi'u clymu yn ei ddwylo â chadwyn fer, teimlai Macs yr hen allu'n dod 'nôl, wrth iddynt droi yn ei ddwylo. Gwyddai, er nad oeddent yn pwyso rhyw lawer, y gallent wneud niwed mawr i hen fastard salw fel Ebenezer. Anodd oedd deall pam fod y dyn yn casáu Gwydion gymaint, yn enwedig o ystyried pa mor ddiniwed oedd y dyn ifanc. Teimlai Macs hynny nid yn unig oherwydd ei fod yn fab iddo, ond oherwydd bod pawb yn cytuno bod ganddo galon dda a haelioni rhwydd.

'Hwra. Gafaela yn y rhain, a gawn ni weld sut hwyl gei di wrth eu defnyddio. Gad iddyn nhw lifo, yn rhan o dy nerth, ac yn dilyn pob symudiad. Defnyddia'r rhain nes dy fod yn teimlo'n hyderus, ac wedyn fe allwn ni roi cynnig ar rai mwy siarp. Yr un yn dy law dde ar y foment yw'r ddraig, a'r un yn dy law chwith yw'r *yang*. Teimla eu pwysau nhw . . . mae'r ddraig damed bach yn drymach na'r *yang*, ond pan wyt ti'n eu defnyddio nhw, dylet ti dreial gwneud yn siŵr bod y ddau'n gweithio fel petaen nhw'n gyfartal o ran pwysau.'

Bu'n bwrw glaw'n gyson wrth i'r dyn ifanc a'i dad oedrannus weithio gyda'r *nunchaku,* a chyflymder y prennau'n cynyddu wrth i Gwydion weithio'n galetach ac yn galetach. Yn ei feddwl, dychymygai weld pen erfinen Ebenezer yn gwenu arno'n haerllug, wrth gofio am y ffordd anhygoel y cafodd Mrs Lazarus druan ei lladd. Cofiai'r hen fenyw yn ei rybuddio ynglŷn â'i brawd. Ac yn y glaw, yn Cae Top, yn nghwmni ei dad methedig, deallodd pam roedd hi mor bendant. Roedd e'n dod. Ebenezer. Roedd e ar ei ffordd. Fe a'i ddwylo'n diferu o waed. Clywai lais yr hen fenyw'n sisial ar y gwynt. *Bydda'n ofalus, 'machgen glân i. Mae ganddo iâ yn ei galon.* Cleddyf o iâ wedi'i suddo'n ddwfn yn ei galon.

Ceisiai Macs ddychmygu ei fab yn symud ar draws gwlybaniaeth y gwair drwy wrando'n astud iawn, iawn. Gwrandawai ar rythmau ei draed ar y ddaear wrth iddo symud. Dyn yn wynebu'i gysgod ac yn ei ymladd, gan wybod bod llif i'r cyhyrau wrth i'r corff droi, wrth i ddyn blygu'i goesau, wrth i'r gwiail llethol dorri darnau o'r awyr.

"Na ti, gwd boi, ffrwyna dy hun, tynna'n ôl, symuda o'r ffordd, teimla dy wrthwynebydd o dy flaen, ond paid â bod ofn. Gwna'n siŵr fod pob symudiad yn dod i mewn i'r corff, nid yn mynd i ffwrdd oddi wrtho. Oherwydd fe fyddi di'n symud yn gyflymach na'r hen fastard, a bydd y prennau bach yn siarp, gydag ochrau newydd, metel.'

Ond hyd yn oed wrth i Macs feddwl hyn, teimlai amheuon ynglŷn â'r hyn oedd o flaen Gwydion, oherwydd roedd hyd yn oed y wlad fwyaf pwerus yn y byd wedi methu dal yr hen foi, y llwynog 'na.

Gwawriodd y bore pan fyddai'r ddau yn cwrdd. Roedd yn eitha tebyg i'r olygfa honno yn yr hen ffilm *Barry Lyndon*, lle mae'r arwr yn mynd allan i ymladd gornest wrth i'r haul godi. Hyd yma, llwyddodd Macs i atal Martha rhag ffonio 999, ond petai hi'n gwybod i ble roedd Gwydion yn mynd y diwrnod hwnnw, byddai wedi ffonio'r heddlu, y gwasanaeth tân, NATO . . . unrhyw un allai helpu.

Cyrhaeddodd y neges dyngedfennol y bore cyn hynny. Cyfres o rifau ar gerdyn, cyfeirnod map Ordnans i ddweud ymhle yn union y byddai Ebenezer yn aros amdano. Pan sylweddolodd Gwydion y byddent yn cwrdd yn yr union fan lle gwelsant y boda tinwen yr holl flynyddoedd yn ôl, collodd ei galon guriad – rhybudd o'r tu mewn i'w gorff ei hun. Nid oedd Macs yn bwriadu dangos y cerdyn i'r heddlu. Nid y tro hwn.

Yn Washington, roedd embaras yr FBI mor ddwfn nes bod y Cyfarwyddwr wedi ymddiswyddo ar ôl diwrnodau o orfod wynebu penawdau gwawdlyd y papurau newydd yr holl ffordd o Efrog Newydd i Seattle. Doedd hi ddim yn hawdd iddo ddarllen am y 'Federal Bureau of Idiocy'. Neu weld cartŵn ohono'i hun yn edrych fel un o gymeriadau Raymond Chandler – delwedd o dditectif clasurol gyda chot law a sigarét – ond bod gan hwn glustiau asyn. Dim rhyfedd iddo ddewis y Long Goodbye trwy gamu oddi ar bont i ddŵr y Potomac.

'Ti'n iawn?' gofynnodd Macs, gan sylwi bod ei fab yn edrych yn welw iawn. A dim rhyfedd. Nid oedd Gwydion wedi cysgu winc, yn aros ar ddi-hun rhag ofn i Ebenezer gerdded i mewn i hawlio'i hunllefau. Gwyddai fod rhywbeth erchyll wedi cyrraedd yn y post rai dyddiau ynghynt, a gwelodd ei fam yn claddu rhywbeth yn yr ardd. Ni chafodd gyfle i edrych beth oedd wedi'i gladdu yno oherwydd bod ei fam yn pipo drwy ffenest y gegin, fel petai'n gwarchod y patsyn o bridd ffres. Bedd y gath.

Canai mwyalchen unig yn y goeden lelog wrth i Macs a Gwydion gerdded i lawr y lôn ac allan drwy'r gatiau haearn, allan o olwg y plisman a eisteddai yn y car y tu allan. Er mwyn hwyluso pethau – os mai dyna'r disgrifiad cywir, dan yr amgylchiadau – roedd Macs wedi cuddio'r offer ymladd mewn llwyn cyfagos.

Roedd Macs wedi dysgu'r cyfan a wyddai i Gwydion. Un awr ar ddeg o ddysgu popeth iddo mewn ffyrdd na allai eu hanghofio. Cyfnewid y *nunchaku* pren syml am rai pren a darnau o raser ar hyd yr ymylon. Paratoi'r crwt ar gyfer rhyfel yn erbyn hen ddyn ddylai fod yn fethedig, ond a oedd wedi bod yn lladd fan hyn a fan draw, fel petai'n dduw yn hytrach na dyn. Efallai mai 'na beth oedd e.

Safai'r ddau yn dawel ar y bryncyn gan edrych i lawr tuag at y man cyfarfod. Gwylio. Aros. Yn barod, cystal ag y gellid bod yn barod am y fath frwydr, y fath ornest awyr agored. Aethant yn eu blaenau i'r man cwrdd.

Dechreuodd haenau o gymylau glasliw gasglu dros eu pennau. Teimlai Macs fel petai'n cerdded mewn bŵts wedi eu gwneud o blwm, tra bod Gwydion yn stryffaglu i groesi'r bont dros y Shagog, yn teimlo fel astronot ar wyneb y lleuad. Llwyddodd i wagio'i feddwl yn y ffordd roedd ei dad wedi'i argymell, gan feddwl am bethau hyfryd. Cwtsh gan ei fam. Adar drycin yn hedfan yn osgeiddig dros wastadeddau'r môr. Ffrindiau megis Stephen a Geraint yn gwenu arno.

Holltwyd y nen gan fellten. Ar y gorwel chwaraeai tympani o daranau, fel agorawd i ryw symffoni ddramatig, rhywbeth gan Mahler, efallai. Edrychodd Macs ar Gwydion a Gwydion ar Macs, a'r ddau yn dymuno bod yn unrhyw le heblaw fan hyn. Tierra del Fuego. Neu Swrinam.

Doedd dim golwg o gwbl o Ebenezer, er bod min ar y gwynt – rhyw oerfel anesboniadwy oedd yn cripian yn ddwfn i esgyrn y ddau ddyn, er gwaetha'r haul gwanllyd oedd yn diferu golau fel llaeth uwch eu pennau. Er gwaetha'i ymdrechion i feddwl am bethau pert, llifai pethau rhyfedd drwy feddwl Gwydion, megis y ffaith ei bod hi'n ddydd Iau, a'r casgliad y byddai'n rhaid i ddydd y Farn fod hefyd yn ddiwrnod o'r wythnos. Od. Gallai Armagedon ddigwydd ar ddydd Mercher. Od iawn.

'Ble mae e? O'n i bron yn bendant taw heddi oedd e'n 'i olygu, ac yn sicr ry'n ni yn y lle iawn. Ti'n siŵr taw hwn yw'r man lle gwympoch chi mas y tro cyntaf?'

'Yn hollol siŵr. Mae e ar ei ffordd, Dad. Wy'n 'i deimlo fe'n dod. Bydd e 'ma whap.'

Bron y gallai Ebenezer glywed lleisiau'r ddau yn glir o'i guddfan. Y boi, Gwydion, ei elyn, fyddai'n marw yn y ffordd fwyaf creulon posib. Ffordd roedd Ebenezer wedi'i chynllunio'n drwyadl dros nifer o flynyddoedd. Prin ei fod wedi gwneud unrhyw beth arall. Ar ôl blynyddoedd o lofruddio fan hyn a fan draw – lladdodd naw o bobl yn Ffrainc, gan gynnwys tri mynach cyn gweddïau'r bore mewn mynachlog reit yng nghanol y Pyrenees – roedd bellach wedi dod yn ôl adre i setlo pethau.

Canolbwyntiodd ar y ffordd y byddai'n poenydio Gwydion. Am y ffordd yr edrychai yn y drych, yr wyneb ofnadwy 'na fel mwgwd plastig Calan Gaeaf, a hyd yn oed hwnnw wedi bod yn rhy agos at y tân. Gan ei fod bellach yn medru darllen, ymunodd ag Amnest Rhyngwladol dan enw ffug, er mwyn derbyn eu hadroddiadau am yr hyn oedd yn digwydd yn y maes poenydio, o Sawdi Arabia i wersylloedd carchar enfawr Tseina. Prynodd glipiau metel i'w cysylltu â thrydan. Buddsoddodd mewn miwsig swnllyd o'r saithdegau i'w chwarae i'w westai herwgipiedig. Ar rac uwchben y drws cefn yn ei hen gaban, gosododd res hir o offer newydd sbon – wyth llif, gan gynnwys un pwrpasol ar gyfer torri drwy esgyrn, driliau, a rholiau o dâp. Bron y gallech ddweud ei fod yn obsesiynol ynghylch ei gasgliad tŵls. Ond ffocws ei obsesiwn oedd Gwydion, ac roedd bron yn amser iddo fynd i'w gasglu, bron yn amser iddo fynd i chwarae gyda'i degan newydd. Aeth yn ôl at ei ddesg, ac agor paced o Cheddar Thins. Yna aeth i'w guddfan.

Eisteddodd Ebenezer yn ei gadair yn y gysgodfan saethu. Y pry cop yn gwahodd y gleren i ddod i aros. Dere mewn, gwd boi, mae'n amser brecwast. Tynna dy adenydd. Setla i lawr. Mae pum munud 'da ni cyn dechrau bwyta.

Ar yr hewl a arweiniai lan o fferm y Pant, gwelodd Macs a Gwydion hen ddyn yn cerdded yn araf iawn, bron mewn slo môshyn. Edrychai'n debyg i Ebenezer nes i Macs ei adnabod a dweud wrth Gwydion mai Jac y Pant oedd e, hen ŵr mewn gwth o oedran; rhaid bod y ffarmwr dros ei gant.

Cyflymai curiad calon Gwydion wrth wylio'r hen ŵr truenus yn llafurio ar hyd yr hewl. Daliai'n dynn yn ei arfau Siapaneaidd. Er bod ei dad yn sefyll bum llathen i ffwrdd, teimlai fel y dyn mwyaf unig yn y byd. Ac roedd yr aros yn artaith iddo, y disgwyl, y munudau'n teimlo fel canrifoedd, pob eiliad yn elastig.

'Ble mae e?' gofynnodd ei dad eto, ond y tro hwn doedd dim rhaid aros yn hir. Gyda chymylau'n ei ddilyn fel mantell, a'r ddaear yn crynu rhwng Penpella a Phen y Grocbren, camodd Ebenezer drwy glawdd eithinog. Mewn un ffordd edrychai fel hen ddyn, ychydig yn fethedig, tamed bach yn sigledig ar ei goesau tenau, tenau. Ond mewn ffordd arall, roedd ei bŵer yn ddigamsyniol. Heb sôn am y ffaith bod ganddo wyneb actor o Hollywood.

Dyma fi'n dod. I ddod â dy fywyd bach pathetig di i ben. Dyma fi'n dod, yn fy holl ogoniant.

Llosgai pŵer y tu mewn iddo: dyma ddyn oedd yn rhedeg ar bŵer casineb, ac roedd honno'n ffynhonnell ddi-ben-draw iddo, y casineb yn cael ei gynhyrchu'n ddi-stop yn ffwrnais dicter a ffowndri dialedd.

Gallai ei wên rewi'r gwaed yn eich gwythiennau, a gallai'r olwg yn ei lygaid eich rhewi'n galetach fyth.

Cododd y gwynt. Lawr yn y Pant, ymddangosai fel petai'r coed gwern yn moesymgrymu. Dechreuodd y ddaear grynu eto, gan siglo perthi o Gae y Rhaca i Lys Mwyar Bach, ac achosi i ambell ffluwch o adar y to i hedfan mewn ofn mas o'r gwyrddni. Siglodd llond dreser o lestri i'r llawr ym Melin Byr-rhedyn, gan wneud i berchnoges y fferm, Lettie Daniels, sgrechian dros y lle. Surodd y llaeth yn fferm Mynydd Bach. Ffodd yr ydfrain oedd yn pigo'u cinio ar gaeau Birbwyll, gan chwyrlïo'n haid swnllyd uwchben Coed-wallter-fawr a Ffynnon Berw cyn troi'n siarp tuag at Park Matho a Maen-sant, a'r braw yn amlwg yn eu plu.

Roedd Macs yn dal i geisio cofio enw'r actor . . . Rock Hudson? Na. Spencer Tracy? Na. Burt Reynolds? Na, rhywun mwy adnabyddus na fe. Burt Lancaster? Ie! Roedd wyneb Burt Lancaster gan Ebenezer, gallai Gwydion dyngu nad mwgwd oedd e. Sut ddiawl . . ? Pam ddiawl . . ?

Ond roedd y llais yn ddigamsyniol. Llais dwfn. Llais awdurdodol.

'Macs. Gwydion. O'r diwedd. Mae wedi bod yn amser hir. Ond dwi'n hynod o falch dy fod ti wedi troi lan. Licen i ddim meddwl dy fod ti'n llwfr.'

Trodd at Gwydion, a syllu'n hir ac yn ddwfn arno. Ni wyddai Macs na Gwydion beth i'w wneud, gan deimlo fel cwningod yn cael eu mesmereiddio gan ddawns gwenci.

'Oes ofn arno ti? Dyle fod. Mae marw'n medru bod yn boenus. Yn enwedig y ffordd dwi'n trefnu pethau.'

'Nac oes, Mr Ebenezer.'

'Mr Ebenezer? Paid â bod mor ffug-ffycin-barchus, wnei di? Paid â ngwneud i'n dost. Roeddet ti a'm chwaer wastad yn gwneud hwyl am fy mhen i, yn meddwl mod i'n dwp. Ac o'n i'n clywed chi'n chwerthin tu ôl i 'nghefen i. Ti a'r ast chwaer 'na.'

Penderfynodd Macs chwarae un o'r ychydig gardiau oedd ganddo.

'Ry'n ni wedi dweud 'tho'r heddlu ble y'ch chi. Byddan nhw 'ma unrhyw funud.'

'Macs, Macs! Fi'n dy adnabod di'n well na hynny. Ofynnais i i ti gadw'n shtwm am hyn, ac mi wnest ti. Ti jest yn gobeithio nad oes raid i ti wylio dy fab yn marw o flaen dy lygaid. Ac os wyt ti'n moyn, mi gei di fynd nawr, a fydd neb ddim callach na wnest ti frwydro i arbed bywyd y crwt. Cer nawr, rheda adre gyda dy gynffon rhwng dy goesau. Cer, Macs. Pa ots sy gen i bod yr heddlu ar y ffordd? Morgrug y'n nhw. Pethau bach di-ddim.'

Gwyddai Macs na ddylai fod wedi bygwth Ebenezer, gan fod hyn fel chwarae â thân tra'n gwisgo siwt gasolîn.

Yna siaradodd Gwydion.

'Well i ti fynd nawr, Dad. Dyma fy ffawd. Os na ddo i 'nôl, wel o leia fe fyddi di'n gwybod sut mae fy stori i'n dod i ben. Mae'n iawn, Dad. Dwi'n barod am hyn, mwy nag y galla i ddweud.'

Wrth iddo siarad, tywyllodd y nen. Symudodd cysgodion ar draws y caeau, fel byddin o ysbrydion yn drifftio o grombil tywyllwch, neu haid o frain enfawr o'r arall fyd. Roedd sŵn y taranau fel tympani'n cael eu taro gan gawr, a'r sŵn fel y math o ffrwydradau tanddaearol sy'n digwydd pan fo bomiau niwclear yn ffrwydro dan anialwch Nefada.

Estynnodd Macs ei law i gyfeiriad y llofrudd o giper, gan fwriadu defnyddio symudiad *tai chi* yn ei erbyn. Ond mewn chwinc, un symudiad anhygoel o glou, roedd Macs yn gorwedd ar y llawr, yn gwbl ddiymadferth, cyn y gallai Gwydion wneud unrhyw beth i'w helpu.

'Dad!' gwaeddodd Gwydion gan ruthro ato, ond symudodd Ebenezer mor gyflym nes bod dwylo Macs wedi'u clymu wrth bostyn ffens. Ceisiodd Gwydion neidio ar gefn Ebenezer, ond dangosodd yr hen ddyn ei fod yn glou yn ogystal ag yn chwim, gan grafu Gwydion o'r ffordd i bob pwrpas, fel ci yn diosg chwannen.

Safai Ebenezer rhwng Gwydion a Macs. Cadwai'r hen giper ei ddwylo'n chwim drwy ymarfer â chardiau – llwyth a llwyth o driciau *poker* – neu drwy stripio gwn megis Magnum a'i ailadeiladu'n gyflym tra'n dal ei anadl.

Roedd Macs yn anadlu'n boenus.

Nawr doedd dim dewis 'da Gwydion.

Hon oedd y frwydr fawr, ei brawf olaf.

Erbyn hyn, roedd hi bron yn dywyll er nad oedd ond canol y prynhawn. Gallai Gwydion weld Ebenezer yn symud yn y gwyll oherwydd bod golau gwyrdd gwanllyd yn pelydru o'i groen. Doedd ganddo ddim amser i ryfeddu at y ffenomen ryfedd hon, oherwydd dechreuodd Ebenezer gerdded yn araf o'i gwmpas, yn stelcian mewn cylch, fel blaidd yn amgylchynu carw ifanc.

Wrth gerdded tuag at ei wrthwynebydd, roedd Ebenezer yn mwmian yn uchel – cymysgedd o alaw hyll a synau bygythiol, a'i lais yn gryg. Estynnodd Gwydion y tu ôl i'w gefn, lle llechai'r *nunchaku*, a daeth â nhw i'r golwg. Ebychodd Ebenezer, gan ryddhau bowt hael o chwerthin chwerw am ben y crwt. Curai calon Gwydion fel aderyn bach y si, dair gwaith, bedair gwaith mor gyflym ag y dylai guro. Ac er bod ei dad wedi dysgu technegau cadw ffocws a thawelu'r nerfau iddo, roedd y ffaith fod hwnnw'n gorwedd yn llipa y tu ôl i Ebenezer yn drysu Gwydion ac yn codi ofn arno.

'Nawr 'te, Gwydion, wyt ti'n barod i chwarae? Beth wnei di ei roi i mi i achub dy fywyd?'

Roedd llwnc Gwydion yn sych, a châi drafferth i yngan ei eiriau. 'Dim byd o gwbl. Well iti adael Dad yn rhydd, neu fe fydd 'na drwbwl.'

'Trwbwl? Ti'n bygwth trwbwl? Ti a dy *chopsticks* bach pathetig! Rhaid i ti gofio hyn: dyw dy sgiliau adrodd stori di'n werth dim fan hyn. Yma, y gyllell sy'n siarad yn huawdl. Grym sy'n llunio'r naratif, a'r naratif y tro hwn yw'r un abwytu'r hen giper sydd wedi aros yn hir iawn am ei gyfle i ddial. A pam? Ga i ddweud 'tho ti pam . . .

'Un tro, roedd gen i gariad. Wel, doedd hi ddim eisiau bod yn gariad i mi, ac mae'n rhaid i mi gyfadde ei bod hi wedi stryglo yn fy erbyn, i lawr yn y goedwig, ond mae'n anodd i ferch wrthsefyll dyn, ti'n deall. Nawr doedd gen i ddim syniad, ac yn wir doedd gan neb yn pentref cyfan unrhyw syniad, ond roedd hi'n disgwyl plentyn ar ôl i mi ei chymeryd hi. Mi gafodd hi fachgen bach, i lawr yn y bwthyn 'na. Defi oedd ei enw, a pan ffindes i hyn mas, mi es i edrych amdano, a diawl, roedd e'n fachgen bach tỳff. Wel, rwyt ti'n ei gofio fe, achos mi roiest ti gernod iddo fe unwaith, gan wneud iddo fe edrych fel ffŵl. Iesu, Gwydion, mi wnest ti ei fychanu fe o flaen ei ffrindau. O, doeddet ti ddim yn gwybod mod i wedi gweld hynny'n digwydd? O't ti'n meddwl taw dim ond Macs oedd wedi gweld y ffeit 'na, a'r ffordd wnest ti ei lorio fe gan ddefnyddio'r hen shew Tsieineaidd 'na. Wel, wnaeth e erioed faddau i ti, a wnes innau erioed faddau i ti chwaith. 'Na ti reswm da dros dy gasáu di. Felly drycha!'

A gyda hynny daeth Ebenezer â chyllell i'r golwg.

'Mae hon yn ddigon siarp i dorri croen corff dyn oddi ar ei esgyn tra mae e'n dawnsio. Edrycha ar y min sydd arni hi. Dychmyga pa mor bell i mewn i dy frest y byddai'n suddo petawn i'n dod â'r fraich 'ma i lawr yn ddigon clou. A ti'n gwybod mod i'n gloi, fel cobra, fel sgorpion.'

Gan edrych yn ddirmygus at y *nunchaku* yn nwylo Gwydion, meddai, 'Rho rheina heibio. Maen nhw'n dechrau fy llenwi ag embaras drosto ti.'

Cymrodd Ebenezer gam tuag at Gwydion, a oedd yn craffu ar y golau rhyfedd. Roedd siâp y dyn yn fflicran, fel strobosgôp araf. Ond daliodd Gwydion ei dir, a symud cam tuag ato gan chwyrlïo'r dyrnfleiddiau o un llaw i'r llall. Ceisiodd gofio pob gair y dywedodd ei dad wrtho – sut i wneud pob symudiad gyda'r prennau tua'r corff, y llif, am *deimlo* sut i symud yn hytrach na *meddwl* sut i symud. Ond roedd y cyfan yn ofer. Yna, heb rhybudd, taflodd Ebenezer rwyd o linyn monoffilament tuag ato, fel tase fe'n rhwydo haid o wyniaid. Un symudiad. Un tafliad, a bron iddo ddal Gwydion. Bron.

Ond nawr roedd rhywbeth yn digwydd iddo fe, Gwydion. Roedd rhyw deimlad rhyfedd yn ei fraich, fel pothell ar fin byrstio. Gwthiodd draig fach allan o groen Gwydion, a chyn gynted â'i bod yn rhydd, dechreuodd dyfu a thyfu. O fewn deg eiliad safai ar y ddaear yr un taldra â dyn. O fewn ugain eiliad, roedd y ddraig ddwywaith yn dalach nag Ebenezer, a theimlai Gwydion wres y fflamau bach yn dod allan o'i ffroenau, tanau bach gleision fel llosgi Calor Gas. Fflapiodd y creadur uwchben Gwydion, yn amddiffynnol.

'O! Da iawn. Trics. Fi'n lico trics, Gwydion. Dyma un i ti!'

Cododd Ebenezer ei fraich yn syth i'r awyr fel pastwn, gan dynnu erwau o gymylau glaw tuag ato, fel gwialen i daro mellt. Un funud roedd y nen yn llawn düwch, a'r funud nesa roedd yn glir, yn wag, a thornados yn chwyrlïo o gledr llaw Ebenezer.

'A dim ond megis dechrau ydw i! Gei di weld!'

Cododd ei fraich arall – ystum oedd yn gwneud iddo edrych fel petai'n ymbil ar rywun neu rywbeth – ac yna anelodd y ddwy fraich at y ddraig. Rhaeadrodd llif du tuag ati nes gwneud iddi ddiflannu am eiliad, cyn fflapio'i hadenydd, oedd bellach yn ddeugain troedfedd o led, a hedfan o'r ffordd. Ond roedd y creadur yn sownd mewn magl o gymylau duon, a dechreuodd geisio llosgi'i ffordd oddi yno. Wrth iddi godi i'r awyr, byddai unrhyw un oedd yn cofio'r storom adeg geni Gwydion yn credu bod yr un peth yn digwydd eto. Nadreddodd y ddraig drwy'r inc, ei fflamau'n gryf, ond roedd y dŵr yn yr awyr yn ei llyncu.

Yna wrth i'r cymylau dynnu at ei gilydd daeth siâp i'r golwg, a llanwyd yr awyr â siâp arth fawr. Gallech weld ei phawennau a'r ewinedd pwerus, yr ên a allai grensian cneuen Ffrengig yn ddidrafferth. Neu gerrig, hyd yn oed.

Safai Gwydion ar y cae, yn fychan a phathetig, yn gwylio'i ddraig ef ei hun yn brwydro cymylau, a'r rubanau sydyn o olau melyn a choch yn torri drwodd bob hyn a hyn.

Chwarddai Ebenezer yn uchel, ei lais yn cario'n bell ac yn atseinio oddi ar wyneb y cwar lawr sha'r pentref. Cariai ei lais ar draws y cwm a'r coedwigoedd, yn gras fel crawc y gigfran, yn lledaenu gwawd a dirmyg.

Erbyn hyn roedd y ddraig wedi esgyn fry uwchben, a'r arth-gymylau'n ei dilyn gyda'i mantell enfawr, ond yn symud ar orchymyn Ebenezer, a oedd am iddi wasgu'r ddraig yn dynn.

'Lladda'r ddraig, myn diawl i!'

Fe oedd y pypedwr. Hon oedd ei sioe orau. Bob hyn a hyn, byddai Burt Lancaster neu Reginald Ebenezer yn edrych ar Gwydion, yn mwynhau gweld y braw ar ei wyneb, yn edrych ymlaen at weld rhan nesa'r sioe, pan fyddai'r arteithio'n cychwyn. Pa mor hir oedd e wedi aros am hyn? Yn hir iawn, iawn! Roedd Gwydion wedi ei gythruddo'n bell 'nôl yn y gorffennol, dros ddeugain corff marw yn ôl. Ffordd ryfedd o fesur treigl amser, ond fe laddwyd llawer o bobl dros y blynyddoedd. Tra oedd e'n disgwyl ei gyfle . . .

Doedd Gwydion ddim yn deall beth oedd yn digwydd o'i gwmpas, ond gobeithiai yn ei galon y gallai'r ddraig wrthsefyll yr ymosodiadau.

Yna diflannodd y ddraig o'r golwg wrth i'r awyr droi'n ddu. Tyfodd corff blewog yr arth nes bod y nen cyn ddued â bola buwch, yn ddu fel y fagddu. Bellach dim ond fflachiadau o oren a choch oedd i'w gweld yn dod o'r tu mewn i'r cymylau lliw huddygl. Yn y diwedd, ni allai Gwydion weld y ddraig o gwbl.

Roedd yn ei chael yn anodd anadlu. Teimlai ei hun yn mygu, ac wrth i'r düwch gasglu a gwasgu a bygwth torri asennau'r ddraig, teimlai Gwydion y düwch yn codi y tu mewn iddo yntau hefyd. Cwympodd y dyn ifanc i'r llawr, wrth i'r fflachiadau yn y cymylau fynd yn llai amlwg, fel rhywun yn chwythu canhwyllau. Heblaw nad oedd bellach yn ddim ond corff diymadferth ar lawr, ei egni wedi diflannu, wedi'i lyncu fel y ddraig gan y pypedwr cymylau, byddai Gwydion wedi clywed sŵn y ddraig yn taro'r ddaear, y tân wedi'i ddiffodd unwaith ac am byth.

Fflwmp! Sŵn draig yn taro'r ddaear. Dim byd mawr. Dim sŵn urddasol. Yr adenydd fel cwyr coch wedi'i arllwys ar y gors fechan lle glaniodd y corff. Sarff bach o fwg llwydlas, dim mwy nag a ddeuai o sigarét newydd ei gwasgu dan droed.

A thrigain llath i ffwrdd, gorweddai corff llonydd ei meistr.

Gyda siffrwd awel dyner, try glas y prynhawn yn fioled y cyfnos. Uwchben, mae brigau mân y ddraenen ddu fel olion traed y dryw. Mae'r llannerch yn tywyllu nawr, gan ei gwneud yn anodd i weld yr erchyllbeth, i ddeall y math o gynllunio dieflig sy'n dyfeisio'r math o boenydio sy'n digwydd yn y fan hon.

Mae Gwydion wedi'i glymu i lawr, ei gorff wedi'i dynnu'n dynn gan y rhaffau i greu siâp croes, sydd yn ei dro yn gorwedd ar rywbeth tebyg i wely hoelion Indiaidd. Ebenezer sydd wedi ei blannu yma, oherwydd fe yw'r cynllunydd dieflig, wrth gwrs.

Wedi rhoi min ar y marchwiail – y wernen, y gollen, y griafolen a'r fedwen – â'i gyllell, mae'r tyfiannau bach wedi codi tua modfedd ac maen nhw nawr yn sprowtian mor glòs at groen Gwydion nes bod eu pigau bach yn cyffwrdd â'i gefn mewn ffyrdd intimet, y pigau'n mwytho'i groen; gallech ddychmygu eu bod am gymharu gyda mandyllau ei groen.

Mae'n gwingo bob hyn a hyn, yn cordeddu fel sarff mewn magl, ond am funudau bwygilydd nid yw'n gwneud dim byd mwy na gorwedd yno, yn fyr ei wynt, yn gwybod ei fod wedi colli'r frwydr, a bod Ebenezer yn drech nag e, fe bellach sy'n berchen y stori, fe yw Pypedwr Mawr y naratif. Fe, Burt.

Poen yw byd Gwydion bellach, a phoen dyfnach a mwy cynhwysfawr unwaith i'r glasbrennau dorri'r croen. Hen dechneg yw hon: roedd y Siapaneaid yn ei defnyddio yn erbyn cyfeillion Ebenezer yn Burma, heblaw mai bambŵ o'n nhw'n ei ddefnyddio – planhigyn sy'n tyfu'n chwim, yn ysu am gael mynd at yr haul. Yr haul uwchben Burma, ta p'un.

Dan groen Gwydion mae 'na goedwig fach yn tyfu; cyn hir bydd e'n rhan o'r coed a byddan nhw'n tynnu maeth o'i waed. Gwrtaith rhyfedd y storïwr ifanc.

Ie, y fideo. Yn y ffilm ddu a gwyn, wedi'i thynnu gan un o ffotograffwyr rhyfel Siapan, Miri Togori, mae'r dalwyr – os taw dyna beth y'ch chi'n galw'r bobl sydd wedi dal y bobl eraill – yn gwenu'n braf ar eu carcharorion, heb drugaredd, yn mwynhau'r sbort.

Ac mae Ebenezer yn gwenu hefyd, gan taw dim ond fe sy'n gwybod sut mae hanes Gwydion yn mynd i orffen. O! am y pŵer o ddewis diweddglo ar gyfer cymeriad lliwgar! Mae lladd yn gwneud i rywun deimlo'n dduwiol. Wir i chi. A phwy fyddai'n meddwl y gallai hen giper cryd cymalog fel fe deimlo fel Duw yng ngwyll ei ddyddiau?

Dyn a'i galon yn galed fel glo carreg, yn medru edrych ar y dyn ifanc yma'n diodde yn y fath fodd. Yn enwedig o ystyried ei fod wedi darllen cymaint, yn amsugno cymaint o ddiwylliant, o wareidd-dra. Mae'n ddyn hynod sic, felly – pyrfyrt os liciwch chi – er nad yw ei feddwl yn gweithio fel meddyliau pobl eraill: mae'r gwifrau fel *spaghetti*, yn glwmp dryslyd. Yn lle ymennydd confensiynol mae ganddo lanast o Alphabetti Spaghetti yn ei ben, gyda rhai llythrennau'n eisiau. Ac mae'r meddwl dryslyd hwnnw ar ras â syniadau wrth iddo siarad â'i hunan.

'Oes rhaid amddiffyn pob cam? Esbonio pam ei fod e yma? Efallai nad ydych yn cytuno bod dwyn aderyn rhywun o drap yn ddigon o reswm i ladd rhywun. Wel, mae digonedd o bobl wedi mynd i'r siambr nwy am wneud lot, lot llai, credwch chi fi. Dwyn taten yn Buchenwald, yn un peth. Gelech chi'r nwy am hynny, dim dowt.

'Glywsoch chi am y ddwy fenyw ddu yn America aeth i garchar am ddeunaw mlynedd yr un am ddwyn paced o Tootsie Rolls, gwerth llai na doler? Chi'n gweld, y math o anghyfiawnder sydd yn y byd? Dyna'r math o beth mae Ebs yn licio – pan fo'r euog yn mynd dan y lach, a'r dieuog yn ei chael hi'n hawdd. Mae'n rhoi teimlad twym, cynnes iddo yn ei geilliau. Lle mae'n cadw'r gwenwyn.'

Teithiodd Ebenezer yn bellach na Marco Polo i gyrraedd y fan hon. Ond nid pererin pur, o nage. Crwydryn heb foesau yw e, yn lladd fan hyn a fan draw. Bodiwr ar y draffordd. Dyn yn gwerthu hufen iâ ar lan y môr, ei lygaid wastad wedi'u cwato y tu ôl i sbectol haul drwchus. Drifftio drwy'r byd yn dod â dolur i bobl. Gan aros i ddial ar grwtyn a wnaeth ffŵl o'i fab.

'Ac roedd Gwydion mor ewn â dweud fy mod i'n greulon am wneud tamed bach o drapio. Wedi'r cwbwl, dyna oedd fy ngwaith i – dyna sut o'n i'n ennill fy mara menyn!'

Trodd Gwydion, ei gorff dan straen, fel peithon ar fin rhoi genedigaeth.

'Dwi'n siŵr bod Gwydion yn gwneud y gorau i ffiltro'r boen, ond dwi'n siŵr taw'r wybodaeth sy'n ei ladd, gwybod taw fi sy'n hawlio'r stori o hyn ymlaen, oherwydd dwi wedi meistroli'r grefft o ladd tra oedd e'n gwastraffu amser yn dathlu byw a bod, yn gwastraffu amser yn adrodd straeon.'

Mae Ebenezer yn brewlan wrtho'i hunan.

'Bydd y pren siarp yn tyllu, yn troi ei dorso'n rhidyll. Ac mae'n gwybod mod i'n edrych arno fe, yn y llecyn agored yn y goedwig, yn dial arno. Am ddwyn fy wyneb. Heb sôn am ddynnu'r aderyn 'na mas o'r trap heb ofyn "plis". Am hynny ges i fy ngwenwyno gan ddefnyddio ryw gyfrinach a roddwyd i'r crwt gan fy chwaer fy hunan. Blydi hel!'

Dechreuodd chwilio am sigarét ym mhoced ei siaced cyn mynd i eistedd yn ymyl Gwydion.

'Pwy sy 'na? Pam dwi yma?'

'Cwestiynau da iawn, Gwydion. O't ti wastad yn un da am ofyn y cwestiynau iawn. Ond mae'n rhy hwyr i hynny nawr. Yn rhy hwyr i ddim byd nawr. Amser yn treiglo'n araf tua'r terfyn, yr eiliadau'n troi'n ddwst, y munudau'n gonffeti o lwch. Ti ar dy wely angau, gwd boi.'

Mae'r geiriau, y cwestiynau, yn sych ar wefusau'r dyn ifanc, a'i groen yn cyrlio nawr. Gall deimlo ambell ddiferyn o waed yn gadael ei gorff, rywle o gwmpas ei ysgwyddau. Rhywbeth cynnes yn rhedeg yn rhydd.

'Gymera i sigarét nawr,' meddai Ebenezer wrtho'i hun, 'er mwyn mwynhau'r sbectacl, gwir enjoio drama'r dioddefaint. Mae'n ceisio dweud rhywbeth eto, ond mae ei lais yn dawel, achos dwi'n gweld bod ei nerth yn llifo i ffwrdd fel dŵr trwy dwndis.'

'Hei!' meddai Gwydion o ganol ei fydysawd o boen. 'Hei, chi! Plîs! Allwch chi fy helpu?'

'Pwy, fi? Ti'n galw arna i, Gwydion? Ti'n ceisio cael fy sylw i? Gyda dy lais cryg fel llyffant, y geiriau'n sych yn dy geg? Chei di dim help gen i.'

Yn ei berlewyg o boen, ni all Gwydion glywed geiriau y ciper ta p'un.

Daw Dwti i sefyll wrth ymyl Gwydion, a braw ar ei hwyneb – efallai mai dyma'r tro cyntaf yn holl hanes angylion i hyn ddigwydd, oherwydd nid yw angylion yn dangos eu teimladau. Yn wir, nid yw angylion yn medru teimlo, oherwydd bod hyn yn un ffordd o'u diogelu a'u cadw allan o drwbwl. Gall Gwydion ei gweld, drwy niwl coch ei boen a'i ddioddefaint, ac mae'r geiriau'n ffurfio ar ei wefusau, ond ni allant ddianc.

Pwy sy'n sefyll y tu ôl i Dwti? Ife Mrs Lockheart sy'n sefyll yno? All e ddim gweld yn glir oherwydd y boen sy'n mynnu ei sylw, sy'n cronni'n gyflymach nawr. Teimla bron fel ildio i gaethiwed angau, gan ganiatáu iddo'i hun gael ei rwymo a'i fygu, a gadael y byd hwn ar ôl, dianc i rywle gwell, i ymuno â'r angylion efallai, i fyd Dwti a'i chriw llwyd.

Lledaena'r boen fel dŵr sydd wedi torri drwy argae, yn meddiannu'r glastiroedd, yn llifo i bobman, yn ffindio'i lefel, er bod y lefel yma o boen yn ddychrynllyd o uchel wedi i'r prennau bach ddechrau torri mewn i'r croen, yn firain o araf.

Dyw Gwydion ddim yn gwybod beth i'w wneud. All e ddim ymollwng yn rhydd – mae ei ysbryd yn rhy solet, ei awydd am gael byw yn rhy gryf i hynny – ond all e ddim delio â'r boen yma. O gwbl.

Dechreua'r meddwl fynd ar chwâl, realiti a rhith yn un cawl potsh, yn fflachio ac yn gwibio, a'r un ohonynt yn llawn, yn ddim ond atgofion darniog.

Goleudy, yn fflachio semaffor dros y blynyddoedd, ac arogl gwymon yn berwi'n galed, tri bachgen yn rhedeg trwy'r hafddyddiau ac yn rhedeg drwy boen; tad Gwydion yn hongian llun ar y wal, yn gwenu wrth wneud oherwydd ei fod yn hoffi pethau ymarferol. Clwb y Gweithwyr ar noson yr Eisteddfod, Gwydion yn dal medal yn ei law 'rôl ennill yn adrodd. Croen blasus Mrs Lockheart wrth iddi, o'r diwedd, ddechrau dadwisgo. Nid nawr yw'r amser, Mrs L! Byddai hyn wedi bod yn syniad gwych 'nôl ar Enlli, ond nawr dwi'n troi'n goedwig, fy ewinedd yn mynd i droi'r dail.

Dyma nhw, yr atgofion nesa, yn mynnu dod ar ras. Llyfrgell yn llawn dop o lyfrau; dacw fe *The Swiss Family Robinson*, rywle ar y silff waelod, yng nghanol y clasuron Groegaidd. Miss Evans yn cynnig gwên hardd iddo, ac yn estyn am yr Aeschylus.

Diflanna Gwydion ymhellach i'w berlewyg, ei gorff yn setlo'n drymach ar y prennau siarp, a'r gwaed yn dechrau llifo'n sicrach nawr, ei eiliadau'n prysur ddiflannu.

Tyf y *stigmata* fel blagur.

Sylla Ebenezer ar y dioddefwr, heb deimlo unrhyw drueni drosto. Dim ar unrhyw lefel.

Ac mae'r poenydiwr yn cynnig ymson, i neb, gan fod Gwydion ymhell o ddeall geiriau.

'Dyma fi. Ebenezer. Ar ôl yr holl deithio, dwi 'nôl yn y goedwig yma nawr, prin dafliad carreg o'r lle y tyfais i fyny. 'Nôl yn y Gorllewin Gwyllt, gyda thylluanod brech i gynnig serenâd dau-nodyn i mi bob nos. Nhw yw fy ffrindiau bellach. Pathetig. Oeddech chi'n gwybod taw dau aderyn sy'n gwneud y sŵn tw-whit 'na? Y naill yn ateb y llall. Mae'n dda byw fan hyn. Allen i fyw fan hyn nes bod fy amser i wedi dod i ben. Ti'n olreit, Gwydion? Ti'n ddigon cyfforddus? Ha!'

Dim ateb. Mae ewyllys y dyn ifanc yn canolbwyntio ar dynnu un anadl yn ei thro.

'Ti'n gwybod beth wnes i pwy ddiwrnod? Torheulo! Am y tro cyntaf yn fy mywyd, mi wnes i adael i'r haul ddawnsio ar fy mrest, tynnu 'nghrys bant a gadael i'r haul dwymo'r hen groen gwyn 'ma, nes mod i'n meddwl mod i ar dân. Roedd hi'n anodd dodi'r crys 'nôl ymlaen, a dim ond hanner awr o'n i wedi bod yn gorwedd 'na. Od o beth. Ond rhaid cyfadde, licies i'r profiad, ac roedd fy mochau'n teimlo'n dda ar ôl i fi wneud.

'Well cael mwgyn bach arall cyn mynd ymlaen. Mae'r nadroedd bach glas 'ma o fwg yn well nag unrhyw beth arall yn y byd. Fi'n dwlu eu gweld nhw'n symud trwy'r aer, ac yna eu tynnu nhw mewn i'r ysgyfaint. Lawr i'r feri gwaelodion, nes nad oes dianc i fod. Os y'ch chi'n smoco gymaint â fi, tri phecyn y diwrnod, mae'n mynd i fod yn fwdlyd lawr 'na, rhwng y tar a'r nicotîn a phopeth. Stwff maen nhw'n ei ddefnyddio i stripio papur wal, 'fyd, asid carbolig yn gymysg â'r stwff arall mewn ffag. Stwff da!

'Efallai y byddai Gwydion yn lico sigarét, ond fetia i nad yw e erioed wedi smoco. Ond efallai licie fe drial un cyn marw? Amser da i ddechrau, wedwn i. Alle fe roi lan wedyn, yn itha clou.

'Mae'n dawel yma. 'Sdim un aderyn yn canu. Bu'r goedwig hon yn drwchus ar un adeg. Yn rhan o goedwig enfawr a orchuddiai Gymru gyfan bron, yn dringo llethrau Eryri, yn blancedu Brycheiniog nes bod y bryniau yn y gwanwyn yr un lliw yn union â phersli; coed urddasol, hynafol yn gwrlid gwyrdd dros Sir Gaerfyrddin ac yn fantell dros Drefaldwyn. Dim llwybr o gwbl, a gallai dyn fynd ar goll heb ffws. Os gallai dyn gael hyd i'r ffordd i mewn – roedd mor drwchus â hynny. Ni allai'r haul gyrraedd y canol, bron, wrth i'r pelydrau gael eu troi'n ôl a'u chwalu'n deilchion sidan gan y dail trwchus, lluosog. Ni allai hyd yn oed y bleiddiaid fynd i mewn, a bydden nhw'n gorfod sgowtio a sgwlcan rownd yr ochrau, lle byddent yn udo gorfoledd y lloer. Ond gallai'r eirth fynd lle bynnag y mynnent gan eu bod mor bwerus, yn medru rhwygo derwen i'r llawr fel torri matsen. Yn cerdded o gwmpas, ambell waith ar ddwy goes ôl, fel tasen nhw'n berchen y lle, y goedwig gyfan.

'Ond wedyn dyma rai o'r diawlaid hunanol yn dechrau torri'r coed i lawr, gan naddu eu ffordd yn araf ond yn benderfynol tuag at y canol. Rownd yr ochrau, lan lle mae'r Wyddgrug nawr, ac mor bell draw ag afon Gwy, a bron hyd at afon Hafren. Y bwyelli'n torri, y coelcerthi'n wenfflam ar ddiwedd y dydd; dyn yn hawlio, yn rheibio a dinistrio'r hafannau gwyrddion. Thwac! Thwac! Thwac! Bu raid i'r Dyn Gwyrdd, Cernunnos, adael y lle, hyd yn oed, a dianc o'i fangre sanctaidd ei hun.

'Nawr, ble o'n i? Mae'r hen feddwl 'ma'n crwydro ambell waith. Na, mae'n crwydro drwy'r amser. O ie, yn edrych arno fe, yn dod yn rhan annatod o'r tyfiant. Ond mae gen i waith i'w wneud . . . Esgusodwch fi. Amser nôl fy swper.

'Yn aml mae'r moch daear yn dal yn fyw yn y trapiau pan dwi'n mynd rownd i tsecio. Mae'n uffarn o job eu lladd nhw wedyn, yn enwedig y rhai mawr, y rhai hynaf, sydd â dannedd hir, melyn fel papur memrwn. Mae'n rhaid cadw'n ddigon pell rhag eu genau cryf, a gall un gwryw mawr dig dorri mas o'r caets bron, hyd yn oed un o'r caetsys mawr. Bydd yn bygwth gwneud hynny ta p'un, gyda'i gorff cryf a'i ewinedd yn cloddio ffwl-pelt yn erbyn y metel. Ond galla i gymeryd fy amser wrth ei ladd, yn jabio bant â hen gyllell ginio ffindes i ar y tip wedi'i chlymu i ddarn o bren, a galla i aros nes bod yr anifail yn gwaedu i farwolaeth. Bydd llanast wedyn – maen nhw fel tasen nhw'n cario gwaed ychwanegol yn y gwanwyn, rhywbeth i'w wneud â gaeafgysgu.

'Mmm. Fe dorra i'r croen yn glir mewn chwinciad a'i roi naill ochr er mwyn gallu cadw'n gynnes yn y nos. Mae gen i . . . faint? . . . bownd o fod dri deg ohonyn nhw bellach, digon i nghadw i a phawb yn Brechfa'n dwym drwy'r nos. Fel casgliad trapiwr ffwr yn yr Yukon. Neu ar y Russian River, heb fod yn bell o Sacramento. Es i fan'na unwaith, i ladd. Hen foi diagartre oedd e. Doedd e ddim yn gwybod dim, o'n i mor glou.

'Mae cig mochyn daear yn blasu'n dda, o ody. Yn blasu o fes a mwydod, neu ham o Sbaen. Fi'n dwlu ar ham o Sbaen. Bues i yno unwaith, ac aros am dri mis. Fwytais i ham bob nos tra o'n i yno. Wrth fy modd 'da'r stwff. A gall y moch daear yma flasu cystal . . . os y'ch chi'n starfo, a dwi'n gwybod beth yw starfo mas yn y coed 'ma.'

Yn y llannerch mae'r dyn ifanc yn troi a throsi, yn ceisio osgoi ei ffawd. Mae diferion o chwys yn glynu i'w gefn ac yn gwneud iddo edrych fel gwithlys.

'Dwi wedi paratoi'n drylwyr am hyn. Fe blannais yr hadau gyda diblwr newydd sbon o Hardings Hardware lawr yn y dre. Mesurais y plot yn union fel y byddai tad-cu Gwydion yn ei wneud wrth baratoi i dyfu cini bêns. Dim ond coed cynhenid o'n i'n eu defnyddio, cofiwch chi, ar wahân i damed bach o ganclwm Siapan, oherwydd hwnnw yw'r peth agosa at fambŵ allwch chi gael rownd ffordd hyn, ac ma 'da chi'r eironi'i fod e'n dod o'r un wlad â'r dull hwn o boenydio . . .

'Ti'n iawn, Gwyd? Teimlo'n ddigon cyfforddus lawr fan 'na?'

Tawelwch. Mae'n anodd gweld a yw e'n fyw neu'n farw. Dim symudiad. Y corff yn llonydd fel marmor.

'Fel o'n i'n dweud, mae hwn hefyd yn tyfu fel bili-o. Chi'n gwybod, pan drefnais i'r diweddglo 'ma i Gwydion ni, o'n i'n gallu teimlo duw'r goedwig yn syllu arna i, yn dweud ei fod e'n olreit i'w aberthu fe, macnabs.

'Doedd e ddim yn waith hawdd dod â fe lan 'ma mewn whilber. I'w blannu fe'n fyw. Ond fel chi'n gwybod, mae rhywun sy'n cysgu'n drwm yn pwyso mwy na rhywun ar ddi-hun: peidiwch â gofyn i fi sut mae hynny'n digwydd, sdim cliw 'da fi.

'Stopiodd e weiddi oriau'n ôl, y nerth wedi mynd, dim lot o bwff ar ôl yn ei gorff. Sy'n beth da, achos mae'r cigfrain yn lico sŵn llefen a gweiddi: maen nhw'n gwybod yn iawn taw 'na gyd sy angen yw disgwyl yn amyneddgar i'r anifail dawelu, ac wedyn mi fydd hi'n amser bwydo, amser gloddesta. Brecwast, cinio a the, i gyd yn un. Dew! Maen nhw'n ecseited, a'u pigau solet fel ceibiau'n gweithio fel clocwyrc, felly pan fyddan nhw wedi gorffen â'r darnau meddal, fel y stumog a'r llygaid, allan nhw weithio'u ffordd lawr i fêr yr esgyrn i ddarnio'r rheini hefyd.

'Maen nhw lan 'na nawr, yn cylchu'n gonsentrig yn y nen, yn un gynulleidfa sobor, yn jydjo ac yn arsyllu. Mae'n rhyfedd cyn lleied o sŵn maen nhw'n ei wneud, o ystyried faint maen nhw'n ei gynhyrchu ar adegau eraill, pan maen nhw ar y ddaear. Ar gyfer y parti gwaed. Ond mae'n dymor nythu, ac mae'r gigfran yn dechrau paru tra bod yr eira'n dal ar y topiau, sy'n beth da hefyd, oherwydd bydd pethau marw i'w cael o achos yr oerfel. Yr oen cyntaf i'w eni. Snac annisgwyl ar lethr mynydd.

'Diawl, fi wedi danto ar *kebabs* mochyn daear, ac ar ei wylio fe, Gwydion, os dweda i'r gwir plaen 'tho chi. Ond alla i mo'i ladd e. Rhaid aros yn driw i'r duw, a chadw'r ddefod yn iawn. Yr hen Cernunnos, yn fy ngwylio i'n ei wylio fe o gysgod llwyn o goed leim, presenoldeb gwyrdd, mor dawel â gwlith, ond yn newynog fel blaidd. Bydd e am weld y coed yn tyfu, tyfu'n gryf gyda maeth y gwaed. Gwrtaith y crwt.

'Ond fi'n licio'r syniad o'r boen gynyddol. Ie, y syniad 'na. Dyna beth gadwodd fi i deithio, yn rhydd fel un o gymeriadau caneuon Glen Campbell, yn cerdded yn benuchel ar hyd hewl ddiarffordd, gyda dim yn gwmni ond sisial y gwynt yn y wifren deligraff, fwlturiaid fel atalnodau uwchben y cactws, ddim digon pell o Tucson eto. Yr adar mawrion yn cylchu yn y nen o dan haul eirias.

'Dyna fe, Gwydion, ei galon yn curo mewn cawell o boen, ar y rac. Ody, mae e ar y rac.

'O! Tase fe ond yn ymwybodol o'r prydferthwch sydd o'i gwmpas: edrychwch draw fan'na. Dyna glas y dorlan yn fflach lliw cobalt ar hyd y Shagog, wrth i waed Gwydion dewhau a'i arennau'n dod i stop. Gwrandewch! Dacw'r fwyalchen yn cynnig offeren o oratorio o ganol y mieri, yn dathlu'r golau beunyddiol, mwynder y caeau a dawns y pryfed. Edrychwch! 'Na bili-pala'n croesi uwchben y nant ar adenydd silc i chwilio am goeden fêl, y golau dyfrllyd dan ganopi'r helyg yr un lliw â grawnwin Chardonnay. Dacw wiwer yn rhoi braw i lygoden fach sy'n tasgu i mewn i fonyn clawdd, ei choesau'n sbin. Tair ydfran osgeiddig yn gwledda ar gynrhon dan y pridd. Ac arogl gwyddfid cynnar, wir Dduw i chi, gwyddfid mor gynnar â hyn, fel petai'r tymhorau ar chwâl, a dacw iâr fach yr hesg yn casglu stwff i nythu, rywle i lawr yn y lilis 'na, ei choesau'n wyrdd fel y gwanwyn ei hun. Mae hwn fel epiffani, a Gwydion druan yn anymwybodol o'r ddawns 'ma o'i gwmpas. Achos mae'r gwiail yn tyfu, yn estyn yn syth tua'r haul, gwaywffyn yn llawn pwrpas a chwant am yr haul.

'Hei, Gwydion, wyt ti am ddropyn o ddŵr? Sori, alla i ddim dy glywed di. Efallai bod dy geg yn rhy sych i siarad. Siŵr ei bod hi. Dy wefusau wedi cracio nes dy fod yn edrych fel rhywun sydd newydd baffio deg rownd yn erbyn Marvin Hagler. Neu Frazier. Neu Joe Louis. Ond fydd dim rhaid i ti ymladd lot mwy. Mae'r amser bron ar ben. Mae dy amser *di* bron ar ben.

'A gwylia, mae'r iâr ddŵr yn ei hôl, yn cario twffet o wlân yn ei phig.

'Dwi'n cofio'r olwg 'na ar wyneb y dyn o Tucson. Mae marwolaeth yn dod fel dŵr sy'n codi – mae rhywbeth hydrolig yn ei gylch. Neu efallai bod gan hynny rywbeth i'w wneud â'r ffaith bod hylifau'r corff ar fin diflannu, gan nad oes eu hangen bellach.

'Ti yw fy ngwaith celf. A hwn yw fy nghynfas, allan yn y goedlan fel hyn.

'A bydd amser yn dy droi di'n galch, ar ôl i'r cnawd bydru a thithau wedi troi'n blisgyn sych i chwythu i bob cyfeiriad gan y gwynt – i erwau iâ y Gogledd, i ryfeddodau'r Dwyrain, i Decsas ac i Affrica – a bydd y coed yn gysgod i'r man hwn, lle daeth stori'r storïwr i ben, dan ofal llofrudd o ddrifftiwr. Yn ei fagl greulon.'

Tawelwch. Dim i'w glywed heblaw megin yr hen giper wrth iddo sugno diwedd sigarét arall i mewn i'w ysgyfaint. A thawelwch. Fel y bedd.

Heno, bydd y lloer yn galaru. Y cadno'n ielpian dros ddôl a buarth, ei gyfarth fel cloch yn udo. Daw gwyfynod i chwilio am flodau sydd wedi dianc o erddi'r bythynnod – bysedd y blaidd yn gymysg â *lobelias*. Bydd y fro yn dawel fel mynwent, nes eich bod yn gallu clywed curiad calon dryw, yn swnio fel tympani pitw bach yng nghanol y rhedyn. A chôr y wig yn cysgu tan y bore. Dim siw na miw. Dim tylluan ar batrôl dros y gwair tal. Dim smic o sŵn o gyfeiriad y dyn ifanc, nes bod yn rhaid i chi dderbyn y peth, y weithred sydd wedi'i chyflawni.

Ac yna daw'r dylluan, un wen, yr un yr oeddech efallai yn ei hanner disgwyl, ac mae'n hedfan fel ysbryd, fel drychiolaeth, ar adenydd melfed, i godi prae. Ei hadenydd yn crymanu'n osgeiddig dros y gwair tal ar ochrau'r caeau. Heb sŵn o gwbwl, yn symud yn ei blaen. Bron nad oes ganddi gysgod. Dacw hi, yn distaw-hedfan dros dudalen lwyd y nos.